日本企業の
コーポレートファイナンス

Corporate Finance
Best Practices in Japanese Companies

Nobuyuki Isagawa *Hidetaka Kawakita* *Hidenori Sugiura*
砂川伸幸　川北英隆　杉浦秀徳

日本経済新聞出版社

刊行に寄せて

　京都大学は2006年4月に新たに経営管理大学院（マネジメントスクール）を設立した。日本企業に求められている，経済・経営のメカニズムへの深い分析能力を基礎とし，新たな事業価値を創出するマネジメント力に優れた基幹的人材を育成するという社会的要請に応えるためである。本書を執筆した川北英隆・京都大学経営管理大学院教授，砂川伸幸・神戸大学大学院経営研究科教授（京都大学経営管理大学院みずほ証券寄附講座教授），杉浦秀徳・京都大学経営管理大学院特別准教授は，同大学院にて発足当初より教鞭をとっている3名である。みずほ証券には2005年4月の本学経済学研究科での寄附講座開設以来，すでに3年にわたって京都大学における企業金融に関する研究と教育促進に貢献していただいている。みずほ証券寄附講座が提供している授業は，2007年度には13科目の多くにのぼり，理論と実務が補完しあう内容は，学生から高い評価を得ている。

　本書における産学共同研究は，寄附講座開設時から課題としてあげられていた「日本の企業金融システムの制度的特質を，金融機関と産業企業との視点から，国際比較のアプローチによって分析する」との流れに沿ったものである。日本の企業金融における諸事象を，理論面から分析して具体的な問題点を明確化し，新しい企業金融のシステム設計を経営学的手法も取り入れて行い，実務に沿った企業金融モデルを提言することが最終的な目標となろう。

　京都には特色のあるグローバル規模の優良企業が多数存在している。その中には，企業金融の理論が推奨する「借金の有効活用」「競争力のある分野に集中」などとは一見異なる経営戦略を推進する企業も少なくない。企業金融の理論と実務への適用を探る共同研究には魅力的な題材である。京都大学の「自主・独立」「共存・調和」という基本教育理念を生かし，多くの研究者・学生が地元企業との連携を保つ中で，自律的に問題解決・発見に努めてくれることを信じている。

　今回，3名の研究者・実務家による理論の整理と事例研究の積み重ねが共同研究の成果として出版され，社会人・学生など多くの人々の目に触れることは幸いである。本出版が社会科学分野における産学連携の成功事例となり，今後の企業金融分野における研究の更なる発展・深化に寄与することを願っている。

京都大学経営管理大学院
院長　吉田和男

まえがき

　コーポレートファイナンスの理論が日本企業の実務に急速に活かされるようになってきている。一昔前は，資本コストやDCF法といっても，ピンとこない人がほとんどだった。M&Aは知っていても，それを目のあたりにすることはなかった。借入は銀行との付き合いで決まり，配当政策は安定配当を継続していればよかった。
　いまは違う。日本企業は，資本コストを意識した経営指標を取り入れ，資本コストを基準にした投資決定を行っている。企業戦略として定着したM&Aの現場では，DCF法やマルチプル法を用いた価値評価が行われている。自社の価値と評価を高めるため，企業の財務部門や企画部門は，投資銀行やファイナンシャル・アドバイザーを交えて資本構成（負債比率）や配当などの財務戦略を議論している。
　大阪ガスと松下電器の資本コスト経営，キッコーマンの資本コストの推定，アサヒビールの和光堂買収，阪急と阪神の経営統合，伊勢丹の有利子負債削減，キリンビールの有利子負債活用，ANAとJALのエクイティ・ファイナンス，資生堂とマブチモーターの配当政策，NTTドコモの自社株買い――本書が取り上げる主な事例である。これらの事例の背後には理論がある。
　M&Aブームや株主提案の増加，株主重視の浸透などによって，一般ビジネスマンの間にもコーポレートファイナンスに対するニーズが高まってきた。ファイナンス中心のビジネススクールに通うビジネスマンが増え，毎週のようにM&Aやファイナンス関係のセミナーが開催されている。ファイナンス関連の学会にいけば，大学教員よりも実務家の姿の方が多いこともある。書店にはコーポレートファイナンスのテキストが溢れている。コーポレートファイナンスの考え方は，日本のビジネス界に大きく根を張ろうとしている。
　M&Aの成功要因として第6章の中で，「地の利，人の和，天の時」という言葉が出てくるが，まさに"天の時"というべきタイミングで本書を出版できることは，うれしい限りである。
　また，"地の利"としては，コーポレートファイナンス関連図書における本書のポジショニングがある。本書は，類書がないほど日本企業のコーポレートファイナンスの事例を数多く取り入れた。理論と現実の双方向からアプローチした本書は，非常にユニークなポジションにある。このポジショニングには，「理論が実務と結びつくことで大きなシナジー効果を発揮する」というわれわれ執筆陣の考え方が表れている。

執筆陣の経歴と現在のポジションにも"地の利"がある。本書の企画・刊行は，コーポレートファイナンスや資本市場関連の実務と学術研究に精通する執筆者の組み合わせによって可能となった。神戸大学大学院経営学研究科に所属する砂川伸幸は，主にコーポレートファイナンスの理論研究に取り組んでいる大学教員である。京都大学経営管理大学院に所属する川北英隆は，資本市場関係の実務経験が豊富なビジネススクールの教員である。みずほ証券に所属する杉浦秀徳は，コーポレートファイナンスの実務経験が豊富な投資銀行マンであると同時に，社会人教育にも携っている。三名がそれぞれの経歴とポジションを活かして執筆し，それらをうまく組み合わせるという形で本書の企画は進捗した。

　そして，やはり"人の和"があった。本書の大きな目的は，日本企業のコーポレートファイナンスの現場と理論が結びつくことの確認であった。この目的に賛同し，多くの企業の多くの方々が，事例紹介やインタビュー調査に快く応じてくださった。みずほ証券投資銀行部門の方々は，延べ十数回におよんだインタビュー調査のスケジュール調整をお引き受けくださった。研究寄附を頂戴したみずほ証券と科学研究費補助金の資金的なお力添えもあった。産学連携の成果として本書を刊行することができたのは，まさに産学の"人の和"があったからである。

　コーポレートファイナンスの主役は，価値を生み出す企業と価値創造に必要な資金を提供する投資家である。投資家は企業の事業計画を評価し，資金を投下するか否かを判断する。投資家の資金は，資本市場を通じて企業や事業に流れ，ヒトやモノと結びついて価値を生み出す。効率的な資金の流れをサポートする主体として投資銀行がある。彼らは，企業価値や事業価値の評価を行ったり，資金が流れやすいように工夫された財務戦略を立案したりする。

　本書を手にとる方の多くは，企業（事業法人），投資家，投資銀行（証券会社）のいずれかの立場におられるだろう。本書の内容は，異なる立場にいるすべての人が納得するものではないかもしれない。ときには，違和感をもったり，納得ができなかったり，首を横に振ったりすることがあるだろう。筆者たちも同様であった。一人は企業の視点から，一人は投資家の視点から，一人は投資銀行の視点から，考えたり分析したりすることに慣れている。学術研究を追求している者と実務に精通している者という立場の違いもある。いくつかの事例や現象に対する解釈が食い違った。

　しかし，それがコーポレートファイナンスの奥深さである。コーポレートファイナンスのすべての理論が，いつの時代にも，どの企業にも通用するのではない。時代によって，企業によって，答えが異なることがある。これを「条件付き理論」と

よぼう。逆に，時を超え，国籍に関係なく，あらゆる企業に適用可能な理論もある。これを「普遍的な理論」とよぼう。

本書の前半部である第1章から第6章では，「普遍的な理論」が当てはまるテーマを取り上げた。資本コスト，企業価値評価，そして投資決定の理論である。前半部の執筆において，筆者間の意見を調整する必要はほとんどなかった。資本コストの重要性，企業価値評価のフレームワーク，価値創造に必要な投資決定基準は確立されているという認識で一致していたからである。

後半部である第7章から第16章では，「条件付き理論」が当てはまるテーマについて議論した。資本構成（レバレッジ）と資金調達，ペイアウト政策（配当と自社株買い），現金保有などの財務戦略が相当する。後半部の執筆においては，筆者たちの間で，考え方や分析の視点が異なった。財務戦略の重要性や財務戦略に対する市場の見方について，多くの人の意見が一致する普遍的な理論がないからである。先人たちが構築してきた様々な考え方はある。実務家の経験と合致したり，現場で役立ったりしている仮説もある。しかしながら，決定的なものがない。企業の財務戦略は，経済動向や資本市場の環境，そして企業の状態に応じて答えが異なる「条件付き理論」が妥当する領域である。後半部のボリュームが多いのは，議論すべき点が多かったためである。この事情を念頭において，本書を読み進めていただきたい。

いま，日本企業のコーポレートファイナンスの現場では，理論を礎にした知が積み上がっている。学術研究は，現場の知から新しい理を生み出そうとしている。本書は，学術的な理論を使う現場と，現場から学ぶ学術界の双方を視野に入れている。企業の財務行動の事例を豊富に取り上げ，事例と整合的な理論を引っ張り出した。読者の方々には，われわれが再認識したように，コーポレートファイナンスの理論が実践的であるということを理解していただきたいと思う。先駆的な取り組みをしている企業を訪れ，理論に精通した実務家の方々とひざ詰めの議論を繰り返した。われわれが学んだように，コーポレートファイナンスの現場には，学術研究のヒントが少なくないことを知っていただきたいと願う。

本研究にあたり，「企業は生きている」ということを思い知らされることが多かった。本書で取り上げた事例の多くは，何かを"きっかけ"として"正しい方向"への転換をなし遂げたものである。大阪ガスは，規制緩和と資本市場の変化をきっかけに，資本コストを意識した経営に舵を切った。松下電器は，営業赤字への転落をきっかけに，資本コストとキャッシュフローに経営指標を絞り込んだ。伊勢丹は，積年の課題であった訴訟問題の解決をきっかけに，全社一丸となって負債削減に取

り組んだ。キリンビールは，長年守ってきた国内トップシェアの座を明け渡したことをきっかけに，海外展開と積極的な財務戦略を進めた。何かをきっかけに，社員が感じている問題を顕在化させ，正しいと判断した方向に変わっていく。そのような企業はまさに生きている。

現場と理論の結びつきに協力いただいた方々には，改めてお礼を申し上げる。また，原稿の細部にまで目を通していただいた神戸大学経営学部・同大学院経営学研究科の砂川ゼミの諸君，そして本書の企画から出版まで本当にお世話になった日本経済新聞出版社の平井修一さんにも，この場を借りて感謝したい。

最後にどうしても言っておきたいことがある。「価値を生み出すのは事業であり企業である。株式市場ではない。」企業の方も投資家の方も投資銀行の方も，そして読者の皆様も，このことを忘れないようにしていただきたい。

2008年1月

砂川伸幸・川北英隆・杉浦秀徳

目次

第 1 章
企業と投資家

1 企業活動とステークホルダー ……………………………………… 001
2 企業の損益計算とステークホルダー …………………………… 003
3 株主の立場 …………………………………………………………… 004
4 資産利益率（資本利益率）と資本コスト ……………………… 005
5 資産のリスクとリターン ………………………………………… 007
6 株式のリスクとリターン ………………………………………… 008
7 資本市場の効率性 ………………………………………………… 010
8 投資家のリスクと企業のリスク ………………………………… 011
9 利害対立問題と対話の必要性 …………………………………… 014
10 投資家と経営者の対話 …………………………………………… 014
11 コーポレートファイナンスと価値創造の場 …………………… 016

第 2 章
資本コストと価値評価

1 キャッシュフローの計算 ………………………………………… 019
2 企業活動とキャッシュフロー …………………………………… 021
3 DCF法と現在価値 ………………………………………………… 023
4 定額CFモデルと定率成長モデル ……………………………… 025
5 企業の資本コスト ………………………………………………… 027
6 CAPMと株式の資本コスト ……………………………………… 030
7 資本コストの推定 ………………………………………………… 033
　❶CAPMに必要な情報　033
　❷CAPMを用いた株式の資本コストの推定　036
　❸株式ベータの選択と経済的解釈　038
　❹負債の資本コストの推定　039
　❺総資本コスト（WACC）の推定　041
8 DCF法による企業価値評価の考え方 …………………………… 043
　❶企業価値評価の考え方　043
　❷企業価値評価におけるフリー・キャッシュフロー　044
　❸DCF法による企業価値評価の事例　045

第 3 章
資本コストと企業経営

1 企業経営と資本コスト …………………………………… 049
2 資本コストと撤退基準 …………………………………… 051
3 事業ポートフォリオの変化と資本コスト ……………… 053
4 資本コストの修正 ………………………………………… 055
5 企業の投資決定問題 ……………………………………… 057
6 NPV法による投資決定 …………………………………… 058
7 IRR法と新旧の投資決定基準 …………………………… 061
　❶IRR法　061
　❷伝統的な投資決定基準　062
　❸リアルオプション　064
8 資金使途と説明責任 ……………………………………… 065
9 経営分析と投資決定基準 ………………………………… 066
10 過大投資 …………………………………………………… 068
　❶利害対立と過大投資　068
　❷投資決定基準と過大投資　069
　❸割引率と過大投資　070

第 4 章
資本コストと企業経営の実践（1）
―大阪ガスのSVAとグループ経営―

1 資本コストを意識した大阪ガスのSVA …………………… 073
2 資本コストの公表が意味すること ……………………… 076
3 資本コストと真の利益 …………………………………… 077
4 SVA導入の背景 …………………………………………… 079
5 SVA導入に対する社内の反応 …………………………… 080
6 SVAが浸透した素地 ……………………………………… 082
7 どこまで浸透させるか …………………………………… 083
8 業績評価（SVA）と新事業評価（NPV）の使い分け … 084
9 事業の選別と撤退 ………………………………………… 084
10 事業リスクに応じた割引率 ……………………………… 086
11 大阪ガスの経営計画 ……………………………………… 087
　追記 ………………………………………………………… 091

第 5 章
資本コストと企業経営の実践（2）
－松下電器のキャッシュフロー経営とCCM－

1 CCMとキャッシュフローへの絞り込み ……………………… 093
2 "これぞ"という経営指標 ……………………………………… 095
3 松下電器のキャッシュフロー経営 ……………………………… 096
4 資本コストと資産効率 …………………………………………… 099
5 松下電器のCCM ………………………………………………… 101
6 CCMの浸透 ……………………………………………………… 103
7 全社一律の資本コスト …………………………………………… 105
8 企業が資本コストを導入するステージ ………………………… 105
9 ダム経営方式と資本利益率 ……………………………………… 107
10 成長ステージへ …………………………………………………… 108

第 6 章
M＆A戦略の理論と事例

1 地の利，人の和，天の時 ………………………………………… 111
2 戦略的関連性とM&A …………………………………………… 112
3 コーポレートファイナンスとM&A …………………………… 115
　❶M&Aと価値評価　115
　❷M&Aにおける価値の配分　116
　❸M&AとEBITDAマルチプル法　118
　❹EBITDAマルチプル法を用いた価値評価の事例　120
　❺M&Aにおける財務的な効果　123
4 アスティとエフ・ディ・シィ・プロダクツ（FDCP）の経営統合 … 124
　❶シナジー効果　124
　❷株式交換比率と株価動向　125
　❸投資家への説明　126
5 アサヒビールの和光堂買収 ……………………………………… 127
　❶戦略的な事業の売買　127
　❷売買価格と市場の反応　129
　❸ライバル社への影響　130
　❹買収価格の再検討　131
6 成立しなかったM&A …………………………………………… 134
　❶王子製紙と北越製紙の事例　134

❷DCF法による王子製紙と北越製紙の株価の検討　135
❸東京鋼鐵と大阪製鐵の事例　138
❹HOYAとペンタックスの事例　140

第 7 章
負債の利用と企業価値評価

1 資本構成とは何か ……………………………………………… 143
2 MMの無関連命題 ……………………………………………… 144
3 レバレッジの影響 ……………………………………………… 146
4 ファイナンシャル・リスク …………………………………… 147
5 ROEとROAと利子率 ………………………………………… 149
6 負債利用の節税効果 …………………………………………… 152
7 負債の節税効果と企業価値評価 ……………………………… 154
　❶APV法　154
　❷WACC法　155
　❸CCF法　156
　❹節税効果のリスクと評価　156
8 負債利用とデフォルト・コスト ……………………………… 158
　❶デフォルト・コスト　158
　❷デフォルト・コストの大きさ　161
　❸デフォルトの可能性と格付け　161
　❹格付け機関による評価の違い　163

第 8 章
最適な負債比率の探求

1 資本構成のトレードオフ理論 ………………………………… 165
2 トレードオフ理論の数値例 …………………………………… 166
3 トレードオフ理論は現実的か ………………………………… 170
4 ファイナンシャル・フレキシビリティの重要さ …………… 172
5 コーポレート・ガバナンスと資本構成 ……………………… 175
6 負債と経営戦略 ―関西電力と大阪ガスの事例― …………… 176
7 負債利用と資本コスト ―花王の事例― ……………………… 178
8 企業のビジネスとレバレッジ ………………………………… 179
9 無借金経営へのこだわり ……………………………………… 180

第 9 章
伊勢丹の有利子負債削減

1 社員に説明しやすい指標 ………………………………… 184
2 企業の社風と負債に対する考え方 ……………………… 187
3 裏目に出た財務レバレッジの影響 ……………………… 189
4 有利子負債の削減を阻んだ要因 ………………………… 191
5 有利子負債削減のタイミング …………………………… 193
6 有利子負債削減への取組み ……………………………… 194
7 運転資本管理と取引先との関係 ………………………… 195
8 成長ステージへ …………………………………………… 196
9 居心地のよい負債の水準とファイナンシャル・フレキシビリティ 198

第 10 章
積極的な負債の利用
―キリンビールの事例―

1 負債利用をサポートする考え方 ………………………… 201
2 キリンビールの事業展開と有利子負債の利用 ………… 202
  ❶キリンビールの決断「新キリン宣言」 203
  ❷無借金経営からの決別 205
  ❸海外への事業展開とROEを意識した財務戦略 206
  ❹有利子負債活用のメッセージ 208
  ❺ファイナンシャル・フレキシビリティと同業他社比較 210
3 財務戦略と企業経営 ……………………………………… 212

第 11 章
エクイティ・ファイナンスと資金調達の新潮流

1 エクイティとメザニン …………………………………… 217
2 一株当たり利益(EPS)の希薄化と投資の長期的効果 … 219
3 マーケット・タイミング ………………………………… 222
4 資金調達のコストと序列 ………………………………… 223
5 エクイティ・ファイナンスと利害対立問題 …………… 225
  ❶所有と経営の分離 225
  ❷株主と債権者のリスク選好の相違 227

❸負債の資本拘束条項と債務免除の合理性　229
　　　❹格付けと株価　230
　　　❺リスク・インセンティブと資源配分の効率性　230
　6　転換社債と証券化 ……………………………………………………… 232
　　　❶転換社債とオプション　232
　　　❷負債と株式の問題を解消する転換社債　233
　　　❸転換社債のシグナリング機能と新しい可能性　234
　　　❹証券化　236
　7　ANAとJALの公募増資 ……………………………………………… 237
　　　❶近年のANAとJALの動向　237
　　　❷ANAの事業戦略と財務戦略　240
　　　❸ANAの公募増資　241
　　　❹JALの公募増資　244
　　　❺公募増資と利害関係　245

第 12 章
配当政策

　1　近年のペイアウトの動向 …………………………………………… 247
　2　ペイアウトの考え方 ………………………………………………… 251
　3　配当無関連命題 ……………………………………………………… 253
　4　配当とリスク・リターン関係 ……………………………………… 256
　5　配当シグナル仮説 …………………………………………………… 257
　　　❶増配とFCF（利益）の増加　259
　　　❷苦渋の選択である減配　260
　　　❸増配とビジネス・リスクの低下　261
　6　配当のフリー・キャッシュフロー仮説 …………………………… 263
　7　配当のライフサイクル仮説 ………………………………………… 265
　8　市場のセンチメントとケータリング仮説 ………………………… 268
　9　外部投資家と企業内部者のリスクの相違 ………………………… 270
　10　税制，取引コスト，機関投資家 …………………………………… 271
　11　配当か投資か ………………………………………………………… 273

第 13 章
自社株買い

　1　自社株買いの動向 …………………………………………………… 275

	2	自社株買い無関連命題	276
	3	自社株買いとリスク・リターン関係	278
	4	機動的で柔軟な自社株買い	279
	5	自社株買いのフリー・キャッシュフロー仮説	280
	6	自社株買いシグナル仮説	282
	7	自社株買いと株価の長期パフォーマンス	284
	8	長期保有株主と自社株買い	286
	9	金庫株保有を巡る議論	288
	10	NTTドコモのペイアウトと金庫株保有	292

❶経営指標とペイアウトの方針　292
❷NTTドコモの自社株買い　296
❸NTTドコモの金庫株と自社株消却　299

第14章
資生堂の総還元性向

	1	連結純利益の6割をペイアウト	303
	2	総還元性向導入の経緯	305
	3	実際のペイアウトと減配の回避	307
	4	配当重視への転換	309
	5	資生堂の自社株買いと金庫株保有	309
	6	居心地のよい社債格付け	312
	7	個人株主に対する考え方	313
	8	成長投資と現金ポジション	314
	9	総還元性向の導入に対する評価	317

第15章
マブチモーターの「フロア＋業績連動型」配当

	1	業績連動型配当の導入	319
	2	安定部分（フロア）と業績連動部分のハイブリッド型配当政策	321
	3	配当政策の変更	321
	4	2003年当時の事業環境	324
	5	転換期における配当政策の変更	325
	6	配当シグナル仮説とライフサイクル仮説	326

7	配当顧客仮説	328
8	業績連動型配当と減配	330
9	マブチモーターの自社株買い	331
10	金庫株保有に対する考え方	332
11	マブチモーターと資生堂の業績連動型配当の比較	333
12	ペイアウトを巡る企業と投資家	334

第16章 企業の現金保有と株式持ち合い

1	現金保有を巡る諸仮説	337
2	アクティブ・ファンドの投資先の分析事例	340
3	企業の現金保有の必要性	343
4	現金保有に対する投資家の懸念	345
5	新しい株式持ち合い	347
6	現代の財務戦略論	349

引用・参考文献 …… 351
索　引 …… 354

装丁　渡辺弘之

第1章

企業と
投資家

>>1 　企業活動とステークホルダー

　企業は様々なステークホルダーと関係がある。顧客，従業員，取引先，地域社会，そして投資家。すべてが企業活動に関与しており，何らかの利害関係をもっている。様々なステークホルダーと良好な関係を維持することで，企業は継続的に安定した事業活動を営むことができる。

　企業のステークホルダーは利害をともにすることが多い。企業が良い製品やサービスを提供するためには，取引先（仕入先）や従業員との良好な関係が必要である。顧客満足の高い製品やサービスが提供できると収益があがる。収益があがると取引先や従業員を満足させる支払いができる。投資家に十分な利益還元をすることが可能になる。雇用や税金，あるいは文化活動などを通じて地域社会に貢献できる。このサイクルが安定的すると，顧客が満足し，取引先との良好な関係が構築でき，従業員のモチベーションが高まり，そして株主の資産価値が高まる。

　逆もありうる。顧客が満足できる製品やサービスを提供できない企業は売上が低迷する。供給先は安心して原材料を提供できないし，従業員のモチベーションも低下する。債権者は資金回収を急ぎ，株主は株式を売ろうとするだろう。サイクルはどこからでも狂い始める。供給先や従業員との関係がうまくいかなければ，モノやヒトが動かなくなり，良い製品を製造・販売することができない。投資家との関係が崩れれば，資金が引き揚げられ，お金が回らなくなる。

　様々なステークホルダーとの良好な関係を構築し維持することで，企業は経営資源を獲得し，製品やサービスを提供することができる。そして社会の役に立っている。わが国を代表する家電メーカーである松下電器産業は，その行動

基準において，価値創造による社会貢献を次のように定めている。「私たちは，社会から『人・物・金・情報』をはじめとする貴重な資源を預かり，新たな価値を付加して商品やサービスを生み出し，世界の人々に広くご利用いただくことによって事業を営んでいます。この営みにおいて，まず重要なことは，創造性と勤勉性を発揮し，『新たな価値の創造によって持続可能な社会の発展に貢献する』ということです」。

[図表 1-1] 企業活動の概要

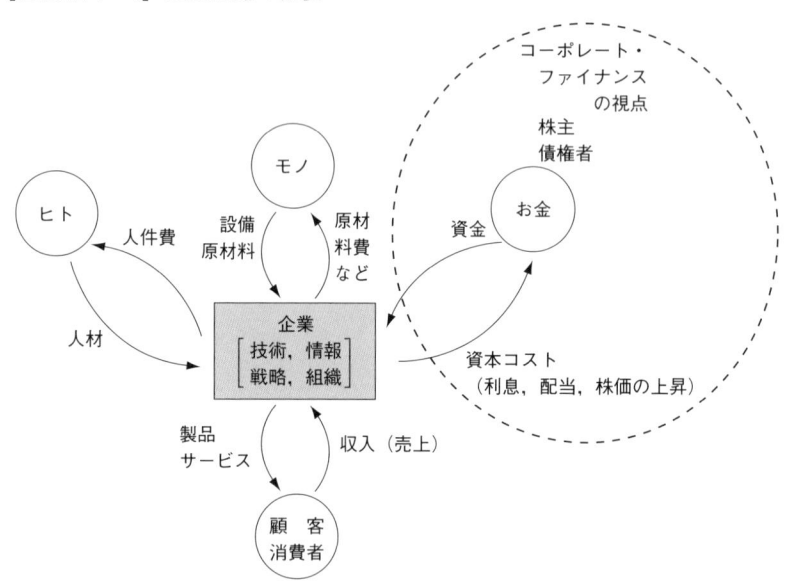

ヒト，モノ，お金，情報。コーポレートファイナンスでは，お金を提供する投資家の視点で企業活動を見ていく。とくに株主の視点を重視する。［図表1-1］は，企業活動の概要である。企業は，投資家（株主，債権者）から資金を調達し，人材を雇い，設備や原材料を調達する。ライバル社との厳しい競争に勝ち残り，競争優位を確立するため，企業は技術を開発し，情報を活用し，経営戦略を策定し，組織体制を整える。ヒト・モノ・お金が，企業内部で技術・情報・戦略・組織などと結びついて，製品やサービスが生まれる。商品やサービスが顧客に受け入れられると，収入（売上）が得られる。収入から，原材料費，人件費，利息，配当などが支払われる。

企業が投資家に支払う費用を資本コスト（Cost of Capital）という。債権者

に対する利息や株主に対する配当により,企業は資本コストを支払っている。投資家にとって,資本コストは,資金提供に対する見返りである。配当が支払われなくても,好調な企業活動を反映して株価が上昇すると,株主は値上がり益を手にする。資金提供に対する見返りがあったといえる。この場合,企業は株価の上昇を通じて資本コストを支払ったことになる。

資本コストは,投資家と企業の関係を考える際のキーワードになる。資本コストを意識している企業は,投資家のことを考えている企業である。

>>2 企業の損益計算とステークホルダー

企業とステークホルダーの関係を把握するためには,損益計算書を見るのがよい。［図表1-2］は,企業の損益計算書（要約）に,ステークホルダーとの関係を書き込んだものである。顧客との関係が企業の売上高につながる。売上高から売上原価（原材料費,人件費）を引くと売上総利益になる。売上総利益から販売費及び一般管理費（人件費）を引くと営業利益が得られる。営業利益を算出する過程で,「モノに対する支払い（原材料費）」と「ヒトに対する支払い（人件費）」が行われる。営業利益は,本業である製品やサービスの製造・販売活動の成果である。

企業は,営業活動とは別に,株式投資や国債の購入など金融資産への投資を

[図表 1-2] 損益計算書と利害関係者

[要約損益計算書]	[主な利害関係者]
売上高 ←	顧客
売上原価	→ 仕入先・取引先
（原材料費・人件費）	
売上総利益	
販売費及び一般管理費 →	従業員
営業利益（本業からの利益）	
［事業利益（営業利益＋金融収益）］	
支払い利息 ――――→	債権者
経常利益	
税引き前利益	
法人税 ――――――→	政府・地方公共団体
当期純利益 ――――→	株主

行っていることがある。金融資産からは，利息や配当などの金融収益が得られる。営業利益と金融収益を足し合わせたものは事業利益といわれる。事業利益は，損益計算書に明示されないが，しばしば用いられる概念である。

［図表1－2］から分かるように，事業利益は，債権者，政府・地方公共団体，株主に配分される。債権者は利息を受け取り，政府に法人税が支払われる。残った当期純利益は，株主への配当にあてられたり，企業内に留保されたりする。債権者と株主は企業に資金を提供している。損益計算上は，利息や配当という形で「お金に対する支払い」がなされる。資金はただではない。資本コストがかかっている。

>>3　株主の立場

損益計算書は，ステークホルダーに対する支払いの順序を示している。株主への配分は最後である。株主は，企業がその他のステークホルダーへの支払いをすませた後に残る利益（残余利益）を受け取る。企業収益の配分において，株主は最も弱い立場にある。その代わり，株主には議決権がある。企業経営に強い影響力をもつ取締役会のメンバーを選出できる。重要な議案に対して賛否を表明する投票権がある。企業の舵取りにおいて，株主は強い立場にある。

株式会社の制度は，株主に選ばれた取締役会が，残余利益を増やすよう経営する仕組みである。株主に選ばれた取締役たちが，最後に残る利益の配分を待っている株主を満足させるために，企業経営に目を光らせる。残余利益が増えると株主の満足度は高まる。株主が満足すると，他のステークホルダーは，少なくともお金の配分については満足していると考えられる。現実はそう単純ではないだろうが，話の筋としては通っている。

株主重視とは，その他のステークホルダーを軽視することではない。顧客，取引先，従業員，誰かとの関係がこじれると，企業活動に支障が出る。株主までお金が回ってこない。株主重視の企業経営は，その他のステークホルダーが満足していることを前提にしている。収益の配分において順位が最も低い株主を意識するということは，隅々にまで目が行き届いているようなものである。

後に紹介する大阪ガスや松下電器は，株主のことをきちんと考える意識を企業経営に浸透させ，成長路線に舵を切った。これまで事業を営んできた場において，隅々にまで目が行き届くようになったため，さらに大きな場を目指したように見える。松下電器の中村前社長は，「私が要望するのはCCM（事業利益

が資本コストをどれだけ上回るかを示す松下の経営指標）とキャッシュフローだけ。それ以外は言わない」と述べたことがある（日本経済新聞2005年8月5日付〈朝刊〉13面）。この意味を理解し，全社や事業の意思決定に組み込んでいくことが，投資家，とくに株主を重視した企業経営につながる。

>>4 資産利益率（資本利益率）と資本コスト

［図表1－3］は，事業利益と資産と資金提供者の関係を示している。企業は債権者から調達した資金（負債：Debt）と株主から調達した資金（自己資本：Equity）を使って，事業活動に必要な資産を購入する。企業の資産は，製品やサービスの製造・販売など営業活動を支える営業資産と金融資産に分類できる。営業資産は営業利益を生み出す。金融資産は配当や受取り利息などの金融収益を生み出す。営業利益と金融収益の合計が事業利益である。

貸借対照表上の総資産を使って企業が生み出す利益が，事業利益である。事業利益を総資産で割ると，総資産事業利益率（ROA：Return On Asset）が算出できる。

［図表■ 1－3］ 事業利益と資産の関係

［貸借対照表：投下資産と調達］

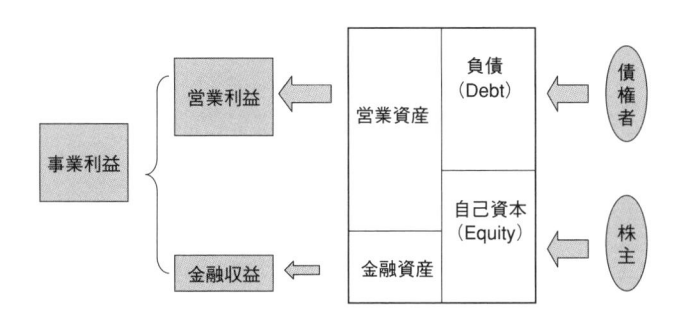

総資産事業利益率（ROA）＝事業利益÷総資産

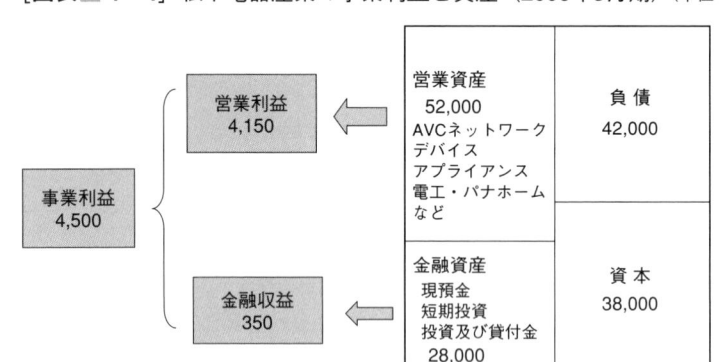

[図表1−4] 松下電器産業の事業利益と資産（2006年3月期）（単位：億円）

		営業資産 52,000 AVCネットワーク デバイス アプライアンス 電工・パナホーム など	負債 42,000
事業利益 4,500	営業利益 4,150 ←		
	金融収益 350 ←	金融資産 現預金 短期投資 投資及び貸付金 28,000	資本 38,000

ROA＝事業利益÷総資産＝5.65％（資産は期末残高）
営業利益÷営業資産＝8％，金融収益÷金融資産＝1.25％

　[図表1−4]は，2006年3月期の松下電器の総資産と事業利益の関係を示している。2006年3月期において，同社は4,150億円の営業利益と350億円の金融収益をあげた。事業利益は4,500億円であった。同社は貸借対照表上の総資産約80,000億円を用いて，4,500億円の利益をあげたことになる[1]。ROAは5.6％である。

　総資産の背後には，資金提供者である投資家がいる。松下電器は，42,000億円を債権者から，38,000億円を株主から調達している。事業利益の主な配分先は債権者と株主である。法人税を考慮しなければ，同社は投資家が提供した資金を用いて5.6％の成果をあげたことになる。これをどう判断すべきだろうか。

　企業分析の有名なテキストは，総資産利益率の評価について，次のように述べている[2]。「たいていの財務比率には絶対的な基準値がない。資本収益率（資産収益率）は例外であり，資本コストと比較できる。例えば，株主資本利益率（ROE：Return on Equity）は株主資本コストと比較できる」。ROEをROAに，株主資本コストを投下資本コストに置き換えてもよい。ROAの比較対象は，投下資本コスト（企業の総資本コスト）である。松下電器のROAを評価するには，資本コストを知る必要がある。資本コストを知るためには，リスクとリターンの関係を理解する必要がある。

1　厳密に言うと，総資産は期首と期末の平均を用いる。
2　Palepu, Healy, and Bernard（2001）参照。

>>5 資産のリスクとリターン

松下電器の2006年3月期は，営業資産の利益率が8％，金融資産の利益率が1.25％であった（［図表1－4］を参照）。総資産の65％を占める営業資産が8％の利益率をあげ，残り35％の金融資産が1.25％の利益率をあげたことになる。総資産利益率（ROA）は次のように分解することもできる。

$$ROA = 営業資産の割合 \times 営業資産の利益率 + 金融資産の割合 \times 金融資産の利益率 = 0.65 \times 8 + 0.35 \times 1.25 = 5.6\%$$

ROAは，営業資産の利益率を営業資産の割合でウェイトづけ，金融資産の利益率を金融資産の割合でウェイトづけた加重平均になっている。

営業資産の利益率と金融資産の利益率を比較すると，明らかに営業資産の方が高い。金利は安く，配当利回りもそれほど高くない現実を考えると，金融資産の利益率が低いことは理解できる。だからといって，営業資産の方が効率的かというとそうでもない。リスクを考える必要がある。

営業利益は赤字になることがある。松下電器の2002年度の営業利益は，約2,000億円の赤字であった。一方，受取り利息・配当金は赤字になることがない（金融資産に含まれる株主の値下がりリスクはある）。赤字の可能性がある営業利益の方がリスクは高いといえる。

現代のファイナンス論には，リスクが大きい資産は平均的に高いリターンを稼ぐというハイリスク・ハイリターンの原則がある。相対的にリスクが大きい営業資産のリターンは，赤字になることもあるが，平均的には高いリターンを稼ぐはずである。リスクが小さい金融資産（とくに現金・預金）のリターンは，赤字にならない代わりに，毎期のリターンも低い[3]。営業資産の高いリターンと金融資産の低いリターンは，リスクを反映していると考えられる。リスクのない現金とリスクが高い営業資産をリターンの大きさだけで評価してはならない。リスクを考慮する必要がある。

［図表1－5］は，企業の事業内容（資産構成）とリスク・リターンの関係を示している。企業Lは食品メーカー，企業Hは情報・通信の分野でビジネス

---

[3] 多額の株式投資を行っている企業にとって，金融資産のリスクはそれほど小さくない。しかし，バブル期と異なり，近年では，株式投資に積極的な企業はそれほど多くない。本書では，金融資産として，現預金などの安全性の高い資産を想定して議論を進める。

[図表 1-5] 企業の資産内容とリスク・リターンの関係

企業L
ローリスク・ローリターン

| 事業資産 食品 | 負債 |
| ローリスク・ローリターン | 自己資本 |

企業H
ハイリスク・ハイリターン

| 事業資産 情報・通信 | 負債 |
| ハイリスク・ハイリターン | 自己資本 |

を行っている企業である。

　食品メーカーである企業Lの事業は，相対的にリスクが小さいと考えられる。情報・通信関連の企業Hは，相対的にリスクが大きい事業を営んでいる。ハイリスク・ハイリターンの原則より，企業Hの事業がもたらす平均的なリターンは，企業Lより高いはずである。企業活動のリスクとリターンは，企業がどのような資産をもち，どのような事業活動を営んでいるかによって決まる。全社的な事業活動のリスクをビジネス・リスクとよぶ。

>>6 株式のリスクとリターン

　投資家が提供した資金は，有形・無形の資産に形を変えて，企業の事業活動に投下され，事業利益を生み出す。事業利益は債権者と株主に配分される。資金を提供する際，投資家は企業が営む事業活動のリスク・リターン関係を考慮する。投資家は，リスクが大きい事業を営む企業には，高いリターンを期待する。リスクが小さい企業のリターンは低くてもよいと考える。

　企業活動のリスクとリターンに関する投資家の見方は，資本市場で取引される株式の価格動向に表れる。ビジネス・リスクが大きい企業の株式は，価格の変動も大きい。ビジネス・リスクが小さい企業の株価は，相対的に安定した動きになる。

　[図表1-6]のグラフは，2002年1月から2006年12月におけるハウス食品とソフトバンクの株価動向である。株価水準を調整するため，2002年1月の株価を1としてある（株式分割は調整済み）。明らかにハウス食品の株価の方が安定した動きをしている。ソフトバンクの株価は変動が大きい。一方，5年間

[図表 1-6] ハウス食品とソフトバンクの株価動向

[2002年1月の株価を1としたときの相対的な株価動向]

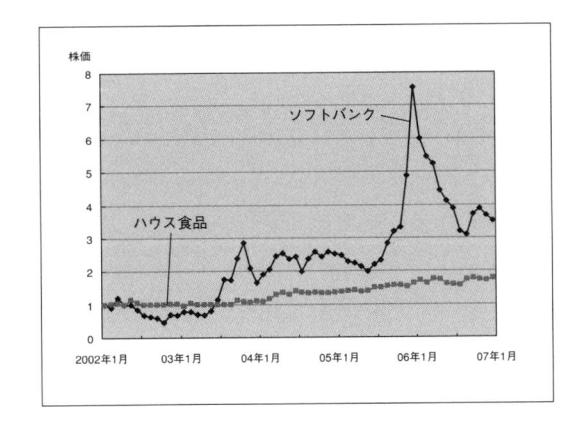

[月次収益率の平均と分散]

	ハウス食品	ソフトバンク
平均収益率	1.1%	3.8%
標準偏差	0.05	0.2
株式ベータ	0.5	2.5

(出所) 株式ベータは東京証券取引所『TOPIX β VALUE』
(注) 推定期間は2001年4月－2006年3月。

のリターンをみると，ソフトバンクの方がハウス食品より高い。振り返ると，2005年にソフトバンクの株式は大きく儲けるチャンスがあった。2006年には，大きな損失をもたらした。ハウス食品の株式には，このような乱高下が見られない。ハウス食品の株式はローリスク・ローリターン，ソフトバンクの株式はハイリスク・ハイリターンであるといえる。

［図表1－6］の右側の表は，両社の株価動向を数値的にとらえた結果である。表には，月次収益率の5年間（60ヵ月）の平均値と標準偏差，株式ベータが記されている。平均収益率はリターンの指標，標準偏差と株式ベータはリスク（株価変動の程度）の指標である。株式ベータについては，第2章で解説する。ハウス食品の株式はローリスク・ローリターン，ソフトバンクの株式はハイリスク・ハイリターンであることが確認できる。

ハウス食品とソフトバンクのビジネスを考えると，株価の動向は直感に合っている。ハウス食品の本業である食品加工・販売は，安定したビジネスである。景気など外部要因の影響を受けにくく，新規参入や代替品の脅威も大きくない。その代わり，成長機会はそれほど多くない。情報・通信事業は，商品やサービスのサイクルが早く，景気変動の影響を受けやすい。新規参入してくる競合企業も多い。相対的にリスキーなビジネスであるが，その見返りとして豊富な成長機会がある。

事業活動のリスクとリターンの関係が，株価の動向に表れている。投資家は，株式や社債を介して，企業のビジネス・リスクを負担し，それに見合うリター

ンの機会を得ている。投資家のリスクとリターンの源泉は，企業の事業活動である。

>>7 資本市場の効率性

　企業活動のリスクとリターンは株価に反映される。株価の動きを観察することで，投資家が企業のリスクやリターンをどのようにとらえているかが分かる。投資家はリスクに見合うリターンを期待する。投資家が期待するリターン（期待収益率）は，企業にとって資本コストである。企業の資本コストを知るためには，投資家の見方を知る必要がある。多数の投資家の意見が集約される資本市場の情報は，投資家の見方を推定するのに適している。実務的にも，資本市場の情報を用いて資本コストを推定する。

　資本コストは，コーポレートファイナンスのキーワードである。企業価値や事業価値を評価する際の重要なファクターであり，資本利益率の目標値になる。資本コストの推定を誤ると，高すぎる価格で企業を買収したり，過大な投資を繰り返したりする。負債の多い企業が，そのような過ちを繰り返すと，最悪の事態になりかねない。正しい資本コストを推定するためには，推定の方法を誤らないことが必要である。加えて，推定に用いる情報が正しくなければならない。後者は，資本市場の効率性によって保証される。

　資本市場が効率的であるとは，情報が素早く，そして正しく価格に織り込まれることをいう。ビジネス・リスクが大きい企業の業績は，景気に敏感である。日々流れてくる経済ニュースに対して，株価は大きく反応する。ソフトバンクの株価が，大きく変動しながらも高いリターンをあげているのは，同社の事業特性を表している。ビジネス・リスクが小さい企業の株価は，経済情勢の変化にそれほど敏感ではない。ハウス食品の株価が安定的に推移しているのは，同社の事業特性を反映している。効率的な資本市場の株価動向には，事業活動のリスクとリターンに関する情報が織り込まれている。

　市場の効率性を支える理論的な背景は，投資家行動に関する三つの考え方である。第一の考え方は，全ての投資家は正しく判断するというものである。情報は瞬時に正しく価格に織り込まれる。第二の考え方は，過大評価したり過小評価したりする投資家はいるが，その割合はほぼ等しいというものである。売りと買いが拮抗して，株価は正しい水準に落ち着く。第三の考え方は，少数ではあるが，正しく価値評価ができる合理的な投資家がいるというものである。

彼らは，過大評価されている株式を売り，過小評価されている株式を買う。その結果，株価は正しい水準に戻る。

　市場の効率性とは，ミスプライシングが素早く是正されることをいう。実際には，株式市場が効率的でないと思える事例も散見される。ソフトバンクの株価は，2005年の後半に急騰した後，およそ半年かけて平時の水準に戻った。価格調整に時間がかかりすぎている。いくつかの実証研究は，自社株買いをした企業の株価が，3年間ほど上昇し続けるという結果を報告している。正しい価値を知っている企業が，割安に放置されている自社株を買い，そのニュースをきっかけにミスプライシングが是正されたと解釈できるが，やはり時間がかかりすぎている。また，株式市場は，派手なイベントが好きな場でもある。M&Aなど時流に乗ったニュースがあると，出来高が急増し，株価は乱高下する。市場が常に正しい評価をしているとは断言できない。

　それでも，平時は冷静に企業のリスクとリターンを分析し，正しく評価しているはずである。資本市場は，世の中で最も多くの人々の意見が反映される場である。現場では，資本市場の評価にしたがって，企業の資本コストを推定する。企業の資本コストは，リスクとリターンを評価する資本市場で決まる。企業が勝手に決めるのではない。

>>8 投資家のリスクと企業のリスク

　効率的な市場では，情報が素早く価格に反映される。［図表1－7］は，大手菓子メーカー不二家の品質管理問題がアナウンスされた2007年1月11日前後の株価動向である。不二家の株価は，1月10日から15日までの4営業日で，17.6%も下落した。市場は，ネガティブな情報に素早く反応したといえる。図表には，不二家と同業の森永製菓と山崎製パンの株価，そしてTOPIXの動向もまとめてある。同時期に，森永製菓や山崎製パンの株価が下落していないことからも分かるように，品質管理の問題による株価の下落は不二家の個別事情によるものであった。

　不二家の株式を保有している投資家は，大きな損失を被ったであろうか。確かに，不二家の株価は下落した。不二家の株式だけを保有していた投資家は，大きな損失を被ったに違いない。しかし，不二家の株式に集中投資していた投資家は，それほど多くないであろう。多くの投資家は，いくつかの銘柄に分散投資している。

[図表 1-7] 不二家，森永製菓，山崎製パンの株価動向

企業 (発行株式数)	不二家 (12,600万株)	森永製菓 (27,000万株)	山崎製パン (22,000万株)	TOPIX
1月10日	233	289	1,157	1657
1月11日	211	297	1,132	1650
1月12日	198	302	1,152	1667
1月15日	192	306	1,162	1695
累積収益率	−17.6%	5.9%	0%	2.3%

(注) 日本経済新聞朝刊(2007年1月11日)：不二家の埼玉工場で昨年11月，消費期限切れの牛乳を使ったシュークリーム約2千個が製造され，一都九県に出荷されていたことが10日に分かった。同社は出荷後にこの事実を把握していたが，公表していなかった。

　不二家と森永製菓のポートフォリオ（組み合わせ）を保有していた投資家は，値下がりリスクをある程度回避できた。森永製菓の株式が値上がりしたからである。新聞などで報道されたように，不二家の大株主であった同社が支援に乗り出すとシナジー効果があるという期待があったのかもしれない[4]。不二家の商品の代替として同社の売上高が増えるという思惑があったのかもしれない。真相は分からないが，森永製菓の株価が上昇したことは事実である。

　両社の時価総額を比べると，森永製菓は不二家の3倍である。時価総額を考慮して，不二家1株と森永製菓3株を保有していた投資家のポートフォリオは，損失を被ることがなかった。分散投資がリスクを回避したといえる。これが分散投資の効果である。分散投資によって回避できるリスクを非システマティック・リスクという。

　［図表1-7］におけるTOPIXのリターンに注目しよう。分散投資を進めたTOPIX型のポートフォリオを保有している投資家は，この期間に値上がり益を得ている。TOPIXは東京証券取引所の第1部市場に上場されているすべての企業の株式からなる株価指数である。非常に多くの銘柄を含むポートフォリオにおいては，一企業の個別事情に起因するリスクなど取るに足らないといえる。

　現代のファイナンス理論では，投資家はリスク回避的で分散投資を行うと考える。十分に分散投資されたポートフォリオを保有することで，投資家は企業の個別事情が株価に与えるショックを回避することができる。

　［図表1-8］は分散投資の効果を図示したものである。銘柄数を増やして

---

[4] 森永製菓は一時不二家を支援する有力な候補とされた。結局，山崎製パンが不二家の再建を主導することになった。

[図表 1-8] 分散投資のリスク低減効果

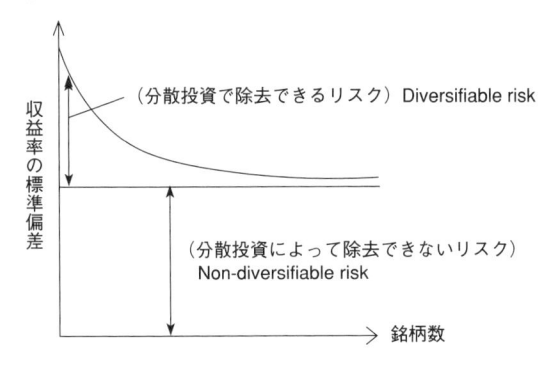

いくと，リスクの大きさを示す標準偏差（SD）は低下していく。もともとリスクをもつ資産の集まりであるため，リスクが完全に消滅することはない。分散投資によって除去できないリスク（Non-diversifiable risk）と分散投資によって除去できるリスク（Diversifiable risk）がある。［図表1－7］の例でいうと，TOPIXの価格変化は分散投資によって除去できないリスクである。個別事情による不二家の株価変動は，分散投資によって除去できるリスクであった。

　企業がコントロールできる個別事情は企業に責任がある。しかし，企業がコントロールできないこともある。特定の企業や業界に不利益となるが，異なる企業や業界には利益をもたらすような外的要因が相当する。制度の変更や海外情勢の変化によって，数社がネガティブなショックを受け，数社がポジティブなショックを受けるとしよう。株式市場全体のパフォーマンスには大きな影響がない。十分に分散投資されたポートフォリオの中では，ポジティブなショックとネガティブなショックが打ち消される。分散投資をしている投資家にとって，このような外的要因は気にならない。

　しかし，ネガティブなショックを受けた企業の従業員にとって，外的な要因は他人事ではない。業績の悪化は給与や賞与に響くかもしれない。業績の低迷が続けば，最悪の事態もありうる。ポートフォリオをもつ投資家が意識するリスクは，個別企業の従業員や経営者が意識するリスクと異なることがある。リスクを回避するために企業が分散投資することは好まれない。事業経営のプロである企業には"集中と選択"が要求される。"分散投資"によってリスクを回避できるのは投資家である。

　投資家のリスクと企業のリスクを区別することは，コーポレートファイナン

スの現場を理解するヒントになることがある。

>>9 利害対立問題と対話の必要性

　企業活動に関与する多くのステークホルダーは，常に利害が一致しているわけではない。意見の不一致や利害対立の問題が生じることがある。前項で述べたように，リスクに対する投資家の見方と企業（経営陣や従業員）の見方は異なるかもしれない。両者の意見の不一致は，現金保有や配当に対する考え方の相違となって現れる。集中と選択を進める企業は，コントロールできない外的なショックに備えて，現金を多めに保有したいと考えるだろう。分散投資によってリスクを回避できる投資家は，外的なショックに対する備えができている。現金保有は，日常業務に支障をきたさない程度にとどめ，残りは配当してほしいと望むかもしれない。

　現金保有は旬の話題である。現金保有がリスクに対する備えや，有益な投資を行うための留保であれば，問題はない。リスクに対する備えは，従業員が安心して業務に打ち込むためにも必要である。近い将来に有益な投資案件を実行するための現金保有に反対する投資家はいない。

　問題は，多額の現金保有に安心して経営陣の気が緩んだり，現金の使途を誤ったりすることである。お金があるからという理由だけで安易に行われる実物投資やM&Aは，価値を損なうことがある。投資家は資金使途の誤り（とくに過大投資）を懸念する。少数の企業が不祥事を起こすと，投資家の懸念は増幅される。投資家は企業を信用できなくなり，資金を回収しようとする。大幅な増配や自社株買いを提案したり，モニタリングを強めたりする。このような行為が逆効果になることもある。現金保有に対する株主からの要求を避けるため，企業は安易に現金を使ってしまう。

　所有と経営が分離した企業では，経営者と株主は他人である。他人であるがゆえに，利害が一致しないことがある。信頼関係が崩れることもある。学術的には，経営者を株主に雇われたエージェント（代理人）とみなし，両者の利害が対立したり，信頼が崩れたりすることをエージェンシー問題という。

>>10 投資家と経営者の対話

　所有と経営の分離は，なぜ存在しているのだろうか。投資家自身が企業経営

を行えば，エージェンシー問題が生じることはない。経営者の行動を監視する必要もなくなる。現実には，日本，アメリカ，ヨーロッパ，中国，インドなど多くの国において，所有と経営の分離が観察される。

　投資家が自分で企業経営をしない理由はいくつか考えられる。第一に，投資家が企業経営に優れているとは限らない。第二に，現代の大企業の経営には多額の資金が必要となる。一人の投資家がすべての資金を保有していることはめったにない。第三に，所有と経営が一致していれば，資金を引き揚げることは企業の解散につながる。所有と経営が分離することで，投資家の資金事情のいかんにかかわらず企業は継続できることになる。第四に，所有と経営が一致していれば，投資家は自身の資金を所有企業に集中投資することになる。投資理論が推奨する分散投資を図れない。大企業における所有と経営の分離は，利害対立の問題を相殺して余りある長所を投資家にもたらしているのである。

　所有と経営の分離によって得られる長所を維持しながら，利害対立問題を軽減することは，投資家の資産価値を高める。そのためには，株主総会における議決権行使などを通じて，経営者に働きかけることが重要である。ただし，株主総会は年に一度だけの場であり，時間も限られている。

　日常の対話の場は資本市場である。投資家は，日々の株価形成を通じて，経営者の行動を評価する。例えば，良い経営が行われているにもかかわらず安値で放置されている企業の株式を購入する。逆に，経営が良くないのに高値にある株式を売却する。適正な評価は，適正な企業経営につながることが期待される。

　投資家の適正な評価を得るために，経営者は様々な情報を提供しなければならない。経営者が提供する情報として，会社法・金融商品取引法で定められている開示（ディスクロージャー）がある。ただし，法定開示の情報は必要最低限のものであり，それだけで経営者と投資家の対話がスムーズになる保証はない。IR（Investor Relations）活動を通じて，日常的に，法定開示以上の情報を提供することが好ましいと考えられる。日常的な対話は，非日常的なイベントが生じた場合の投資家の意思決定にも影響する。敵対的なM&Aや投資ファンドの株主提案が具現化してから，慌てて投資家に働きかけても遅い。

　筆者の一人は，長年機関投資家として資本市場に関わってきた。その経験を踏まえ，法定開示以外に必要な情報について述べておこう。第一に，過去から現在までの業績の分析である。単なる数字の羅列ではなく，将来の業績やリスクに関する示唆が含まれているものが好ましい。第二に，経営環境の判断と基

本的な経営戦略である。美辞麗句や抽象的な戦略は，目の肥えた投資家に見透かされる。第三に，企業が直面するリスクと，リスクへの対応である。第四に，現在の株価や企業価値を意識しているというメッセージである。経営者の株価に対する客観的な見方が表れるような情報も好ましい。あまりにも株価に無頓着な経営者は，投資家に不安を抱かせる。

アナリストや機関投資家などが企業価値を評価する際には，上記の情報は必須である。情報がない場合，彼らは企業の外から推測する。推測は誤る可能性がある。誤った推測は誤った評価につながり，投資家と企業の不信感を強めてしまう。企業の資金調達に支障をきたすこともある。コーポレートファイナンスの理論では，情報の非対称性がもたらす問題として知られている。

情報の非対称性の問題を小さくするためにも，企業は積極的にIR活動を行うのが好ましい。IR活動において，経営者は，投資家が必要な客観的情報を提供しなければならない。客観性の維持は難しい課題であるが，経営を担当する者にとって避けて通れない課題である。

>>11 コーポレートファイナンスと価値創造の場

［図表1-9］は，本書で取り上げるコーポレートファイナンスの領域を表している。企業は，実物投資やM&Aなどの投資を行うことで価値の向上に努める。企業にとって，最も重要な意思決定は投資である。投資行動が企業価値を決めるといってもよい。価値は企業の実物投資が生み出す。

投資を行うためには資金が必要である。企業は投資家から資金を調達する。資金調達の問題は，社債や借入れなどの負債調達を行うか，株式調達を行うかである。企業の資金調達は，資本構成（負債比率）の影響を受ける。負債の絶対額が多く負債比率が高いと判断した企業は，株式調達を選択する。負債の絶対額が少なく負債比率が低すぎると判断した企業は，負債調達を選択する。

負債調達であれ株式調達であれ，企業活動のリスクを負担する投資家は，無償で資金を提供するわけではない。リスクに見合うリターンを期待する。投資家はリスクに見合うリターンが期待できる企業や事業に資金を提供する。投資家が期待するリターンは，企業にとって資本コストである。企業経営の重要な意思決定基準は，資本コストを稼げるか否かである。

企業活動の成果は，売上高や利益，あるいはキャッシュフローとして表れる。キャッシュフローは，企業活動におけるキャッシュの流出入である。投資家と

[図表 1-9] コーポレートファイナンスの領域

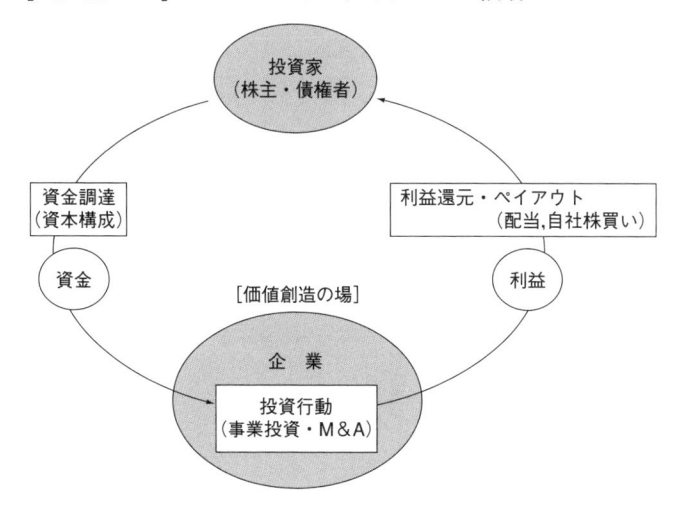

```
         投資家
      (株主・債権者)

資金調達              利益還元・ペイアウト
(資本構成)              (配当, 自社株買い)

  資金       [価値創造の場]      利益

          企　業
         投資行動
      (事業投資・M&A)
```

　企業のお金の流れに注目するコーポレートファイナンスでは，キャッシュフローを重視することが多い。最終的に企業の手元に残るキャッシュは，株主に還元できる資金である。株主への利益還元は，配当と自社株買いによって行われる。自社株買いは，企業が株主から自社株を買い戻すことをいう。自社株の対価として企業から株主にキャッシュが支払われる。配当と自社株買いの合計はペイアウト（株主配分）とよばれる。企業はすべてのキャッシュをペイアウトするのではない。一部は，将来の投資やリスクに対する備えとして留保する。ペイアウトの問題は，配当，自社株買い，現金保有の割合をどうするかである。
　資金調達と投資行動とペイアウトは，コーポレートファイナンスの三大テーマである。以下の章では，それぞれのテーマについて，理論的な考え方を整理し，先駆的な企業の取り組みを紹介する。
　投資家から企業にお金が流れ，企業活動によってお金が増え，そして投資家に戻ってくる。お金は勝手に増えるのではない。また，資本市場だけでお金を増やすこともできない。価値を生み出し，お金を増やすのは，企業であり事業である。一方，投資家からの資金提供がなければ，企業活動が行えないことも事実である。企業と投資家の協働によって価値は生まれる。このことを忘れてはならない。

第2章

資本コストと価値評価

>>1 キャッシュフローの計算

　投資家にとって重要なことは，企業活動の成果が期待リターン（資本コスト）を上回るか否かである。投資家は，企業活動の成果を主に利益とキャッシュフローで把握する。コーポレートファイナンスでは，とくにキャッシュフローを重視する。キャッシュフローは資金の流出入である。

[図表 2−1] 松下電器の利益とキャッシュフロー

(単位：億円)

	2003年3月期	2004年3月期	2005年3月期	2006年3月期
売上高	74,017	74,797	87,136	88,943
当期純利益	▲195	421	585	1,544
営業CF①	6,889	4,732	4,646	5,754
投資CF②	▲112	▲854	▲1,783	4,071
FCF（①＋②）	6,777	3,878	2,863	9,825
財務CF	▲4,334	▲2,568	▲4,056	▲5,246
現金及び現金同等物の期末残高	11,675	12,750	11,700	16,674

(注) ▲は資金の流出を表す。
　　 CF計算には，外国為替の影響が含まれるが，表には明記していない。
(出所) 松下電器産業株式会社 第99期有価証券報告書

　[図表2−1] は，松下電器産業の有価証券報告書からの抜粋である。利益とキャッシュフローは大きく異なる。ここでは，キャッシュフローに注目しよう。財務諸表におけるキャッシュフローは，営業活動によるキャッシュフロー（営業CF），投資活動によるキャッシュフロー（投資CF），財務活動によるキ

ャッシュフロー（財務CF）に分類できる。営業CFは，営業活動によって稼いだキャッシュである。利益と異なるのは，減価償却費や運転資本（売上債権，在庫，買入債務など）の影響による。

損益計上されるがキャッシュフローに影響しない項目や，損益計上されないがキャッシュフローに影響する項目は，キャッシュフロー計算において調整する必要がある[1]。例えば，減価償却費は費用であるがキャッシュの流出はない。在庫の保有は損益計上されないが，キャッシュは寝てしまう。松下電器は，上場以来初の営業赤字を経験した後，業績指標をキャッシュフローと資本コストに絞った。損益計算では隠れてしまう項目が，経営上の問題だと考えたのである。

投資CFは，設備投資などに投下した資金である。設備投資を行うとキャッシュは流出する（図表では▲が資金の流出を意味している）。投資CFがプラスであるのは，資産を売却してキャッシュが流入したことを意味している。実務的には，営業CFから投資CFを引いた値をフリー・キャッシュフロー（FCF）ということが多い[2]。FCFは，企業が投資家に配分できる資金であり，純現金収支とよばれることもある。コーポレートファイナンスの理論と実務において，非常に大切な概念である。

企業はFCFを債権者に返済したり，株主にペイアウト（配当や自社株買い）したりする。キャッシュフロー計算書において，企業と投資家とのお金のやりとりは，主に財務CFに計上される。投資家への支払いはキャッシュの流出であるから，財務CFのマイナス要因になる。債権者や株主からの資金調達は，キャッシュの流入であるから，財務CFのプラス要因になる。

FCFと財務CFの差額は，キャッシュ・ポジションで調整される。財務CFの流出がFCFより小さければ，企業はキャッシュを積み上げたことになる。松下電器の2006年3月期の財務CFの流出は，FCFを下回っていた。そのため，現金及び現金同等物が前期末より増えている[3]。逆に，FCFを上回る財務CFの流出があれば，企業のキャッシュは減少する。松下電器は，2005年3月期にFCFを上回る財務CFの流出を計上した。現金及び現金同等物の残高は，前期末よ

---

1 キャッシュフロー計算についての詳細は，桜井（2003）第5章，などを参照。
2 Jensen（1986）は，フリー・キャッシュフローを次のように定義している。「フリー・キャッシュフローとは，価値を生む投資を行うのに必要な投下資金を除いた後のキャッシュフローである」。投資CFを投下資金と考えれば，営業CFと投資CFの差額がFCFになる。
3 松下電器の2006年3月期のFCFは9,825億円，財務CFは▲5,246億円である。両者の差額4,579億円に為替の影響を調整した4,974億円が，1年間の企業活動によって，同社の手元に残るキャッシュである。2005年3月期の現金及び現金同等物の残高にこの値を加えると，2006年3月末の残高になる。

り減少している。

　企業はすべてのFCFを投資家に配分するわけでない。一部を手元に留保する。この意味で，FCFは企業がある程度自由にできる資金（フリーなキャッシュ）でもある。FCFが積み上がり，企業が多額のキャッシュを保有するようになると，第1章で述べた利害対立問題が生じかねない。投資家にとって，FCFに関する情報は非常に気になるところである。そのため，毎期のFCFが潤沢な電力会社やガス会社は，FCFに関する情報を投資家に分かりやすい形で開示している。東京ガスは，有価証券報告書への開示が義務づけられている通常方式のキャッシュフローに加え，投資家向けに独自の方法で計算した数字を開示している。同社は，フリー・キャッシュフローの黒字を確保し続けることを財務戦略の柱に据えている。東京電力は，営業CFから電気事業の設備投資を引いて算出した純現金収支を開示している。社会インフラである電力事業を続けるために必要な投資をした後に残る現金の使途を説明するためである[4]。

>>2　企業活動とキャッシュフロー

　キャッシュフロー計算書を見ると，実際の企業行動が見えてくる。［図表2－2］は，2001年と2002年における流通大手三社（イトーヨーカ堂，イオン，ダイエー）の営業収益とキャッシュフローを表している。営業収益は売上高と考えてよい（一部に不動産賃貸収入などを含む）。当時，三社の売上高は拮抗していた。ただし，イトーヨーカ堂とイオンが増収基調にあったのに対し，ダイエーは減収であった。

　各社がこの時期にどのような経営を行ったかは，キャッシュフロー情報から読み取れる。イトーヨーカ堂は，営業活動によって稼いだキャッシュフローの範囲で投資を行い，残りの一部を投資家に支払った。営業CFがプラス，投資CFと財務CFがマイナスというキャッシュの流れは，最も標準的なパターンである。

　ダイエーは，営業CFを大幅に上回る資金を投資家に支払ったことが分かる。詳しく調べると，同社は，投資有価証券などを大量に売却し，多額の負債の返済にあてていた。典型的なリストラ型のキャッシュフローのパターンである。

4　東京ガスの事例は日経金融新聞（2004年12月18日付5面），東京電力の事例は日本経済新聞（2005年9月10日付〈朝刊〉13面）からの抜粋である。

[図表 2-2] 流通大手三社の連結キャッシュフロー

(単位：億円)

		営業収益	営業CF	投資CF	財務CF
イトーヨーカ堂	2001年2月期	31,036	2,145	▲1,366	▲240
	2002年2月期	33,325	1,985	▲1,480	▲585
イオン	2001年2月期	27,386	441	▲1152	635
	2002年2月期	29,346	775	▲1169	256
ダイエー	2001年2月期	29,141	▲133	2,090	▲2,453
	2002年2月期	24,989	622	1,120	▲4,367

(注) 営業収益は売上高とほぼ一致する。

イオンは，外部から資金を調達し（財務CFがプラス），営業CFを大きく上回る投資を行った。積極投資型のキャッシュフローといえる。キャッシュフロー計算書の内訳を見ると，同社は積極的に有形固定資産を取得した。不足資金は，長期借入金と社債発行で調達した。イオンが積極的な投資を行った理由の一つは，過剰な債務を抱えるライバル社の競争力が落ちていると判断したためであろう[5]。イオンは，2004年8月に約1,000億円，2006年11月に約2,000億円の増資を行い，その後もM&Aを含む積極的な投資を続けた。2007年3月，イオンはダイエーに資本参加し，売上高6兆円の流通グループが誕生した。

キャッシュフロー経営という用語が定着した近年では，東京ガスや東京電力のように，経営目標にキャッシュフローを取り入れる企業が少なくない。キリンビールが2006年5月に発表した『キリングループ・ビジョン2015』には，「3年間で約4,000億円の営業CFの創出」という目標が明記されている。

積極的なM&Aで業容の拡大を目指すアサヒビールは，中期経営計画（2004年－2006年）の中で，次のような方向性を打ち出している。「収益性の向上と総資産の圧縮により資本効率を高めるとともに，キャッシュフローの最大化を目指します。創出されるフリー・キャッシュフローは，将来的なグループの成長を支える戦略的な投資に振り向け，事業構造の変革による新たな成長を図るとともに，株主還元の拡充や，金融債務のいっそうの削減による財務体質の強化を図ります」。投資家に配分可能なキャッシュフローの最大化を目標として掲げるのは，投資家を意識しているというメッセージになる。

---

5 企業の負債比率と競争力の関係については第8章を参照。

欧米では、いち早くキャッシュフロー経営が導入された。コカ・コーラ社の中興の祖といわれるロベルト・ゴイズエタ氏は、1980年代に「長期にわたってキャッシュフローを最大化すること」という目標を掲げた。彼は、EVA（Economic Value Added：経済付加価値）を企業経営に導入したことでも知られている。

投資家もキャッシュフローに敏感である。著名な投資家ウォーレン・バフェット氏（投資会社バークシャー・ハザウェイの会長）は、株式投資に際して、営業キャッシュフローから事業継続に必要な設備投資を差し引いたフリー・キャッシュフローを重視しているという。ゼネラル・エレクトリック社の年金資産の自社運用部門は、純利益に減価償却費などを足し戻した簡易型のキャッシュフローとその成長率を考慮し、国際的な投資判断を行う手法をとっている[6]。

>>3 DCF法と現在価値

投資家はなぜ企業に投資するのか。将来キャッシュを受け取ることができるからである。債権者は元本と利息、株主は配当と値上がり益（キャピタル・ゲイン）を受け取ることができる。投資家から見た企業価値は、将来受け取ることが期待できるキャッシュの評価額である。

企業はなぜプロジェクトに投資するのか。事業がキャッシュを生み出すからである。投資プロジェクトの価値は、将来生み出されるキャッシュフローの評価額である。ここでは、将来のキャッシュフローを評価する方法について解説する。

コーポレートファイナンスでは、価値といえば現在価値（Present Value）を意味する。現在価値は、将来のCFを現時点で評価した値である。現在価値を求める方法をDCF法（Discounted Cash Flow method：割引現在価値法）という。将来の100円を現時点で評価した値は100円よりディスカウントされる、というのが基本的な考え方である。

［図表2－3］のパネル（a）を見よう。期待収益率5％で95の資金を運用すると、1年後には100の成果が期待できる。式で書くと、95×（1.05）＝100である。時間を逆に見たとき、1年後の100の現在価値は95であるという。式で書くと、100÷（1.05）＝95となる。これがDCF法である。将来の期待CF100を1.05

---

6 日経金融新聞（2003年5月9日付20面）や日本経済新聞（2003年9月3日付〈朝刊〉17面）より抜粋。

[**図表** 2-3（a）] 将来キャッシュフローの現在価値

```
                        期待収益率5%   95×(1.05)=100
現在価値（PV）=95  ←─────────────────────→  1年後の期待CF=100
                        割引率5%      100÷(1.05)=95
```

[**図表** 2-3（b）] リスクと現在価値の関係

	好況(1/3)	中立(1/3)	不況(1/3)	期待CF（平均値）
情報・通信事業 （割引率10%）	300	100	▲100	100
	PV（情報・通信）=100÷1.1=91			
食品加工事業 （割引率5%）	120	100	80	100
	PV（食品加工）=100÷1.05=95			

・ハイリスク・ハイリターンの原則より，情報・通信事業に適用される割引率は高い（10%）。食品加工事業に適用される割引率は低い（5%）。
・期待キャッシュフローが等しくても，割引率が異なるため，二つの事業の現在価値は異なる。リスクが大きい情報・通信事業の方が，評価は低くなる。

で割って，現在価値を求めている。現在価値を求める場合，期待収益率は割引率に変わる。リスクがない場合，割引率は無リスク利子率（国債利回り）に一致する。

ビジネスにはリスクがつきものである。ハイリスク・ハイリターンの原則により，リスクが大きいビジネスの期待収益率は高くなる。期待収益率はDCF法の割引率である。DCF法では，リスクが大きいビジネスに適用される割引率が高くなる。

［図表2-3］のパネル（b）は，情報・通信事業と食品加工事業の1年後のCFの仮想事例である。両事業の期待CF（CFの平均値）は100で等しい。第1章で紹介したソフトバンクとハウス食品の事例を思い出そう。景気変動の影響を受けやすい情報・通信事業は，利益やCFの変動が大きい。経済が好調であれば大きな成果（300）が得られるが，不況になれば損失（▲100）が生じる。一方，食品加工事業の成果は，景気動向に左右されにくい。若干の変動は生じるが，事業活動の成果は，情報・通信事業より安定している。

リスクの相違は割引率に反映される。ハイリスク・ハイリターンの原則により，情報・通信事業に適用される割引率は，食品加工事業の割引率より高くなる。情報・通信事業の割引率は10%，食品加工事業の割引率は5%という具合である。図表に示されている通り，食品加工事業の評価は95，情報・通信事業

の評価は91になる。期待CFが同じであるにもかかわらず，情報・通信事業の評価は食品加工事業より低い。割引率が高いからである。

　現在価値と将来の成果との関係は，投資とリターンの関係でもある。情報・通信事業に91を投資すると，1年後に100の成果が期待できる。期待収益率は10％である。食品加工事業に95を投資すると，1年後に100の成果が期待できる。期待収益率は5％である。

　期待収益率が異なるのは，ビジネスのリスクとリターンが異なるからである。情報・通信事業は，相対的にハイリスク・ハイリターンのビジネスである。食品加工事業は，相対的にローリスク・ローリターンのビジネスである。リスクの大きい事業には高い期待収益率が要求される。それでバランスがとれる。

　リスクがない投資の収益率は無リスク利子率である。リスクがある投資の期待収益率は無リスク利子率より高くなる。リスク負担に対する報酬が上乗せされるからである。リスク負担に対する報酬をリスク・プレミアムという。情報・通信事業の期待収益率が食品加工事業より高いのは，リスク・プレミアムが高いからである。

>>4　定額CFモデルと定率成長モデル

　［図表2－4］は，DCF法を定式化したものである。最初にDCF法の基本式が示されている。企業や事業は，長期にわたりキャッシュフローをもたらす。適切な割引率を用いて毎期の期待CFの現在価値を求め，足し合わせることで，企業や事業の価値を評価することができる。これが基本式の意味するところである。

　パネル（a）の基本式において，$EC_1/(1+\rho)$は1年後の期待CF（EC_1）の現在価値である。$EC_2/(1+\rho)^2$は，2年後の期待CFの現在価値である。2年後のCFは2回割り引く必要がある。以下，同様に毎期の期待CFの現在価値を求め，それらを合計して現在価値（PV）が求まる。

　パネル（b）は，毎期の期待CFが一定額の場合の公式である。この場合，基本式から定額CFモデルが導ける。定額CFモデルの分子は毎期の期待CF（EC），分母はリスクに対応する資本コスト（ρ）である[7]。

7　基本式から定額CFモデルや次の定率成長モデルを導くには，無限等比数列の和の公式を用いる。詳細については，井出・高橋（2006）第5章，などを参照。

[図表 2-4] DCF法の定式化

(a) 基本式

$$PV = EC_1/(1+\rho) + EC_2/(1+\rho)^2 + ...$$

$EC_1, EC_2, ...$：各期のCF（FCF）の期待値
ρ：割引率（資本コスト，期待収益率）

(b) 定額CFモデル

$$PV = EC/\rho$$

$EC_1 = EC_2 = ... = EC$，期待CF（FCF）が永続的に一定

(c) 定率成長モデル

$$PV = EC_1/(\rho - g)$$

$EC_2 = EC_1(1+g)$, $EC_3 = EC_2(1+g)$ ....
期待CF（FCF）が定率$g(<\rho)$で永続的に成長

　パネル（c）は，毎期の期待CFが一定率で永続的に成長する場合の公式である。定率成長モデルとよばれている。定率成長モデルの分子は，来期の期待CFである。定率成長モデルの分母は，割引率（ρ）から成長率（g）を引いた値になる。成長率は分母で調整する。定率成長モデルでは，永続的な成長率の設定に注意する必要がある。数年間は非常に高い成長が見込めるビジネスでも，いずれ成長率は鈍化する。成長率が高く，利益率も高いビジネスにはライバル社が参入してくる。携帯電話業界などを見ていると，成長産業も意外に早く成熟化するものだと感じる。

　定額CFモデルや定率成長モデルは，株式や企業の価値評価において頻繁に登場する。数値例を用いて理解を深めよう。［図表2-5］のパネル（a）は，定額CFモデルの数値例である。来期以降，毎年10億円の期待CFが永続的に生み出される。割引率（資本コスト）が4％のとき，価値評価額は250億円になる。割引率が5％と6％のとき，価値評価額はそれぞれ200億円と167億円になる。割引率が1％違うだけで，評価額が数十億円も異なってくる。割引率の影響の大きさが分かる。

　定額CFモデルでは，価値評価額の大きさの比率は，割引率の比率と逆の関係にある。割引率が4％（価値評価250億円）の場合と5％（価値評価200億円）の場合を比較しよう。割引率は1対1.25になっている。価値評価額は1.25対1になっている。

　［図表2-5］のパネル（b）は，定率成長モデルの数値例である。来期の期待CFは10億円，リスクに対する資本コストは6％である。定率成長モデルで

[図表 2−5（a）] 定額CFモデルによる価値評価
（来期以降の期待CFは10億円で一定）

割引率＝資本コスト （ρ）	期待CF （EC）	定額CFモデル （EC/ρ）	価値評価（現在価値） （PV）
4%	10億円	10億円÷0.04	250億円
5%	10億円	10億円÷0.05	200億円
6%	10億円	10億円÷0.06	167億円

[図表 2−5（b）] 定率成長モデルによる価値評価
（来期の期待CFは10億円，CFの永続成長率は０％，１％，２％）

資本コスト （ρ）	CF成長率 （g）	割引率 （ρ−g）	来期のCF （EC_1）	定率成長モデル [$EC_1/(ρ-g)$]	価値評価 （PV）
6%	2%	4%	10億円	10億円÷0.04	250億円
6%	1%	5%	10億円	10億円÷0.05	200億円
6%	0%	6%	10億円	10億円÷0.06	167億円

は，成長率を分母で調整する。成長率が０％のとき分母は６％であり，定額CFモデルと同じ結果になる。成長率が１％のとき分母は５％（（資本コスト６％）−（成長率１％））になる。成長率が２％のとき分母は４％になる。

定額CFモデルは，キャッシュフローに割引率の逆数（$1/ρ$）を掛けていると考えることもできる。割引率４％の逆数は25（$1/0.04$）であり，５％の逆数は20（$1/0.05$）である。定率成長モデルも同様である。来期のキャッシュフローに$1/(ρ-g)$を掛けている。この考え方は，企業価値評価におけるマルチプル法（第６章を参照）とDCF法の関係を理解するのに役立つ。

>>5 企業の資本コスト

資本コストは，投資家と企業を結ぶキーワードである。企業経営において大切なことは，資本コストを正しく推定し，経営に活かすことである。DCF法において，資本コストは割引率になる。適切な割引率を知ることは，企業や事業の価値を評価する際に重要である。誤った割引率（資本コスト）を用いると，高すぎる値段で買ったり，安すぎる値段で売ったりする。一時に多額の資金を投じるM&Aにおいて，高すぎる買い物をすると大きな損失を被る。価値評価において，資本コスト（割引率）の推定は最も重要な作業の一つである。以下

では，資本コストとその推定について議論する。

企業の資本コストについては，次のことを忘れないようにしたい。「企業活動のリスクとリターンは，企業がどのような資産を保有し，どのような事業を営むかで決まる。企業活動のリスクとリターンの源泉は，資産サイドにある。資本・負債サイドは，主にリスク負担とリターンの配分を決めている」。

[図表 2-6] 企業のリスク・リターン関係

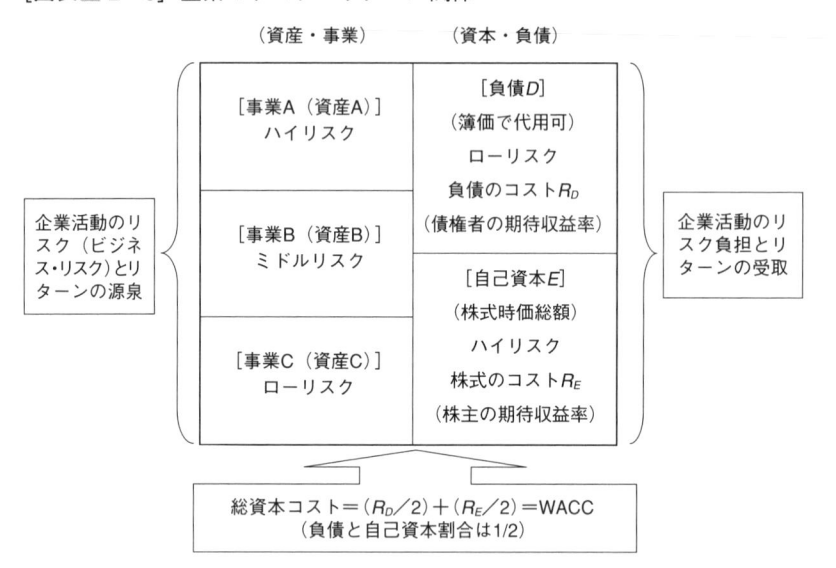

```
                    （資産・事業）        （資本・負債）
                  ┌─────────────┬─────────────┐
                  │ [事業A（資産A）]│  [負債D]     │
                  │  ハイリスク    │ (簿価で代用可)│
                  │              │  ローリスク   │
企業活動のリ      │              │ 負債のコスト$R_D$│    企業活動のリ
スク（ビジネ      ├─────────────┤ (債権者の期待収益率)│ スク負担とリ
ス・リスク）と    │ [事業B（資産B）]├─────────────┤   ターンの受取
リターンの源泉    │  ミドルリスク  │ [自己資本E]   │
                  ├─────────────┤ (株式時価総額)│
                  │ [事業C（資産C）]│  ハイリスク   │
                  │  ローリスク    │ 株式のコスト$R_E$│
                  │              │ (株主の期待収益率)│
                  └─────────────┴─────────────┘
                         総資本コスト=$(R_D/2)+(R_E/2)$=WACC
                         （負債と自己資本割合は1/2）
```

[図表2-6] は，企業のリスク・リターン関係を資産・事業サイドと資本・負債サイドから見たものである。企業には，リスクが異なる三つの事業部門がある。各事業部門のリスクが集約されて，全社的なビジネス・リスクになる。ビジネス・リスクを負担する見返りとして，投資家は相応のリターンを期待する。投資家の期待リターンは企業の資本コストである。企業は，資本コストを稼ぐために，全社的な戦略を策定し実行する。

投資家は，大きく株主と債権者に分けられる。株主と債権者は，それぞれが負担するリスクを見極め，リスクに見合うリターンを期待する。約束された利息と元本を受け取る債権者は，株主よりリスク負担が小さい。企業収益の変動というビジネス・リスクを主に負担するのは株主である。ハイリスク・ハイリターンの原則より，株主の期待収益率は債権者の期待収益率より高い。

企業にとって，債権者の期待収益率は負債の資本コスト，株主の期待収益率は株式の資本コストになる。負債と株式を合わせた総資本に対応する資本コストが，企業の総資本コストである。資産サイドから見ると，企業の総資本コストは，全社的なビジネス・リスクに対応している。資本・負債サイドから見ると，総資本コストは負債の資本コストと株式の資本コストの平均的な値になっている。

 企業の総資本コストは，資本・負債サイドの情報を利用して推定するのが一般的である。具体的には，資本市場の情報から，債権者の期待収益率（負債の資本コスト）と株主の期待収益率（株式の資本コスト）を推定し，債権者の割合と株主の割合を加味して算出する。債権者の割合と株主の割合は，時価を基準にした負債と自己資本（株式時価総額）の比率で把握する。実務的には，負債の時価を簿価で代用することが多い。また，株式時価総額は変動が激しいため，過去から現在までの平均値を用いる場合もある。

 企業の総資本コストを定式化しておこう。負債をD，自己資本をEとし，$V=D+E$とする。負債比率はD/V，自己資本比率はE/Vである。負債の資本コスト（債権者の期待収益率）をR_D，株式の資本コスト（株主の期待収益率）をR_Eで表す。このとき，企業の総資本コストR_Vは下記で与えられる。

$$R_V = \frac{D}{V} R_D + \frac{E}{V} R_E \qquad (2-1)$$

 企業の総資本コストは，負債比率と自己資本比率をウェイトとして，負債の資本コストと株式の資本コストを加重平均した値である。そのため，加重平均資本コスト（Weighted Average Cost of Capital：WACC〈ワック〉）や加重平均期待収益率とよばれる。［図表2－6］の例では，負債比率と自己資本比率が2分の1になっている。

 第7章と第8章で詳しく述べるが，法人税を考慮すると負債には節税効果がある。節税効果を考慮したWACCは，下の（2－2）式で表される。記号tは法人税率である。実務でWACCという場合，（2－2）式を指すことがほとんどである。

$$R_V = \frac{D}{V}(1-t) R_D + \frac{E}{V} R_E \qquad (2-2)$$

 資本・負債サイドの情報を用いるからといって，総資本コストが負債比率の

影響を受けると思い込んではならない。節税効果などを考えると，負債比率が総資本コストに影響することもある。しかし，総資本コストに最も大きな影響を与えるのは，企業のビジネス・リスクである。ビジネス・リスクは，企業の資産・事業内容によって決まる。

>>6 CAPMと株式の資本コスト

リスクとリターンを評価する場は，多数の投資家の意見が集約される資本市場である。ファイナンス理論は，長きにわたり，資本市場におけるリスク・リターン関係を解明してきた。現在，最も広く受け入れられているのは，CAPM（Capital Asset Pricing Model：資本資産評価モデル）である。コーポレートファイナンスの実務でも，資本コストの推計にCAPMを用いることが多い。［図表２−７］は，アメリカ企業の株式資本コストの推定方法に関するアンケート調査の結果である[8]。CAPMが他を圧倒している。実務家の方々の話を聞くと，わが国ではCAPMを利用する割合がさらに高いようである。以下では，リス

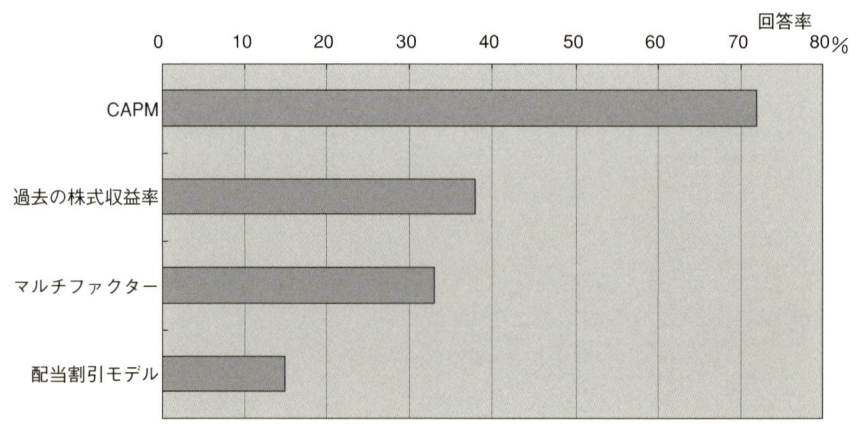

［図表 2−7］ アメリカ企業の株式資本コストの推定方法

推定方法	回答率(%)
CAPM	約73
過去の株式収益率	約39
マルチファクター	約34
配当割引モデル	約16

（注）Graham, J., Campbell, R., R. Harvey (2001) "The theory and practice of corporate finance : evidence from the field" をもとに作成。彼らは，4,000社余のアメリカとカナダの企業にアンケートを送付し，回答があった392社を調査サンプルとしている。複数回答。

---

8 図表中のマルチファクター・モデルは，複数のファクターを用いて株式のリスク・リターン関係を説明するモデルである。マーケット・ポートフォリオ，企業規模，時価・簿価比率という三つのファクターからなる3ファクターモデルがよく知られている。配当割引モデルによる推定は，株価と配当の情報を用いて株式の資本コストを算出する方法である。

ク・リターン関係がCAPMにしたがうとして議論を進める。

　第1章8節で述べたように，リスク回避的な投資家は，リスクを低減するために分散投資を行う。株式投資における究極の分散投資は，取引されている全ての株式を含むポートフォリオを保有することである。このポートフォリオをマーケット・ポートフォリオという。理論的なマーケット・ポートフォリオは，取引可能なすべてのリスク証券を含むポートフォリオである。実務的には，株式市場の動向を数値化した日経平均やTOPIXなどをマーケット・ポートフォリオとみなす。日経平均は日本の代表的な225社の株価を平均化したものであり，TOPIXは東京証券取引所の第1部市場に上場されているすべての企業の株価を平均化したものである。

　リスク回避的な投資家にとって，マーケット・ポートフォリオは理想的な投資対象である。そのため，CAPMでは，マーケット・ポートフォリオをベンチマークとして，個別株式のリスク・リターン関係を表す。マーケット・ポートフォリオのリスクをリスク1単位とする。マーケット・ポートフォリオのリスク・プレミアム（マーケット・リスク・プレミアム）は，リスク1単位に対して与えられる報酬である。

　個別企業の株価は，多かれ少なかれマーケット・ポートフォリオに連動している。株式市場（マーケット・ポートフォリオ）が上昇するとき，個別株式は値上がりしやすい。株式市場が下落するとき，個別株式は値下がりしやすい。個別株式のリスクを，ベンチマークであるマーケット・ポートフォリオに対する連動率（感応度）と考えるのは自然である。マーケット・ポートフォリオに対する連動率の大きさをベータ（β）という。

　CAPMでは，株式のリスクをベータで把握する。ベータは株式によって異なる。ベンチマークであるマーケット・ポートフォリオのベータは1である。マーケット・ポートフォリオに対する連動率が低い株式のベータは1より小さくなる。ベータが1より小さい株式は，相対的にローリスクである。マーケット・ポートフォリオに対する連動率が高い株式のベータは1を上回る。ベータが1より大きい株式は，相対的にハイリスクである。

　リスク1単位に対して与えられる報酬が，マーケット・リスク・プレミアムであった。個別株式のリスクであるベータに対して与えられるリスク・プレミアムは，マーケット・リスク・プレミアムにベータを掛けた値である。これが

9　CAPMの導出などについての詳細は，榊原・青山・浅野（1998）を参照。

CAPMの結論である。記号を使って表すと次のようになる[9]。

$$R_E - R_F = \beta (R_M - R_F)$$
$$\Leftrightarrow R_E = R_F + \beta (R_M - R_F) \qquad (2-3)$$

R_Eは株式の期待収益率（株式の資本コスト），R_Fは無リスク利子率，$(R_E - R_F)$は株式のリスク・プレミアム，R_Mはマーケット・ポートフォリオの期待収益率，$(R_M - R_F)$はマーケット・リスク・プレミアムである。第一式は株式のリスク・プレミアム，第二式は期待収益率で表示している。（2-3）式がCAPMである。

CAPMによると，株式のリスク・プレミアムは，ベータの大きさに依存する。ベータが大きいハイリスク銘柄のリスク・プレミアムは高くなる。ベータが小さいローリスク銘柄のリスク・プレミアムは低くなる。CAPMは，ハイリスク・ハイリターンの原則を維持している。

第1章で，ハウス食品とソフトバンクの株価動向を比較し，株式ベータの値を紹介した（[図表1-6]を参照）。当時，ハウス食品の株式ベータは0.5，ソフトバンクの株式ベータは2.5であった。投資家は，株式市場が1％上昇するとき，ハウス食品の株価は0.5％上昇し，ソフトバンクの株価は2.5％上昇すると見ていた。逆に，株式市場が1％下落するとき，ハウス食品の株価は0.5％だけ下がり，ソフトバンクの株価は2.5％下がると見ていた。ソフトバンクの株式は，ハウス食品の株式に比べて，ハイリスクである。

(再掲)　[図表 1-6]　ハウス食品とソフトバンクの株価動向

[2002年1月の株価を1としたときの相対的な株価動向]

[月次収益率の平均と分散]

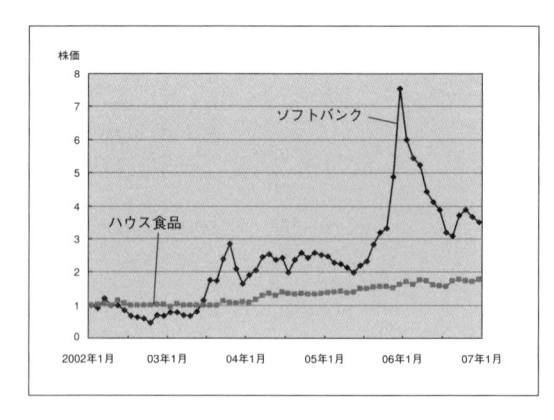

	ハウス食品	ソフトバンク
平均収益率	1.1%	3.8%
標準偏差	0.05	0.2
株式ベータ	0.5	2.5

(出所) 株式ベータは東京証券取引所『TOPIX β VALUE』
(注) 推定期間は2001年4月－2006年3月。

ハイリスクはハイリターンによって報われる。ソフトバンクの株式の平均収益率は，ハウス食品の株式の平均収益率より高かった。ソフトバンクの株主は，平均的に高いリターンを得ることができたといえる。今後の企業活動においても，ソフトバンクの株主は，ハウス食品の株主より，高いリターンを期待するであろう。ソフトバンクの株式の資本コストは，ハウス食品の株式の資本コストより高い。

>>7 資本コストの推定

❶ CAPMに必要な情報

CAPMにおける株式ベータは，過去の株価データから推定する。実務では，東京証券取引所やBloombergなどが算出したものを利用することが多い。

[図表2-8] 株式ベータの大きい業種，小さい業種

期間	1999 — 2004	2001 — 2006
証券・保険	1.79	1.82
情報・通信	1.53	1.09
サービス	1.60	1.14
食品	0.30	0.49
医薬品	0.29	0.42
電力・ガス	0.00	0.13

(出所) 東京証券取引所『TOPIX β VALUE』

[図表2-8] は，東京証券取引所が定期的に発行しているデータ集『TOPIX β VALUE』から，株式ベータが大きい業種と小さい業種を抜粋したものである。証券・保険や情報・通信業界は株式ベータが大きい。株式市場は，これらの業界に属する企業の業績や株価の変動が大きいと見ている。ビジネス・リスクが大きいと言い換えてもよい。反対に，電力・ガスや医薬品，食品業界は，株式ベータが小さい。株式市場は，これらの業界に属する企業の業績は，景気の変動に左右されにくいと見ている。ビジネス・リスクが小さいといえる。

[図表2-8] には，二つの期間の株式ベータが掲載されている。企業のビジネス・リスクは，時代とともに変化する可能性がある。情報・通信事業は，1999年から2004年にかけて，リスクが大きい産業であった。成長期待は高かっ

たが，不確実性も大きかった。インターネットが日常生活に密着したこともあり，最近では，事業の先行きがある程度読める。不確実性は小さくなったが，その分成長期待も小さくなった感がある。食品事業は，世界的な天候異変や食料不足問題が顕在化し，リスクが高まってきたようである。業界のビジネス・リスクが変わったと判断した場合は，株式ベータを見直す必要がある。株式ベータの見直しなどについては，本節の❸で詳しく解説する。

CAPMを用いて株式の資本コストを推定するには，株式ベータに加えて，無リスク利子率とマーケット・リスク・プレミアムの情報が必要になる。無リスク利子率には，長期国債の利回りを用いる。

マーケット・リスク・プレミアムは，株式市場全体に対して投資家が期待しているリスク・プレミアムである。エクイティ・リスク・プレミアムとよばれることもある。実務では，過去に実現したリスク・プレミアムの平均値を用いることが多い。過去のデータを使う背景には，投資家が株式市場全体に期待するリスク・プレミアムは，時間が経過しても変化しないという考え方がある。

[図表 2−9] 日本のリスク・プレミアム

期間	実現リスク・プレミアムの平均値
1996−2005（10年）	3.0%
1986−2005（20年）	2.9%
1976−2005（30年）	4.4%
1966−2005（40年）	6.8%

- マーケット・リスク・プレミアム（エクイティ・リスク・プレミアム）は，期間中の株式市場の平均収益率から，同一期間の無リスク利子率（金利）を差し引いて計算する。
- 日本の株式市場の収益率は，東証1部全銘柄の時価加重平均指数（配当込み）に基づき，1952年から1989年までは日本証券経済研究所の『株式投資収益率』，1989年以降は東京証券取引所の『配当込みTOPIX』に基づいて算出。
- 無リスク利子率は，満期が10年近辺の国債のインカム・リターン（クーポン÷国債価格）である。

（出所）Ibbotson Associates Japan, "Japanese Equity Risk Premia Report 2006"

[図表2−9]には，2005年を起点とする過去10年間から40年間のマーケット・リスク・プレミアムの平均値が示されている。図表から分かるように，マーケット・リスク・プレミアムの平均値には差がある。何年間の平均値を参考にするかは，実践的な問題である。投資銀行マンや証券アナリスト，企業の財務担当者に話を聞くと，マーケット・リスク・プレミアムを5％前後に設定していることが多い。現場では，過去30年から40年程度の平均値を参考にしてい

るようだ。

　現在の株式市場の情報から，マーケット・リスク・プレミアムを推定することもある。最もシンプルな方法は，株式市場の予想PER（株価収益率）を用いることである。予想PERは次の式で与えられる。

　　予想PER＝（株価）÷（来期の予想１株当たり利益）　　（2－4）

　利益を株主に配分できるキャッシュフローとみなし，定率成長モデルを適用すると，下記が導かれる。

　　株価＝（来期の予想１株当たり利益）÷（$\rho - g$）　　（2－5）

　ただし，ρは期待収益率，gは１株当たり利益の成長率である。（2－4）式と（2－5）式より，下記が導かれる。

　　予想PERの逆数（益回り）＝（$\rho - g$）　　（2－6）

　東証１部上場銘柄（TOPIX採用銘柄）の予想PERの平均値を20倍，永続的な利益成長率（g）をGDP成長率２％とする。どちらも現実的な値（2007年6月時点）である。このとき，東証１部上場銘柄の期待収益率の平均（ρ）は７％になる。長期国債の利回りが２％であれば，東証１部上場銘柄の平均的なリスク・プレミアムは５％になり，現場で使われている値にほぼ一致する。投資家が株式市場に期待しているリスク・プレミアムが５％であるから，実際のPERが20倍になっているという解釈である。ただし，定率成長モデルの妥当性や成長率の予測の妥当性など問題も少なくない。

　株式の資本コストの推定については，論争が続いている。学界では，CAPMが現実のリスク・リターン関係を説明していないという声がある。3ファクターモデル（本章脚注8を参照）を支持する研究者も多い。企業や投資銀行の現場では，CAPMを使うことに対する異論は少ないが，使い方について意見が一致していない。

　肝心なことは，株式の資本コストが何を意味しているかを忘れないことである。株式の資本コストは，企業のビジネス・リスクを負担する株主に対する報酬である。財務数値でいうと，自己資本に対する当期利益率（Return On Equity：ROE）の目標値が，株式の資本コストに近い[10]。最近，ROEを経営目

10　通常，ROEの分母には自己資本の簿価が用いられる。本章5節で説明したように，コーポレートファイナンスでは，時価を基準にする。

標に掲げる企業が増えている。コーポレートファイナンスの精神からすると，目標ROEは株式のリスクに応じて決まる。去年の実績より上を目指せばよいというものではない。

❷ CAPMを用いた株式の資本コストの推定

［図表2－10］は，日本経済新聞に掲載された事例である（2006年2月18日付〈朝刊〉「投資を考える」）。CAPMを用いて，ライブドアと花王の株式の資本コストが算出されている。

［図表 2－10］株式の資本コスト

株式資本コスト
　＝長期国債の金利＋β値×マーケット・リスク・プレミアム

・ライブドア＝1.5％＋2.2×4.5％＝11.4％

・花王＝1.5％＋0.75×4.5％＝4.9％

（注）野村證券と大和総研のデータをもとに算出。
　　　ライブドアは2005年4月，花王は2005年12月時点の推定値。マーケット・リスク・プレミアム4.5％は，当時の野村證券が適用していた値である。
（出所）日本経済新聞2006年2月18日付（朝刊）「投資を考える」

［図表2－10］から分かるように，無リスク利子率（長期国債の金利）とマーケット・リスク・プレミアム（野村證券が用いた4.5％）は，両社に共通である。ベータ（β値）のみが異なっている。ベータは個別株式のリスクの指標である。ライブドアの株式は花王の株式よりハイリスクであった。その結果，ライブドアの株主が期待するリターン（株式の資本コスト）は，花王の株主が期待するリターン（株式の資本コスト）より高かった。株式の資本コストの相違は，両社のビジネスの特性を反映していたと考えられる。ハウス食品とソフトバンクの事例を用いると，ライブドアはソフトバンクに近く，花王はハウス食品に近かったといえる。

［図表2－11］は，醤油の最大手メーカーであるキッコーマンの株式資本コスト算出の実例である。同社は，CAPMに基づいて株式の資本コストを推定している。CAPMによると，無リスク利子率はリスクがない（ベータがゼロ）投資に対する期待収益率である。同社では，長期国債10年物利回りの過去1年間（12ヵ月）の平均値を用いている。資本市場が常に正しければ，直近の利回りが期待収益率を反映しているはずである。直近利回りを採用する企業が多い中

[図表 2−11] キッコーマンの株式資本コストの推定事例

2007年度の株式資本コストの推定

項目	定義	何を使うか	推定値
無リスク利子率 (R_F)	元利金の返済が確実な金融商品の市場レート	国債10年物のレート。過去1年間の実績平均レートを使用	1.769%
株式ベータ (β)	株式市場が1％変化したときに株式リターンが何％変化するかを表す。個別株式の相対的なリスクを示す係数	60ヵ月（2002年4月—2007年3月）のデータから算出されたキッコーマンの対TOPIX未修正β（週次）を使用	0.54
マーケット・リスク・プレミアム ($R_M - R_F$)	株式市場の期待リターンと無リスク利子率との乖離幅。株式は元本返済の保証がないため、期待収益率は高くなる。リスク・プレミアムは正	TOPIX収益率と10年国債利回りの差額の過去35年間平均（1977年1月—2006年12月）	4.00
CAPM：$R_F + \beta (R_M - R_F)$	$R_E = 1.769 + 0.54 \times 4.00 = 3.93\%$		

で、同社が過去の平均値を用いている理由は次のようである。「市場金利が刻々と変化する中で、一時点だけの値に頼るのは問題があるかもしれない。かといって、あまり過去まで遡ると、現在の市場実勢とかけ離れてしまう恐れがある」。1年間の平均値というのは現実的な選択かもしれない。

　株式ベータは、東京証券取引所が過去5年間のデータを用いて算出した推定値0.54を適用している。同社のベータは安定的に推移している。マーケット・リスク・プレミアムは、過去35年間のTOPIX収益率と長期国債利回りの差額の平均値4.0％を用いている。CAPMに当てはめると、キッコーマンの株式の資本コストの推定値は3.93％であった。資本コストを推定するプロセスは理にかなっている。リスクの低い食品事業が主力ビジネスであることを考えると、3.93％という低い値も納得できる。

　大阪ガス、松下電器、キリンビールなど多くの企業が、キッコーマンとほぼ同様の手続きで、株式の資本コストを算定している。

　資本市場のデータがない未上場企業が自社の資本コストを推定する場合、ビジネス・リスクが近い上場企業のベータが参考になる。野村総合研究所では、上場前から資本コストを推定し、事業評価に利用していたという。上場前の同社は、NTTデータなど同業種の上場企業のベータを参考にして、株式の資本コストを推定した。資本コストに影響するのは、事業内容であるという考え方を実践していた事例である。

❸ **株式ベータの選択と経済的解釈**

最近では，パソコンの端末やCD-ROMから株式ベータを入手し，機械的にCAPMに代入することが多いという。機械的な作業は楽で時間も短縮できるが，問題もある。

[図表 2-12] 主要業界の株式ベータの推移

期間	1970.4—2006.3	1975.4—1990.3	1990.4—2006.3	1998.4—2003.3
建設	0.92	0.68	1.04	0.51
食品	0.72	0.72	0.72	0.36
紙パ	0.76	0.73	0.71	0.54
鉄鋼	1.12	1.18	1.10	0.84
電気機械	1.03	0.84	1.07	1.43
輸送用機器	0.94	0.98	0.86	0.81
精密機器	0.87	0.67	0.95	1.01
陸運	0.78	0.92	0.75	0.27
電力ガス	0.63	0.96	0.49	▲0.05

(注) 過去のデータを用いて推定。

[図表2-12] は，主要業種別の株式ベータ（業界ベータ）の動向を示したものである。期間中，ベータが1（株式市場全体のベータ）を挟んで変動しているのは，建設業と電気機械だけである。その他の業界ベータは，期間を通じて，1を上回り続けているか，1を下回り続けている。業界ベータはかなり安定していることが分かる。

ただし，1998-2003年の5年間は別である。この期間，株式市場の構造が大きく変化した。アメリカ株式市場の影響を受けてIT関連銘柄の株価が急騰した一方，日本経済が金融システム不安に陥り，日経平均株価が10,000円を大きく割り込んだ。[図表2-12] から分かるように，この期間の業界ベータの推定値は，他の期間の推定値と大きく異なっている。電力・ガスでは，業界ベータがマイナスになっている。

実務では，過去の資本市場のデータを用いて推定した株式ベータを使用する。入力されたデータが正しく，計算プログラムに誤りがなければ，期間の選び方によらず，推定された株式ベータに誤りがあるとはいえない。しかし，それだけでは物足りない。推定されたベータが，理論的に考えられる性質を満たすか否かをチェックしなければならない。

株式ベータは，個別株式の収益率の変動の相対的な大きさである。個別株式の収益率の変動は，株主に配分されるキャッシュフローに左右される。説明の

便宜上，株主に配分されるキャッシュフローを当期純利益としよう。当期純利益を決定する主な要因は，売上高，費用構造，負債比率（資本構成）である。理論的には，株式ベータはこれら諸要因の影響を受ける。

売上高の変動の大きさは，企業の製品やサービスの需要先によって決まる。設備投資関連は相対的に景気の影響を受けやすく，個人消費関連は景気の影響を受けにくい。売上高の変動が大きければ，当期純利益の変動も大きい。他の条件が等しければ，設備投資関連企業の株式ベータは，個人消費関連企業の株式ベータより大きくなると予測できる。

人件費や減価償却費など固定費の大きさが，利益の変動に与える影響は，営業レバレッジとよばれる。景気が落ち込み売上高が低下しそうなとき，すぐに固定費を減らすことは難しい。固定費の割合が高い企業は，そうでない企業に比べて，売上高の減少が利益の悪化に直結する。逆もいえる。生産コストに占める固定費の割合が大きい場合，売上高の増加に対する利益の伸びが大きい。他の条件が等しければ，固定費の比率が高い企業の株式ベータは大きくなるであろう。

財務戦略である負債利用の程度（負債比率）が当期純利益に与える影響は，財務レバレッジの影響として知られている。第7章で詳しく解説するが，負債比率が高い企業は，支払利息も大きい。支払利息は，売上高や営業利益の増減に影響を受けない固定的な費用である。営業レバレッジと同様の理由で，負債比率の高い企業の当期純利益は変動しやすいため，株式ベータも大きくなる。逆に，負債比率が低い企業の株式ベータは小さくなる。

少なくとも，上場企業の平均値と比較した売上高の変動の大きさ，固定費の比率，負債比率は株式ベータに影響する。例えば，食品業界の業績の変動要因は個人消費である。個人消費の変動は小さいため，食品業界の売上高は安定している。財務的にも安定している食品業界は，当期純利益の変動が小さく，株価も安定しているはずである。このため，食品業界の株式ベータは1を下回ることが予想される。実際の推定値も1を下回っている（[図表2-12]を参照）。

推定された株式ベータと諸要因の関係が整合的でない場合，丹念に原因を探っていく。これといった原因が見つからない場合は，ベータの推定値を疑い，算出期間や算出方法を変えてみるなど追加的な試みが必要になる。

❹ 負債の資本コストの推定

負債の資本コストは，債権者が期待する収益率である。推定には，大きく二

つの方法がある。一つは，直近の実績値を用いる方法である。例えば，前年度の有利子負債利子率（支払利息÷〈期中平均〉有利子負債残高）を用いる。日本企業の場合，有利子負債に占める短期負債の割合が高いため，この方法による推定は，短期バイアスがかかりやすい。

[図表 2-13] わが国企業の有利子負債利子率

セクター（サンプル企業数）	有利子負債利子率のメディアン
消費財（368社）	1.39%
資本財（571社）	1.47%
商業（400社）	1.27%
交通（47社）	1.84%
公益（18社）	2.22%
不動産（51社）	1.98%

（出所）久保田・竹原（2006）「加重平均資本コスト推定上の諸問題」
（日本経営財務研究学会全国大会報告論文）

　[図表2-13] は，日本企業の有利子負債利子率の実績値の一例である。安定した収益をあげる公益企業（電力・ガス）の有利子負債利子率が，最も高くなっている。その理由は有利子負債の満期構造にある。電力会社やガス会社は，一般の事業会社に比べて，長期社債の割合が高い。一般の事業会社は，短期借入れの割合が高い。有利子負債の利子率を用いると，やや不自然な結果になることが分かる。

　代替案は，長期社債の利回りを負債の資本コストに用いることである。社債データや格付け情報を用いて，いま企業が長期社債を発行すると何％の利回りが必要になるかを算出する。実務では，格付け情報から信用スプレッドを求め，国債利回りに信用スプレッドを上乗せした値を負債の資本コストとすることが多い[11]。

　長期的な視点から企業経営を考えたり，企業価値を評価したりする際には，この方法が適している。

11　格付けや信用スプレッドについては，第7章と第8章で詳しく解説する。

❺ 総資本コスト（WACC）の推定

[図表2-14]は，2004年ごろの家電量販店の総資本コスト（WACC）の推定事例である。法人税は考慮せず，（2-1）式を用いてWACCを推定した。当時，家電小売業界では競争が激化し，経営統合や業務提携の動きが進んでいた。事業から撤退する中小企業があると，その店舗網を大手企業が買収するという案件もあった。経営統合や店舗の買収を行う際には，企業や事業の価値評価を行う必要がある。資本コスト（割引率）の推定は避けて通れない作業であった。

[図表 2-14] 家電量販店のWACC（法人税なし）

	負債コスト	株式コスト （　）内はベータ	WACC （3年D/V）	WACC （2年D/V）	WACC （直近D/V）
Y	2.8	9.75 (1.65)	7.4	7.0	7.5
J	3.3	22.5 (4.20)	7.5	8.3	9.1
E	3.1	13.0 (2.30)	N.A.	7.0	8.3

	負債比率（D/V）		
	3年平均	2年平均	直近
Y	34%	39%	32%
J	78%	74%	70%
E	N.A.	60%	53%

- 無リスク利子率は国債10年物の1.5%を用いた。
- マーケット・リスク・プレミアムは5%とした。
- Y社とJ社の株式ベータは過去5年間のデータから推定した。データの制約によりE社のベータは過去2年半のデータから推定した。
- 負債の資本コストは格付けなどを参考にして推定した。
- D/V＝負債÷（負債＋株式時価総額）
- WACC（3年D/V）は負債比率の3年平均を用いて算出したWACC。WACC（2年D/V）は負債比率の2年平均を用いて算出したWACC。WACC（直近D/V）は直近の負債比率を用いて算出したWACC。

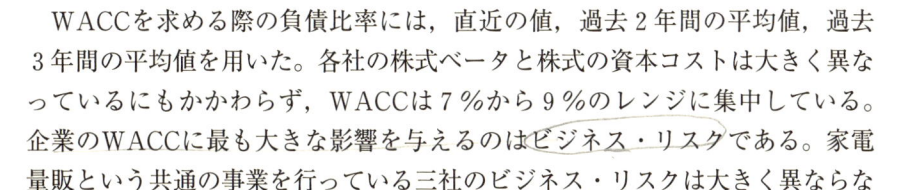

WACCを求める際の負債比率には，直近の値，過去2年間の平均値，過去3年間の平均値を用いた。各社の株式ベータと株式の資本コストは大きく異なっているにもかかわらず，WACCは7%から9%のレンジに集中している。企業のWACCに最も大きな影響を与えるのはビジネス・リスクである。家電量販という共通の事業を行っている三社のビジネス・リスクは大きく異ならない。そのため，WACCも比較的狭いレンジに集中したと考えられる。

株式の資本コストが大きく異なるのは，各社の資本構成（負債比率）が異なるからである。負債比率が高い企業では，収益の安定的な部分の大半が負債の元利として債権者に支払われる。株主が受け取るキャッシュフローのリスクは大きくなり，株式の資本コストも高くなる。家電量販三社を比較すると，負債比率が最も高いのはJ社であった。同社の株式の資本コスト（株式ベータ）は

三社の中で最も高い。負債比率が低いY社の株式の資本コスト（株式ベータ）は最も低い。負債比率と株式の資本コストは正の関係にある[12]。

[図表 2-15] アナリスト・レポートにおけるWACCの推定事例

《前提条件》

税率	50.0%	マーケット・リスク・プレミアム	3.5%
負債コスト	2.0%		
発行済み株式数	2,701千株	無リスク利子率	1.5%
株価（前期末）	42,700円	β値	1.0
株式時価総額（前期末）	1,153,241百万円	株式の資本コスト	5.0%
有利子負債残高（前期末）	92,903百万円	WACC	4.7%

（注）マーケット・リスク・プレミアム（3.5％）
　　＝TOPIXの益回り（5％：予想PER20倍の逆数）－無リスク利子率（1.5％）

　証券アナリストは，企業価値や株式価値を分析するプロフェッショナルである。企業や株式の価値評価を行う際には，DCF法を用いることが多い。DCF法を用いる場合，割引率である資本コストを推定する必要がある。[図表2-15]は，あるアナリスト・レポートからの抜粋である。資本コストの推定に必要な情報と計算結果が示されている。

　株式の資本コストはCAPMを用いて推定してある。無リスク利子率は10年国債の利回り1.5％である。このアナリストは，予想PERの逆数（益回り）を用いて，マーケット・リスク・プレミアムを算出する方法をとっている。先に紹介した（2－6）式である。東証1部上場銘柄の平均的な利益成長率を0％と仮定すると，マーケット・ポートフォリオの期待収益率は5％になる。マーケット・リスク・プレミアムは，無リスク利子率を引いた3.5％である[13]。CAPMの式（2－3）より，

　　　　株式の資本コスト (R_E) ＝1.5％＋1.0×3.5％＝5％

が得られる。

---

[12] 負債比率（資本構成）と株式の資本コストの関係については，第7章で詳しく述べる。
[13] マーケット・リスク・プレミアムが低いのは，利益成長率をゼロと予想しているからである。利益成長率を1％にすると，マーケット・リスク・プレミアムは4.5％になる。成長率を2％にすると，マーケット・リスク・プレミアムは5.5％になる。

負債の資本コスト（R_D）は2.0％，法人税率（t）は50％，負債比率（D/V）と自己資本比率（E/V）はそれぞれ0.074と0.926である。以上の数値を（2－2）式に代入すると，

$$\text{WACC} = (0.074) \times (1 - 0.5) \times (2.0\%) + (0.926) \times (5\%) = 4.7\%$$

となる。アナリストは，このようにして求めたWACCを割引率として，企業価値を評価していく。

>>8 DCF法による企業価値評価の考え方

❶ 企業価値評価の考え方

コーポレートファイナンスでは，投資家の視点から企業価値を評価する。投資家は，将来受け取ることができるフリー・キャッシュフロー（FCF）の現在価値を企業価値とみなす。投資家の立場から企業の価値評価を行うアプローチは，大きく二つに分けられる。一つは，投資家を債権者と株主に分け，負債と株式の価値を別々に求めて足し合わせることである。もう一つは，債権者と株主を投資家としてまとめ，企業全体の価値を求める方法である。

これまで，企業活動のリスクとリターンの源泉が資産サイドにあることを強調してきた。資本構成（負債比率）の相違は，それほど気にしなくてよい。コーポレートファイナンス理論の基本命題であるモジリアーニとミラーの命題（MM命題）は，まさにこのことを主張している。下記は，有名なMM命題（Modgliani and Miller〈1958〉）である。

> The market value of any firm is independent of its capital structure and given by capitalizing its expected return at the rate, ρ, appropriate to its class.
> （企業の市場価値は資本構成と独立であり，クラス〈ビジネス・リスク〉に応じた適切な割引率 ρ を用いて期待収益を評価した値になる。）

本書では，MM命題の考え方にしたがい，企業全体の価値を評価するアプローチをとる[14]。具体的には，債権者と株主に配分可能なFCFを予測し，ビジネ

14　本書は企業価値評価の専門書ではないため，企業価値の評価については必要最少限の説明にとどめる。企業価値評価の詳細については，マッキンゼー・アンド・カンパニー（2006）などを参照していただきたい。

ス・リスクに見合う総資本コスト（WACC）を用いて，企業価値を評価する。

❷ 企業価値評価におけるフリー・キャッシュフロー

キャッシュフロー計算におけるFCFは，営業CFと投資CFの差額であった。企業価値を評価する際のFCFは，次のように定義されることが多い。

$$\text{FCF} = 営業利益（税引き後） + 減価償却等償却費 \\ - 設備投資 \pm 運転資本減増 \quad\quad (2-7)$$

運転資本を営業活動に付随するキャッシュフローとみなせば，営業利益と減価償却費と運転資本の合計額が営業CFになる。設備投資は投資CFである。運転資本を投資とみなせば，営業利益と減価償却費が営業CF，設備投資と運転資本が投資CFになる。いずれにしても，FCFは営業CFと投資CFからなっている。

営業利益は，売上高から売上原価と販売費及び一般管理費を控除した値である。営業利益を算出するためには，まず国内外の経済情勢や業界内の競争優位性を分析し，売上高を予測する。その後，企業のコスト構造を分析し，法人税を調整して営業利益（税引き後）を予測する。

減価償却等の償却費は，費用計上されるが現金は流出していない。キャッシュフロー計算では足し戻す。最近盛んな企業買収におけるのれん償却も同様である。例えば，阪急・阪神の経営統合では，毎年30億円にのぼるのれん償却が発生している。のれん償却は，名目的な損益を圧迫するが，実質的なキャッシュフローには影響しない。

設備投資を行うと投資資金が流出する。投資資金は，減価償却費として数年間にわたり費用計上されるため，投資資金の大半は当期の損益計算に計上されない。実際には資金が流出しているので，キャッシュフロー計算において調整（控除）する。

運転資本は，流動資産（売上債権や在庫など）から流動負債（買入債務など）を引いた金額である。運転資本が前期より減少するとキャッシュの流入，前期より増加するとキャッシュの流出になる。在庫の増加を考えると分かりやすい。原材料を仕入れて製品を作り在庫保有したとする。在庫は，販売されるまで損益計算には計上されないが，原材料費は支払われている。キャッシュが流出しているのである。運転資本の増加はキャッシュの流出，運転資本の減少はキャッシュの流入を意味する。

実務では，その他の細かい項目を調整する必要があるが，恒常的なFCFに大きな影響を与えるのは（2－7）式の諸項目である。FCFは今後の企業活動に支障をきたすことなく投資家に配分できる資金である。FCFに含めるか否かに迷ったときは，この定義を思い出せばよい[15]。

❸ DCF法による企業価値評価の事例

　[図表2－16] は，アナリスト・レポートにおける企業価値評価の事例である。評価対象は [図表2－15] においてWACCを求めた企業，評価時点は2006年である。アナリストは，過去の財務データや今後の業界動向を分析し，2007年3月期以降のFCFの期待値を予測した。例えば，2007年3月期の期待FCFは，次のように算出される。

[図表 2-16] アナリスト・レポートにおける企業価値評価の事例

(単位：百万円)

	売上高	営業利益 (税引き後)	減価償却費	設備投資	運転資本 減増	FCF	FCFのPV (割引率4.7%)
2003/3	1,692,947	23,500	11,096	99,062	▲16,606	▲47,861	
2004/3	1,749,110	23,344	15,517	▲9,881	1,299	47,443	
2005/3	1,910,469	28,802	15,441	8,289	41,965	▲6,012	
2006/3	1,963,296	29,388	15,642	31,238	10,104	3,688	
2007/3 (E)	2,109,921	32,729	15,000	5,000	▲8,066	50,795	48,515
2008/3 (E)	2,098,052	31,732	13,067	5,000	▲791	40,590	37,028
2009/3 (E)	2,179,897	34,810	12,475	5,000	5,456	36,829	32,088
2010/3 (E)	2,260,272	37,383	11,992	5,000	5,358	39,017	32,469
2011/3 (E)	2,339,327	39,555	11,599	5,000	5,270	40,884	32,495
(1) 5年間（2007－2011）のFCFのPVの合計							182,595
(2) 継続価値のPV (上段：前提，下段：結果)	永続成長率0%（定額CF）		永続成長率0.5%		永続成長率1%		
	691,388		777,565		887,033		
(3) 企業価値評価 ＝(1)＋(2)	873,983		960,160		1,069,628		
EBITDA倍率	10.86倍		11.93倍		13.29倍		

(注) 法人税率50%，割引率は4.7%（[図表2-13]），PVは現在価値を意味する。
　　残存価値は2012年度以降のFCFの現在価値。永続成長率0%の場合は，(40,884÷0.047)÷(1.047)[5] で算出。
　　永続成長率0.5%の場合は，(40,884×(1.005)÷(0.047－0.005))÷(1.047)[5] で算出。1%の場合も同様。
　　EBITDA倍率＝企業価値÷予想EBITDA，予想EBITDAは2007/3の営業利益（税引き前）65,458と減価償却費15,000の合計額80,458（EBITDA倍率については第6章で説明する）。

15　（2－7）式には金融収益が含まれていないため，FCFの現在価値は，営業資産の評価額になる。多額の金融資産を保有している企業では，営業資産の評価額に金融資産の評価額を加えた値が，企業価値の評価額になる。

$$\text{FCF} = \text{営業利益(税引き後)} + \text{減価償却等償却費} - \text{設備投資}$$
$$\pm \text{運転資本減増} = 32{,}729 + 15{,}000 - 5{,}000 + 8{,}066$$
$$= 50{,}795 \text{百万円}$$

　このアナリストは，対象企業が運転資本の削減に取り組んでいると分析したのであろう。2007年3月期は，売上高の増加を見込んでいるにもかかわらず，運転資本の減少を予測している。運転資本の減少はキャッシュフローの増加につながる。第9章で紹介する伊勢丹の有利子負債の削減においても，運転資本管理の効率化がキャッシュを生み出し，有利子負債の返済にあてられた。

　各年度のFCFをWACCで割り引いて，現在価値を求める。先に算出したように，WACCは4.7％であった（［図表2-15］を参照）[16]。1年後（2007年3月）のFCFの現在価値（PV）は，

$$50{,}795 \div (1.047) = 48{,}515 \text{百万円}$$

になる。2年後（2008年3月）のFCFの現在価値は，

$$40{,}590 \div (1.047)^2 = 37{,}028 \text{百万円}$$

になる。同様にして，5年後（2011年3月）までFCFの現在価値を求める。計算結果は表の右列に記載されている。5年間のFCFの現在価値を合計すると，182,595百万円（［図表2-16］の（1））となる。

　企業活動は永続的である。FCFは永続的に生み出される。だからといって，数百年後のFCFを予測するのは不自然であろう。予測の精度もかなり低下する。実務的には，5～10年間のFCFを予測し，様々な工夫をしてその後の継続価値（Terminal Value）を求めることになる。アナリスト・レポートでは，三通りのシナリオを想定して，継続価値を算出している。

　永続成長率0％のシナリオでは，2012年以降の毎年の期待FCFが一定であると考えている。具体的には，毎年40,884百万円のFCF（2011/3期のFCF）が続くと仮定する。定額CFモデル（［図表2-4］を参照）によると，2011年度末における継続価値は，40,884÷0.047＝869,872百万円である。継続価値の現在価値を計算すると，

---

[16] 第7章で説明するが，税引き後営業利益から算出したFCFに対応する割引率は，法人税を考慮した（2-2）式のWACCである。

$$(40,884 \div 0.047) \div (1.047)^5 = 691,388 百万円$$

になる（図表中（2））。

　継続価値は5年後の2011年度末の値であることに注意しよう。現在価値を求めるため，4.7%で5回割り引く必要がある。［図表2－17］は，この手続きを図示している。企業価値の評価額は，5年間のFCFの現在価値と継続価値の現在価値の合計額873,983百万円になる（図表中（3））。

[図表 2－17] 継続価値の現在価値：定額CFモデルの場合

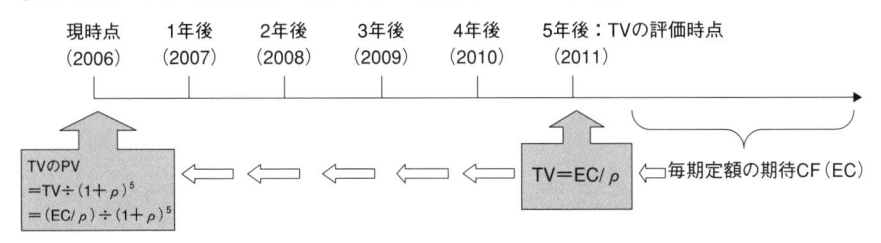

現時点　1年後　2年後　3年後　4年後　5年後：TVの評価時点
(2006) (2007) (2008) (2009) (2010) (2011)

TVのPV
$= TV \div (1+\rho)^5$
$= (EC/\rho) \div (1+\rho)^5$

$TV = EC/\rho$

毎期定額の期待CF（EC）

（注）TV（Terminal Value）は継続価値，ρ は割引率，ECは6年目以降の期待FCF（定額）。

　永続成長率0.5%のシナリオでは，2012年以降のFCFが毎年0.5%で成長すると考えている。定率成長モデル（［図表2－4］を参照）を用いると，継続価値の現在価値は下記になる。

$$[40,884 \times (1.005) \div (0.047 - 0.005)] \div (1.047)^5 = 777,565 百万円$$

　このシナリオによる企業価値の評価額は，960,160百万円である。
　同様にして，永続成長率1%のシナリオにおける企業価値の評価額が求まる。企業価値の評価額は，2012年度以降の成長シナリオに大きな影響を受ける[17]。

17　レポートの最後の行にあるEBITDA倍率については，第6章で説明する。

第3章

資本コストと
企業経営

>>1 企業経営と資本コスト

　投資家から見た企業価値は，将来のフリー・キャッシュフロー（FCF）を適切な割引率で現在価値に直した値である。簡単化のため，将来のFCFが一定であるという定額CFモデルを用いると，次の関係が成り立つ。Vは企業価値，ECは来期以降の期待FCF，ρは資本コスト（割引率，期待収益率）である。

$$V = \frac{EC}{\rho} \iff \frac{EC}{V} = \rho \iff EC = \rho V$$

　第一式は定額CFモデルである。ρは割引率になっている。第二式の左辺は，投資家の投下資本（V）に対する成果（EC）の比率であり，投下資本収益率といえる。右辺のρは資本コストと解釈するのがよい。第二式は，投資家の期待収益率が企業の資本コストに等しいことを意味している。第三式の左辺は，投資家が企業に期待する成果の金額である。右辺は，現時点の企業評価額に資本コストρを掛けた値であり，企業が稼がなければならない資本コスト（金額）を意味している。

　いま，$EC=10$億円，$\rho=10\%$であるとしよう。このとき，投資家は企業価値を100億円（10億円÷0.1）に評価する。投資家は，投下資本が10％の収益率をあげると期待している。企業の資本コストは10％，金額でいうと10億円になる。

　来期以降のキャッシュフローが9億円に落ち込むことが分かったとしよう。予定していた資本コストは稼げない。企業の評価額は90億円に低下する。当初の評価額100億円を維持するためには，資本コスト10億円を稼がなくてはならない。企業経営において資本コストが大切な理由はここにある。資本市場にお

ける評価を維持するため，企業の経営陣は資本コストの意味を理解し，その値を知り，活用する必要がある。

資本コストを意識した経営指標としてEVA（Economic Value Added）がよく知られている。簡単に説明すると，EVAは企業活動が生み出す成果と資本コストの差額である。上の記号を用いると，$(EC - \rho V)$ がEVAに近い。企業活動の成果（EC）が資本コスト（ρV）を上回るとき，価値が付加される。企業価値を高めるためには，資本コストを上回る成果を出すしかない。これがEVAのエッセンスである。

事業投資基準にEVAを用いているキリンビールは，全社の資本コストを5％に設定し，投資案件ごとにリスクを査定して，リスク・プレミアムを調整している。第4章と第5章で紹介する大阪ガスや松下電器産業では，自社に適した形で資本コストを考慮した経営指標を導入し，有効に利用している。大阪ガスの指標はSVA（Shareholders' Value Added），松下電器の指標はCCM（Capital Cost Management）とよばれる。SVAは，営業利益から総資本コストを引いた値である。CCMは，事業利益から投下資産コストを引いた値である。総合商社の丸紅は，PATRAC（Profit After Tax less Risk Asset Cost）という経営管理指標を公表している。同社は，リスク資産に対して10％の資本コストを課し，リスクのある事業を取捨選択する基準にしている。

丸紅に限らず，大手商社は資本コスト経営が進んでいる。1990年代のバブル崩壊以降，大手商社各社は，従来の取引仲介で手数料を稼ぐビジネスから，自社で資金を投じてエネルギー開発を行ったり，投資ファンドを組成したりするビジネスへの転換を図ってきた。ローリスク・ローリターンのビジネスの比率を下げ，ハイリスク・ハイリターンのビジネスの比率を高めてきたように見える。この過程で，各社は資本コストと同時にリスク管理のシステムを模索してきた。例えば，三菱商事が2001年に導入したMCVA（Mitsubishi Corporation Value Added）は，次のように定義されている。

MCVA＝事業収益－（最大想定損失×株主資本コスト）

MCVAには，大きな特徴が二つある。一つは，企業活動の成果の指標として，事業収益を用いていることである。大手総合商社の収益に占める金融収益の割合は大きい。そのため，MCVAでは，営業利益ではなく金融収益を含む事業収益に焦点を当てている。もう一つは，最大想定損失を用いていることである。事業リスクの高まりを意識しているのであろう。最大想定損失などのリ

スクの定量化には，金融工学の手法を用いているという。

　MCVAの導入と同時に，三菱商事は従来のビジネスを約190のビジネスユニット（BU）に整理・再編した。新たなBUは，約6割が拡張型（新たな機能付加により収益の継続や向上を狙う），約2割が成長型（集中的な資源投下で成長を狙う），残り2割が再構築型（撤退・縮小や事業の再構築を図る）に分類された。各BUは，ミッションに応じた課題をもち，MCVAによって業績を管理している。

>>2 資本コストと撤退基準

　将来のFCFは，すでに行っている事業（既存事業）と今後行う事業（新規事業）から生み出される。企業を事業のポートフォリオとみなし，数値例を用いて企業経営と資本コストの関係を整理しよう。

[図表 3−1] 資本コストと企業経営：全社一律の資本コスト

(a) 資本コストに見合う成果が期待できる場合					
	投下資本	資本コスト(％)	資本コスト(金額)	期待CF	価値評価
事業A	300	6％	18	18	300
事業B	100	6％	6	6	100
全社	投下資本400＝価値評価額400（時価簿価比率(PBR)＝1）				

(b) 資本コストを下回る事業Bを実施する場合					
	投下資本	資本コスト(％)	資本コスト(金額)	期待CF	価値評価
事業A	300	6％	18	18	300
事業B	100	6％	6	3	50
全社	投下資本400＞価値評価額350（時価簿価比率(PBR)＜1）				

(c) 資本コストを上回る事業Bを見出して実行した場合					
	投下資本	資本コスト(％)	資本コスト(金額)	期待CF	価値評価
事業A	300	6％	18	18	300
事業B	100	6％	6	9	150
全社	投下資本400＜価値評価額450（時価簿価比率(PBR)＞1）				

　[図表3−1]は，リスクが等しい二つの事業（事業Aと事業B）をもつ企業を想定している。事業Aに投下した資本は300，事業Bに投下した資本は100である。二つの事業の資本コストはいずれも6％である。このとき，全社の総資本コストは6％になる。

三つのケースを考えよう。パネル（a）は，二つの事業が資本コストに見合う成果をあげると期待できるケースである。企業価値評価額は400となり，投下資本に等しくなる。企業は資本コストを稼ぎ，投資家はリスク負担に見合う成果を得ることができる。投下資本を簿価，評価額を時価とすると，時価簿価比率は1になる。時価簿価比率は，株式指標の株価純資産倍率（PBR）と同じ意味である。

　パネル（b）は，事業Bの成果が資本コストを下回るケースである。事業Bの評価額は50（3÷0.06）になる。企業価値の評価額は350となり，投下資本である簿価を下回る。期待CFが正である事業Bは黒字の事業である。しかし，資本コストを稼げないため，価値を損なうことになる。企業が事業Bから撤退すれば，価値を損なわずにすむ。あるいは，事業をより効率的に運営できる他の企業に50以上の価格で売却できれば，損失が小さくてすむ。

　パネル（c）は，事業Bの成果が資本コストを上回るケースである。事業Bの評価額は150となり，企業全体の評価額は450に高まる。投資家が提供した資金を企業が有効に利用し，価値を付け加えたケースである。価値創造経営が実現したといえる。

　価値は企業活動の中で生まれる。価値を生み出すためには，資本コストを意識し，企業経営に活かすことが大切である。資本コストをベンチマークとして，それを上回る成果が期待できる事業は実施する。資本コストを下回る成果しか得られない事業からは，撤退することを考える。資金や人材を投入した事業からの撤退はためらわれるかもしれないが，撤退する勇気も必要である。パネル（b）のケースで，企業が事業Bを継続するとどうなるか。投資家が損をする。投資家は事業からの撤退を求めるであろう。経営陣の交代を要求する事態に発展するかもしれない。

　定量的な基準を定めておくと，撤退戦略がとりやすい。資本コストを意識して，撤退基準を明確に打ち出している企業もある。キリンビールは，EVAのマイナスが続くと事業の見直しを検討する。松下電器では，3年でCCMを黒字化できない事業は撤退の候補になる。日立製作所では，2年でEVAを黒字化できない事業は撤退・売却の対象となる。資本コストや価値指標を撤退基準に用いることで，投資家の価値を損なうから撤退するという明確な理由ができる。社内での合意も得やすいであろう。

>>3 事業ポートフォリオの変化と資本コスト

資本コストは資産内容，あるいは事業ポートフォリオによって決まる。事業ポートフォリオの構成が変わると，ビジネス・リスクが変化し，資本コストも変わる。定額CFモデルを用いた簡単な数値例で確認しておこう。

[図表 3-2] ビジネス・リスクの変化と企業価値

(a) 新規事業を実施する					
	投下資本	資本コスト(%)	資本コスト(金額)	期待CF	価値評価
現預金	100	0%	0	0	100
既存コア事業	200	6%	12	12	200
新規事業	100	12%	12	12	100
全社	400	6%	24	24	400
投下資本収益率6%（=24÷400）=資本コスト6%，資本コスト（金額）=期待CF					

(b) 新規事業を実施しない					
	投下資本	資本コスト(%)	資本コスト(金額)	期待CF	価値評価
現預金	100	0%	0	0	100
既存コア事業	200	6%	12	12	200
現預金	100	0%	0	0	100
全社	400	3%	12	12	400
投下資本収益率3%（=12÷400）=資本コスト3%，資本コスト（金額）=期待CF					

［図表3－2］のパネル（a）は，現預金100，既存のコア事業200，新規事業100という事業ポートフォリオをもつ企業の価値評価を示している。リスクがない現預金の資本コストはゼロである（金利をゼロと仮定）。安定している既存コア事業の資本コストは6%，リスクが大きい新規事業の資本コストは12%である。いずれも資本コストに見合う成果が期待できる。企業全体の総資本コストは，各事業の資本コストを加重平均した値になる。現預金の比率は25%，コア事業の比率は50%，新規事業の比率は25%であるから，

　　　総資本コスト＝0.25× 0 ％＋0.5× 6 ％＋0.25×12％＝ 6 ％

になる（［図表3－3］を参照）。全社的な期待CFは24であるから，企業価値

[図表 3-3] 事業ポートフォリオの変化と資本コストの変化

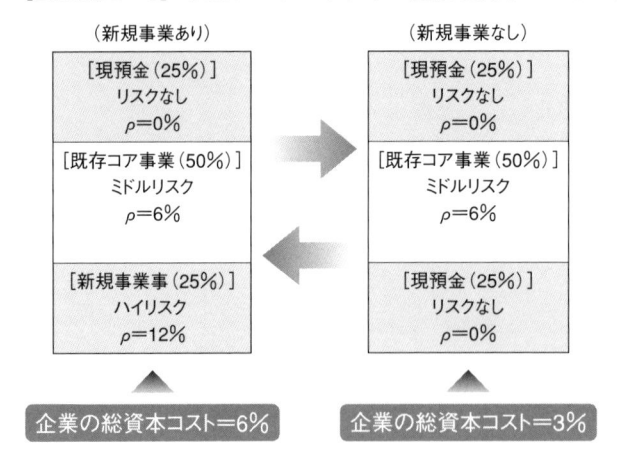

（新規事業あり）

| [現預金 (25%)]
リスクなし
ρ＝0% |
| [既存コア事業 (50%)]
ミドルリスク
ρ＝6% |
| [新規事業 (25%)]
ハイリスク
ρ＝12% |

企業の総資本コスト＝6%

（新規事業なし）

| [現預金 (25%)]
リスクなし
ρ＝0% |
| [既存コア事業 (50%)]
ミドルリスク
ρ＝6% |
| [現預金 (25%)]
リスクなし
ρ＝0% |

企業の総資本コスト＝3%

の評価額は400である。

[図表3－2] のパネル (b) は，新規事業を実施しない場合である。評価額100で新規事業を売却した場合と考えてもよい。企業の資産内容は，現預金50%と既存コア事業50%からなる。パネル (a) とは，事業ポートフォリオの構成が変わっている。この場合，

　　総資本コスト＝0.5×0%＋0.5×6%＝3%

となる（[図表3－3] を参照）。リスクの大きい新規事業がリスクのない現預金に変わったため，企業全体のリスクが小さくなり，総資本コストが低下したのである。全社的な期待CFは12であるから，企業価値の評価額は400である。投下資本収益率は3%で資本コストに一致する。

[図表3－3] が示すように，事業ポートフォリオが変わると企業の総資本コストも変わる。新規事業が事業ポートフォリオに組み込まれると，全社的なリスクが大きくなり，総資本コストが上昇する。ハイリスク・ハイリターンの原則である。事業ポートフォリオに占める現預金の比率が高まると，リスクが小さくなり，総資本コストは低下する。

>>4 資本コストの修正

　第2章で述べたように、現場では資本市場の情報を用いて資本コストを推定する。個別株式のリスク指標であるベータ値は、過去の株価データから推定する方法が一般的である。企業が事業ポートフォリオを変えたとしても、それがデータに表れ、推定値として確認されるまでに時間がかかる。事業ごとの資本コストが合意されていれば、事業ポートフォリオの組み換えに応じて、資本コストの変化が認識される。しかし、過去の情報に頼らざるを得ない状況では、資本コストの変化がすぐに認識されることは難しい。時間的なズレが起こりうる。

　事業ポートフォリオが変わり、企業のビジネス・リスクが低下する場合を考えよう。企業が新規事業を売却した直後をイメージすればよい。［図表3－3］でいうと、左から右への矢印である。理論的には、総資本コストは6％から3％に下がる。

　機械的に資本コストを推定すると、総資本コストが6％に据え置かれるかもしれない。資本コストの推定に用いられるデータは、新規事業を行っていた過去数年間のものだからである。総資本コストに比べ、利益やキャッシュフローの予測はいち早く修正される。キャッシュフロー予測が12になる一方で、総資本コスト（割引率）が6％に据え置かれると、企業価値は200に評価される。これほど極端ではなくても、資本コストの修正が遅れ、企業価値や株価がミスプライスされる可能性はある。

　業界の成熟化にともない、企業のビジネス・リスクが低下する場合にも時間的なズレがある。［図表3－4］は、NTTドコモの株式ベータと株価動向である。同社は1998年10月に上場した。当時は、携帯電話業界への成長期待が大きく、株価も大幅に上昇した。その後、株式市場全体の下落に連動する形で株価は下落した。2003年以降は、狭いレンジでの動きが続いている。

　上場後5年間（1998－2003年）のデータから推定した同社の株式ベータは、1.76であった。2001年からの5年間（2001－2006年）における株式ベータは0.97、2003年から2006年の2.5年間における株式ベータは0.72であった。同社の株式ベータは低下している。

　2003年当時のビジネス・リスクに対応する株式ベータとして適切な値は、0.97か0.72であろう。実際には、この値は2006年にならないと推定できない。機械的に処理すると、2003年当時の株式ベータとして、過去5年間（1998－

[図表 3-4] NTTドコモ株のリスクとリターン

	1998-2003	2001-2006	2003-2006
株式ベータ	1.76	0.97	0.72
株価動向	ハイリスク・ハイリターン	ミドルリスク・ミドルリターン	ローリスク・ローリターン

（注）株式ベータの出所は東京証券取引所『TOPIX β VALUE』

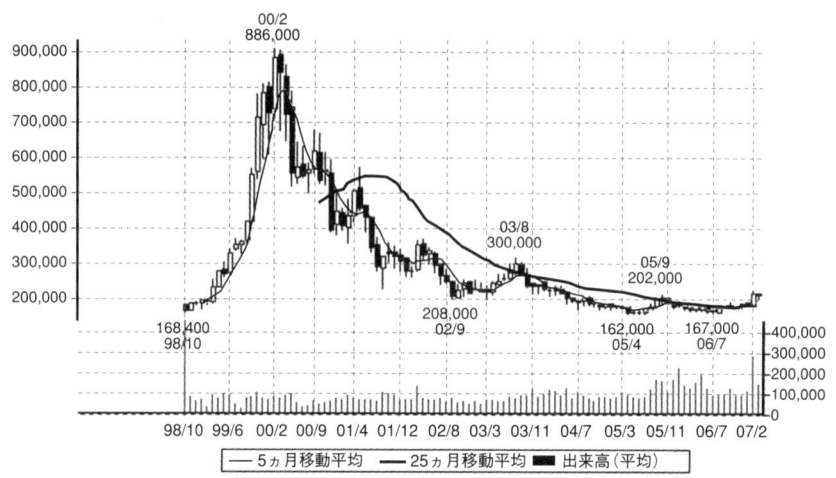

2003年）のデータから推定した1.76が使われてしまう。

　実態以上に高い資本コスト（割引率）を用いると，企業価値や株価が過小評価される。いち早く過小評価に気付いたプロの投資ファンドが，株式を買い占めることもありうる。過小評価による株価の低迷が続けば，株主からの風当たりも強くなる。

　過小評価に気付いた企業は，適切な財務戦略によって問題の解決を図ることができる。例えば，自社株買いや増配である。企業が自社株を買う行為は，株価が割安だというメッセージになる。増配は，ビジネス・リスクが低下して，現金保有の必要性が小さくなったというメッセージになる。企業からのメッセージを受けた株式市場が，事業内容を見直し，ビジネス・リスクの低下に気付けば，資本コストの修正を通じて，過小評価が是正される。実証研究では，自社株買いや増配を行った企業の株価上昇が確認されている。自社株買いや増配が実施された後，株式ベータが低下したことを示唆する研究もある[1]。

1　第12章と第13章を参照。

逆もありうる。[図表3-3]でいうと右から左への矢印である。手元資金を用いて新規事業を行うと，全社的なリスクは大きくなり，総資本コストは高くなるはずである。ところが，過去のデータを用いた機械的な処理を行うと，資本コストが過小に推定され，株価は過大な評価を受ける。

株価の過大評価を気にすることはないが，自社の資本コストを過小評価することは問題である。実態より低い資本コストを使うと，ハードルが低くなり，価値を損なう投資を行いかねない。これは過大投資につながる。過大投資の問題については後述する。

>>5 企業の投資決定問題

企業が事業を取捨選択する基準は，価値を付加するか否かである。事業の価値評価にはDCF法を用いる。[図表3-5]は，安定した既存事業をもつ企業が，新規プロジェクトXという投資機会に直面している状況を示している。既存事業は，毎年30のFCFをあげると期待できる。割引率は5％であるから，既存事業の評価額は600（＝30÷0.05）である。手元資金30と合わせて，現在の企業価値評価は630である。

[図表 3-5] 投資プロジェクトXとキャッシュフロー

現状（割引率5％）：企業価値＝30＋30/0.05＝630			
	$t=0$	$t=1$	$t=2$
既存事業	手元資金30	毎期30のFCFが永続的	

投資プロジェクトX（2年間のプロジェクト）			
	$t=0$	$t=1$	$t=2$
売上高	0	50	50
営業利益	0	▲5	10
減価償却費	0	15	15
営業CF	0	10	25
投資CF	▲30	0	0
FCF	▲30	10	25

全社のFCF	0	40	55

（注）全社のFCFは，既存事業とプロジェクトXのFCFを合計した値。
　　　法人税は考えない。減価償却以外のキャッシュフローの調整項目（運転資金の増減など）はない。

新規の投資プロジェクトXは2年間のプロジェクトである。今年（$t=0$）30の資金を投下してプロジェクトを実施すると，来年（$t=1$）と再来年（$t=2$）に50の売上高が期待できる。来年の営業利益は赤字になるが，再来年は学習効果によってコストが低下し，営業利益は黒字になる。初期投資は2年間かけて均等に減価償却する。毎年の減価償却費は15である（残存価値は考えない）。減価償却費は費用であるが現金は流出しないので，キャッシュフロー計算において戻し入れる必要がある。実際に出ていくキャッシュは，今年度の初期投資である。説明を簡単にするため法人税は考えない。

　営業CFは，営業利益にキャッシュフロー項目を調整した値である。主なキャッシュフローの調整項目は，減価償却費や運転資本（流動資産と流動負債の差額）の増減などである。投資プロジェクトXでは，減価償却費のみ調整する必要がある。来年の営業CFは，営業利益に減価償却費15を加えた10である。営業利益は赤字でも営業CFはプラスであることに注意しよう。再来年の営業CFは，営業利益10に減価償却費15を加えた25である。

　営業CFと投資CFの差がFCFになる。FCFがマイナスであれば，キャッシュは流出する。プラスであればキャッシュが流入し手元に残る。手元に残ったキャッシュは，投資家に配分できる。プロジェクトXの例では，今年30のキャッシュが流出し，来年10，再来年25のキャッシュが入ってくる。

　初期投資に必要な資金は手元にある。企業には二つの選択肢があるとしよう。第一の選択肢は，いま手元にある30を投資家に配分し，プロジェクトを実施しないことである。外部資金調達は考えない。第二の選択肢は，手元資金30をプロジェクトに投下し，来年と再来年に成果を投資家に配分することである。

　どちらが好ましいかは，新規プロジェクトを実施した場合の企業価値を計算すれば判断できる。あるいは，新規プロジェクトが価値を付加するか否かが計算できれば判断できる。プロジェクトが価値を付加するものであれば，企業価値は高まる。プロジェクトが価値を損なうものであれば，企業価値は低下する。以下では，プロジェクト単体の価値を評価することを考える。

>>6 NPV法による投資決定

　MBA教育が普及しているアメリカでは，新規プロジェクトの投資決定基準にNPV法（Net Present Value：正味現在価値法）を用いる企業が多い。MBAのファイナンスのクラスでは，DCF-NPV法が優れた投資決定基準だと教え

る。アメリカ企業を対象としたアンケート調査によると，8割近い企業がNPV法を投資評価に活用している（後の［図表3－9］を参照）。最近では，日本企業の間にもDCF法を用いたNPV基準が広まっている。

次の記事は，三井金属が投資決定基準としてNPV法を採用したという内容である。筆者の一人は，同社の研修を担当し，社員の方と投資決定基準について活発な議論を交わしたことがある。

> 三井金属は2006年3月期から新たな評価指標としてNPV（正味現在価値）を導入する。一定期間に生まれるキャッシュフロー（現金収支）を基準に，商品ごとの投資効率性を判断するためである。採算が合わない事業は撤退も検討する一方，現金収支の拡大が見込める分野には優先的に新規投資を進める。
>
> （中略）
>
> NPVは，経済的利益を金額で示すEVA（経済付加価値）と同じ考え方である。一定期間に生まれるキャッシュフロー（現金収支）を資本コストで割り引いて，40の商品ごとに採算をチェックする。この指標を導入することで，従業員が株主に対する意識をもつことが期待される。
>
> （出所：日経金融新聞2005年4月27日付7面）

DCF法を用いてプロジェクトXを評価してみよう。［図表3－6］は，様々な割引率（1％，5％，10％，15％）の下で，プロジェクトを評価した結果である。割引率が1％の場合，1年後のFCF10の現在価値（PV）は9.9になる。現在価値は将来のFCFをディスカウントした値になっている。2年後のFCF25

[図表 3-6] プロジェクトXの評価と企業の価値評価

時点	$t=0$	$t=1$	$t=2$	合計（NPV）	全社の価値
FCF	▲30	10	25	5	
PV（1％）	▲30	9.9 (10÷1.01)	24.5 (25÷(1.01)^2)	4.4	634.4
PV（5％）	▲30	9.5 (10÷1.05)	22.7 (25÷(1.05)^2)	2.2	632.2
PV（10％）	▲30	9.1 (10÷1.1)	20.6 (25÷(1.1)^2)	0	630
PV（15％）	▲30	8.7 (10÷1.15)	18.9 (25÷(1.15)^2)	▲2.4	627.6

のPVは，$25 \div (1.01)^2 = 24.5$である。2年間だから2回割り引く。現在の24.5を1％で2年間運用すると25になる（$24.5 \times (1.01)^2 = 25$）。

　現在の金額で表示される現在価値は，足したり引いたりすることができる。初期投資を含むすべてのFCFの現在価値を合計した値を，投資プロジェクトXの正味現在価値（NPV）という。割引率が1％のときNPVは4.5である。割引率が5％のときNPVは2である。

　NPVがプラスの投資プロジェクトは価値を付加する。投資家の期待を上回るリターンが見込める。コーポレートファイナンスでは，NPVがプラスになる投資を推奨する。NPVがマイナスのプロジェクトは価値を損なう。そのようなプロジェクトを実施すると，投資家が損をすることになる。

　投資プロジェクトのNPVを基準とした投資決定をNPV法という。NPV法が優れている最大の理由は，割引率がリスクと時間を調整していることである。資本コストをきちんと考慮しているといってもよい。NPV法は，資本コストを考慮した投資決定基準である。NPVは投資プロジェクト単体の評価である。投資プロジェクトを実施した場合の企業価値は，現状630にNPVを加えた値になる。

　投資プロジェクトXのNPVは割引率に依存する。事業固有の割引率を推定することは難しいが，その事業を集中的に営んでいる上場企業の資本コストを参考に推定するのが自然な方法である。大阪ガスは，グループ事業を業種分類し，各業界の上場企業を参考にして事業ごとの資本コストを推定している。

　［図表3－7］は，NPVと割引率の関係をグラフ化したものである。NPVプロファイルとよばれる。NPVプロファイルから分かるように，割引率が10％より小さければ，プロジェクトXのNPVはプラスになる。割引率が10％を上回るとNPVはマイナスになる。投資が価値を創造するか否かは，リスクを反映した適切な割引率が10％を下回るか否かで決まる。

　プロジェクトXのリスクを分析して，適切な割引率が10％より小さいと判断すれば，手元資金30をプロジェクトに投資すればよい。投資家の立場からすると，いま30を受け取るより，プロジェクトXに資金を投入して，将来の成果に期待する方がよい。

　適切な割引率が10％近くだと，企業は非常に難しい判断をしなければならない。割引率が9％のときNPVはプラスになる。割引率が10％のときNPVはマイナスになる（厳密に計算すると▲0.25）。1％の差が意思決定を覆すことになる。NPVだけでは判断しかねるであろう。このような場合，その他の指標や戦

略的な重要性を議論することが必要になる。割引率が5％であれば，1％にこだわる必要はない。割引率が1％高くてもNPVはプラスのままである。

儲けることは難しい。割引率5％のプロジェクトXなど，めったにお目にかかれない。割引率9％のプロジェクトXの方が圧倒的に多いはずである。

≫7 IRR法と新旧の投資決定基準

❶ IRR法

投資プロジェクトのNPVがゼロになる割引率を内部収益率（Internal Rate of Return：IRR）という。内部収益率は，投資家の期待収益率（適切な割引率）とは異なる。利益やキャッシュフロー予測から算出できる計画上の収益率であり，リスクや資本市場に関する情報はいらない。

プロジェクトXのIRRは約10％である。IRRが投資家の期待収益率（適切な割引率）を上回っているとき，投資プロジェクトは価値を創造する。つまり，NPVはプラスになる。逆に，IRRが投資家の期待収益率を下回ると，投資プロジェクトは価値を損なう。NPVはマイナスになる。適切な割引率が，IRRのハードル・レートになっている。IRRがハードル・レートを上回るとき，投資プロジェクトは価値を生む。IRRがハードル・レートを下回ると，投資プロジェクトは価値を損なう。投資プロジェクトの価値（NPV）とIRRの関係は，［図表3－7］に記されている。

[図表 3-7] NPVプロファイル（NPVと割引率）

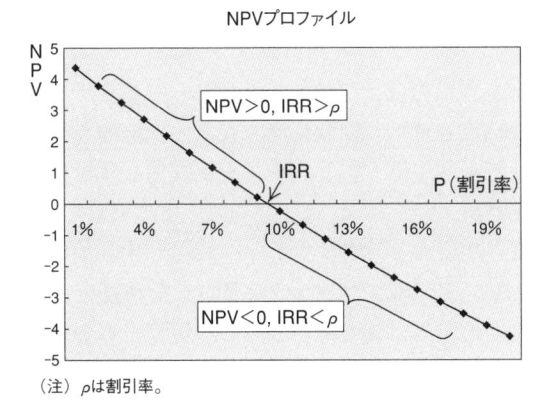

NPVプロファイル

（注）ρは割引率。

投資プロジェクトのIRRは，投下資本の収益率を示す指標であり分かりやすい。ただし，IRR自体の高低だけで意思決定するのは危険である。収益率が高い投資プロジェクトは，リスクも大きいと考えられる。リスクを反映したハードル・レートと比較することで，正しい意思決定ができる。これがIRR法の正しい使い方である。

[図表 3-8] NPVとIRRの比較

	Aプラン	Bプラン
投資額	1万円	10万円
受取額	2万円	12万円
NPV	1万円	2万円
IRR	100%	20%

(注) リスクなし，金利ゼロ。

　価値があるか否かについて，NPV法とIRR法は同じ判断になることがほとんどである。ただし，価値の大小については，判断が異なることがある。[図表3-8] のAプランとBプランを比較しよう。リスクはなく金利はゼロである。NPV法では，BプランがAプランより好ましい。価値の大きさではBプランが勝る。IRR法では，AプランがBプランより好ましい。投下資本収益率の高さではAプランが勝る。コーポレートファイナンスのテキストにしたがうと，NPV法を優先することになる。付加される価値が大きいからである。企業の現場では，IRR法もよく用いられている。NPV法とIRR法を合わせてDCF法ということがある。

❷ 伝統的な投資決定基準

　わが国の企業にDCF法が普及してきたのは，比較的最近のことである。従来は，損益計算（会計数値や損益分岐点分析）や回収期間法など，伝統的な投資決定基準を採用している企業がほとんどであった。いまでも伝統的な投資決定基準を用いている企業が少なくない。

　損益計算（会計数値や損益分岐点）による投資決定とは，黒字か赤字かで事業を判断することである。[図表3-5] のプロジェクトXの営業利益を見ると，今年はゼロ，来年は5の赤字，再来年は10の黒字である。通算すると黒字になるから投資を実施するというのが会計数値や損益分岐点による投資判断になる。しかし，適切な割引率が15％であればNPVはマイナスである。会計数値

や損益分岐点による判断を優先すると，価値を損なう投資プロジェクトに資金を投入することになる。これは過大投資である。過大投資を繰り返すと，企業価値は低下し，企業の力は衰退していく。

　損益（黒字か赤字か）は，非常に分かりやすい概念である。NPVのように，リスクや資本コストを考えなくてよい。しかし，それが弱点でもある。分かりやすさを維持しつつ，リスクを意識した損益計算を工夫している企業もある。防犯用・自動ドア・産業機器のセンサーを製造するオプテックスでは，事業リスクを加味した損益分岐点分析を定量的な指標にしている。同社では，これまでの経験や製品特性から，損益分岐点まで３割程度の余裕が見込める投資案件のみを検討する。損益分岐を達成するだけでは検討の対象にならない。３割程度の黒字が見込める事業でないと，リスクに耐えられないという考え方である。

　回収期間法は，投資資金の回収期間を基準にした意思決定である。投資資金を早く回収できる事業が評価される。投資の成果が予測しやすい早期に資金回収を図ろうという狙いがある。回収期間が早い事業は損をしにくいという経験則もあるようだ。長期のプロジェクトは，長期間資金が寝てしまう上に，成果の予測も難しい。１年後の１億円という成果は信用できるが，10年後の100億円という成果は信用しにくい。このように考えると，回収期間法にもそれなりの合理性があるように思える。

　一方，短期的な成果だけを追求すると，中長期的に持続可能な成長機会を見失うリスクがある。何より，回収期間法は資本コストを考慮していない。回収期間は有効な基準かもしれないが，最優先する基準ではない。［図表３－５］のプロジェクトXの例でいうと，投資資金30を回収できるのは２年後である。かなり早く資金回収ができるという意味で，このプロジェクトは魅力的である。しかし，割引率が15％であれば，価値を損なうプロジェクトを強行することになる。

　実際には，一工夫して，FCFの現在価値を用いた回収期間を調べることがある。何年でNPVがプラスになるかを調べていることと同じである。現在価値を用いる過程で，資本コストを考慮していることになる。割引率が15％であるとき，NPVはマイナスである。FCFの現在価値で考えると，２年間で回収できる金額は約27になる。投資資金30を回収できないから，プロジェクトは見送ることになる。

❸ リアルオプション

［図表3-9］は，2000年ごろアメリカの大企業を対象に行われたアンケート調査の結果である。IRR法，NPV法，ハードル・レートは，いずれもDCF法に分類できる。伝統的な回収期間法をはさんで，リアルオプションがあげられている。リアルオプションは新しい投資決定基準である。

リアルオプションについては専門書が出ているので，ここでは簡単な解説にとどめる[2]。ビジネスは不確実なものである。通常のDCF法では不確実性をリスクとみなす。リアルオプションでは，不確実性を将来の選択肢とみなす。実物投資（Real Investment）や実物資産（Real Assets）に関する選択肢（Option）がリアルオプションである。

［図表3-5］のプロジェクトXを実施して1年が経過したとしよう。予定では，学習効果によるコスト削減が実現するはずである。しかし，思ったほどの効果が表れないこともある。予定していた学習効果が出なければ，2年目も赤字になり，キャッシュが流出する可能性が高い。

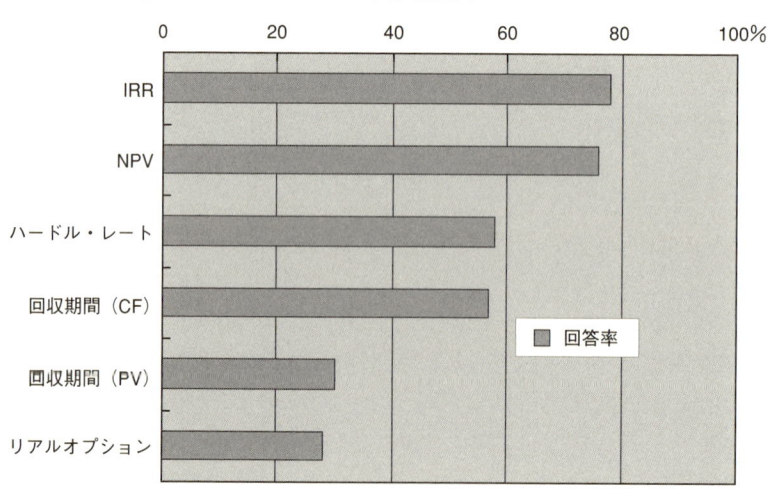

[図表 3-9] アメリカ大企業の投資決定基準

（出所）Graham and Campbell（2001）をもとに作成。

2　Copeland and Antikarov（2001）などを参照。

NPV法による当初の意思決定にしたがうと，2年目もプロジェクトを継続することになる。NPV法は，いったんプロジェクトの実施を決定すると，最後までコミットすることを暗黙に仮定している。実際には，1年たって学習効果が出なければ，プロジェクトから撤退するのが合理的な意思決定であろう。現場ではおそらく撤退が検討される。

　逆に，プロジェクトが予想以上にうまくいくと，1年後に追加投資を行って規模を拡大するという選択肢もある。事業部長や工場の責任者は，日々変化する状況に対して，様々な選択肢の中から，最良と思えるものを選んでいる。リアルオプション分析では，企業のダイナミックな意思決定プロセスを定量化し，判断の材料として活用する。現場の感覚に近い考え方であり，NPV法より有益だという意見もある。

　不確実性が多いほどオプション（選択肢）も多い。選べることは良いことである。たいていの場合，オプションは価値をもつ。リアルオプションでは，不確実性に付随する選択肢を価値創造の機会ととらえる。一般的に，プロジェクトの期間が長いほど，事業の不確実性が高まるほど，オプションの数は多くなる。リアルオプション分析は，長期間にわたる事業の評価や，不確実性が大きい事業の評価に適している。実際，リアルオプション分析にいち早く注目したのは，OPECの勢力拡大などで事業環境の不確実性が増した米石油会社である（日経産業新聞2001年8月22日付26面）。

　投資の意思決定を行うのは企業である。撤退すべきときは撤退し，拡大すべきときは拡大する。オプションに面したときに，正しい意思決定ができなければ，リアルオプション分析は有効に機能せず，絵に描いた餅になる。

>>8　資金使途と説明責任

　NPV法だけで自信をもって判断できる投資プロジェクトは，それほど多くない。それでも，最初の選別基準として，NPV法は有力である。最初からNPVがマイナスになるような事業計画は，よほどのことがない限り，検討に値しない。

　選別された投資プロジェクトは，様々な要因を考慮して，さらに検討される。全社的な戦略の中でのプロジェクトの位置づけ，予算の制約，人材の問題などが検討要因である。金額が大きい投資プロジェクトは，経営会議にかける前に何度も計画を練り直す。想定しうるあらゆるシナリオを描き，利益・キャッシ

ュフロー分析を行う。割引率についても，様々な可能性を模索する。リアルオプションも検討する。加えて，他の評価基準（回収期間，損益計算，EPS〈一株当たり利益〉に与える影響など）も考慮される。

　最終的に採択される投資プロジェクトは，プラスのNPVをもち，投資家の資産価値を高めるものでなければならない。最近，わが国企業の現金保有を問題視する投資家が少なくない。彼らは，企業に資金使途に関する説明を求めることがある。このとき，投資決定基準が決定的に重要になる。投資決定基準に合理性がないと，「設備投資や成長投資に資金を使い価値を高めます」と説明しても理解されない。合理的でない投資決定基準を用いると，価値を高めるどころか，損なうことになる。

　投資家が企業の資金使途を気にする限り，競争上不利にならない程度に投資計画を説明する必要がある。一方，投資家が納得するような投資計画が，競争優位に結びつくのか疑問だという声もある。投資家に説明できる程度の計画であれば，ライバル社でも実行できるというのだ。大きな価値を生み出す創造的な事業は，ほんの一握りの人間にしか理解できない。一般の投資家を納得させることは難しい。投資家に対する説明責任が，潜在的なビジネスの可能性を摘み取る危険性もある。

>>9　経営分析と投資決定基準

　投資プロジェクトを判断する際には，自社の経営分析を活用しなければならない。例えば，自社の強みと弱み，外部環境の機会と脅威を把握するSWOT分析の結果は，事業計画の随所に織り込まれるはずである。SWOTとは，強み（Strength），弱み（Weakness），機会（Opportunity），脅威（Threat）の頭文字をとったものである。

　自社の強みは，価値創造の源泉になる。ライバル社が過剰な債務の返済に苦しむ中で，負債が少ないという財務体質は強みである。資金的な余裕という強みを活かした投資計画は，一時的には価値を生み出すであろう。地理的な要因も価値創造の源泉になる。三井金属は，1990年代後半に南米のアンデス山脈にあるパルカ鉱山の権益を取得し，事業化の準備を進めた。事業化の鍵は，近郊に保有する鉱山の設備が使えたことである。新規に大規模な設備投資をする必要がなかったことが事業化の推進につながった。大規模な新規投資が必要であれば，事業化の計画は全く異なったものになったであろう。

企業や組織が内包する弱みや外部からの脅威（Threat）が，投資プロジェクトにどのような影響を与えるかは，事前に把握しておくのがよい。同時に，投資プロジェクトを実施する際には，弱みを克服したり，脅威に備えたりすることも必要になる。事業がもつ様々な機会（Opportunity）は，選択肢としてリアルオプションの形で計画に反映させることができる。

　事業特性に応じて評価基準や注意点も変わってくる。［図表3-10］は，SWOT分析と並んでよく用いられるPPM（Product Portfolio Management）と評価基準の一例である。成長業界で高いシェアを誇る「花形」の事業は，企業の中で最も元気な部門である。競争が激しい業界でポジションを維持するために，多額の資金投入が必要になる。成長に注目すれば，定率成長モデルが適しているように思える。ただし，高い成長率が長続きすることはめったにないことを忘れないようにしたい。企業業績に大きな影響を与える部門であり，多額の資金を投入する部門でもあるため，価値評価には慎重を期すべきである。

[図表 3-10] PPMと評価基準

分類	特徴	適している評価方法と注意
花形	成長産業（ハイリスク） 高いシェア 多額の投資	定率成長モデル ＊高成長は永遠ではない ＊正のNPVの源泉が明確
金のなる木	成熟産業（ローリスク） 高いシェア 安定的なキャッシュフロー	定額CFモデル ＊代替品の脅威を分析
問題児	成長産業（ハイリスク） 低いシェア 多額の投資？	リアルオプション ＊戦略的な重要性 ＊撤退基準の明確化
負け犬	低成長 低いシェア	他社に売却するといくらか ＊売却による価値創造

　「金のなる木」に属する事業は，安定的なキャッシュの流入が見込める。定額CFモデルが適しているであろう。成熟業界であるため，ライバル社の参入による競争激化より，業界の枠を超えた代替品の脅威に備えておく。

　「問題児」は，成長業界で厳しいポジションにさらされている事業である。資金を投入して競争に打ち勝てば，主要な事業に育つ可能性はある。事業を延期したり，撤退したりする選択肢もある。「問題児」事業の意思決定には，選択肢が多いためリアルオプションを用いた評価が適していると思える。同時に，

撤退基準を明確にしておくことが大切である。

「負け犬」に分類される事業は、他社に譲渡することになる。同じ業界で高いシェアをもつ企業が事業を運営すると、規模の経済性が働き、価値が高まる可能性がある。価値の増加分を売手と買手とで適度に分けることができれば、WIN-WINの事業譲渡が実現する。

>>10 過大投資

NPVがマイナスの投資を実施すると価値を損なう。価値を損なう投資の実施は過大投資（過剰投資）である。過大投資は企業の価値を低下させる。多額の債務をもつ企業が過大投資を繰り返すと、倒産に陥る可能性が高い。過大投資は深刻な問題である。

NPVがプラスの投資を見過ごすことを過小投資という。株式市場が投資機会を含めて企業の株式を評価しているとき、有益な投資機会を見過ごすと、株価は下落するだろう。リスクマネーを提供している投資家は、消極的な経営姿勢に対して、落胆するかもしれない。価値創造の機会を見逃すことは、企業経営の目的にも反している。それでも、過小投資の問題は過大投資ほど深刻ではない。過小投資は、儲かるかもしれない機会を見送ることである。実害が出ることはない。過大投資は、損をする投資を実行することである。実害があり、経営資源は痛んでしまう。一旦、投資を行えばもとに戻すことはできない。ここでは、過大投資の原因について議論する。

❶ 利害対立と過大投資

過大投資の原因の一つに利害対立の問題がある。ビジネスマンであれば、創造的な新規プロジェクトを企画し、実践してみたいと思うことがあるだろう。プロジェクトへの思い入れが客観的な判断力を弱くし、甘い利益計画やキャッシュフロー計画を立ててしまう。社内のチェック機能が不十分であれば、見通しの甘い投資プロジェクトが採択されてしまう。これは過大投資になりかねない。社員の目的が、価値創造という投資家の目的と異なるという意味で、利害対立問題といえる。

小規模なプロジェクトであれば、過大投資はそれほど大きな問題にはならない。甘い見通しが失敗を招いても、企業として致命的な損失にはならない。プロジェクトを立案し、実施することで、人材が育ち、ノウハウが蓄積できる。

失敗の経験が次に活きることもある。

　経営陣が価値創造と異なる目的をもつ場合，全社的に過大投資が行われる懸念がある。経営陣は，価値ではなく，売上高やマーケット・シェアなどにこだわることが指摘されている。このとき，経営陣と投資家の利害は一致していない。典型的なエージェンシー問題といえる。売上高のみを追求すると，全社的な過大投資や過剰生産が繰り返され，規模の不経済をもたらすことがある。すべてのM&Aが成功しないように，大きくなることが価値を高めるとは限らない。

　規模の拡大が価値創造につながるか否かについては，慎重に検討する必要がある。企業内でその役割を果たすのは，財務や企画のプロフェッショナル集団である。財務部や企画部の最も大切な役割は，大規模な投資案件に対して，誰よりも客観的かつ慎重な評価を下すことである。スピードを出そうとしているときに，ブレーキに足をかけ，無茶だと思えばブレーキを踏むことが仕事である。

　もちろん，売上高の増大が価値創造につながる可能性もある。松下電器は，数年に及ぶ経営改革によって，名実ともに価値指標を浸透させた後，成長路線に舵を切った。かつての売上至上主義の下では，売上高の増加が価値創造と直結していなかった。同社は，その問題を克服し，売上増が価値を生み出す体制が整ったと判断したため，再び成長を目指したと考えられる。

❷ 投資決定基準と過大投資

　誤った投資決定基準を用いると，過大投資が起こりやすい。長期にわたるプロジェクトや，割引率が高いプロジェクトでは，将来CFの現在価値は大きくディスカウントされる。資金が回収できそうである，あるいは黒字になりそうだ，という理由だけで投資を実施すると，過大投資になる可能性が高い。適切な割引率を用いたNPV法や，ハードル・レートを用いたIRR法による評価を行うべきである。

　DCF法が普及してきたとはいえ，わが国ではいまだに回収期間や損益計算を重視している企業が少なくない。今後，金利が上昇して割引率が高まると，回収期間法や損益分岐点分析による投資決定が，過大投資になるリスクが大きくなる。経営資源や潜在能力は同じでも，正しい投資決定基準を用いるか否かで，企業活動の成果は異なってくる。正しい投資決定基準を用いるだけで，競争優位を築けるわけではない。しかし，誤った投資決定基準による過大投資の繰り

返しは，確実に企業の競争力を低下させる。

❸ 割引率と過大投資

　DCF法に適用する割引率の誤りも過大投資の原因になる。プロジェクトの評価を行う際には，売上高，利益，キャッシュフロー予測に加えて，適切な割引率（資本コスト）を推定する。企業の現場では，売上高や利益の予測はそれほど難しくないという。自分たちのビジネスについては，よく分かるというのである。一方，割引率の推定については難しいという声がある。割引率の推定に用いる資本市場の情報が，常に良質のものであるとは限らない。推定の過程で何らかの誤りを犯す可能性もある。

　DCF法を用いている多くの企業では，本社の財務部が割引率を決定する。各事業部門は，決められた割引率を用いて事業計画を作成する。財務部は各部門からの事業計画を精査，選別して，予算を割り当てる。規模の大きいものは経営会議にかけられる。このような投資決定プロセスにおいて，割引率を決める財務部の責任は大きい。財務部の決定した割引率が過小であれば，すべての事業が過大に評価され，全社的に過大投資が蔓延するリスクが高まる。

　DCF法における割引率は，投資家の期待収益率である。期待収益率は，リスク・リターン関係によって決まる。繰り返しになるが，同じ企業内でも事業ごとにリスク・リターン関係は異なる。高成長分野に属する事業は，相対的にハイリスク・ハイリターンの特性をもつ。安定成長分野に属する事業は，ミドルリスク・ミドルリターンである。成熟分野に属する事業は，相対的にローリスク・ローリターンである。

　割引率は事業ごとに異なる。理論的には，社内にある事業をリスクごとに分類し，リスクに見合う割引率を適用するのが好ましい。［図表3－11］は，三つの事業部門をもつ企業のリスク・リターン関係を示している。本社の財務部が各事業（資産）のリスクを分類し，リスク・リターンの関係に沿って割引率を算出したとしよう。ハイリスクに分類された事業部門Aには10％，ミドルリスクの事業部門Bには6％，ローリスクの事業部門Cには2％の割引率を適用するという具合である。ハイリスクの事業は成長性が高く，ミドルリスクの事業は安定成長が見込める。ローリスクの事業は成熟分野であり，リスクは非常に小さい。

　企業の現場では，おそらく事業部門Aから不平や不満の声が上がる。最も成長性が高い事業部門は，元気があり，戦略的な重要度も高い。その事業部門に

[図表 3-11] 事業（資産）と資本のリスク・リターン関係

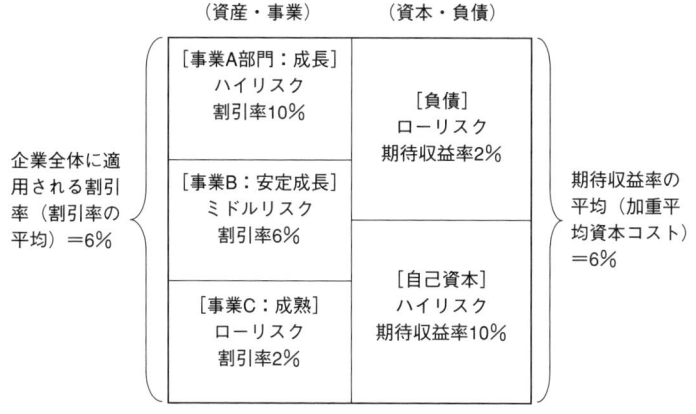

```
                    （資産・事業）        （資本・負債）
                 ┌─[事業A部門：成長]──┬─[負債]──────────┐
                 │  ハイリスク          │  ローリスク        │
                 │  割引率10％          │  期待収益率2％      │
 企業全体に適    │                     │                    │  期待収益率の
 用される割引    ├─[事業B：安定成長]─┤                    │  平均（加重平
 率（割引率の    │  ミドルリスク        │                    │  均資本コスト）
 平均）＝6％     │  割引率6％           │                    │  ＝6％
                 ├─[事業C：成熟]────┼─[自己資本]──────┤
                 │  ローリスク          │  ハイリスク        │
                 │  割引率2％           │  期待収益率10％     │
                 └───────────────┴──────────────┘
```

（注）各事業の割合は3分の1，負債と自己資本の割合は2分の1。

　高いハードル・レート（割引率）を課すことは，成長分野への投資を抑制することになる。財務部に強い権限があるか，経営陣が的確にリスク・リターン関係を把握しているかでなければ，そのような判断は難しい。事業ごとにリスクを分類する困難さもあり，現実には全社一律の割引率を適用している企業が少なくない。

　全社一律の割引率は，各事業の割引率を平均した6％になる。割引率は収益計画のハードルである。ハードル・レート6％をクリアする投資プロジェクトを豊富にもつのは，成長分野に属する事業部門Aである。事業部門Aには，収益率7％や8％の投資案件が豊富にある。そのような投資案件を実施すると価値は損なわれる。成長というリスクに見合う本来のハードル・レートは10％である。収益率7％や8％の投資案件の実施は過大投資になる。

　[図表3-12]は，全社一律の割引率を使用する問題を図示したものである。ハイリスク・ハイリターンの原則にしたがう適切なハードル・レートは，右上がりの実線である。全社一律のハードル・レートは水平な点線である。適切なハードル・レートの下で見送るべき投資プロジェクトを，全社一律のハードル・レートによって採択するのは過大投資である。適切なハードル・レートを基準に採択すべき投資プロジェクトを，全社一律のハードル・レートによって見送る行為は過小投資になる。

　全社一律のハードル・レートを適用し続けるとどうなるか。おそらく，ハイリスクな成長分野への投資が積み上がり，企業全体のリスクが高まる。成長性

[図表 3-12] 割引率と過大投資・過小投資

リスクと割引率

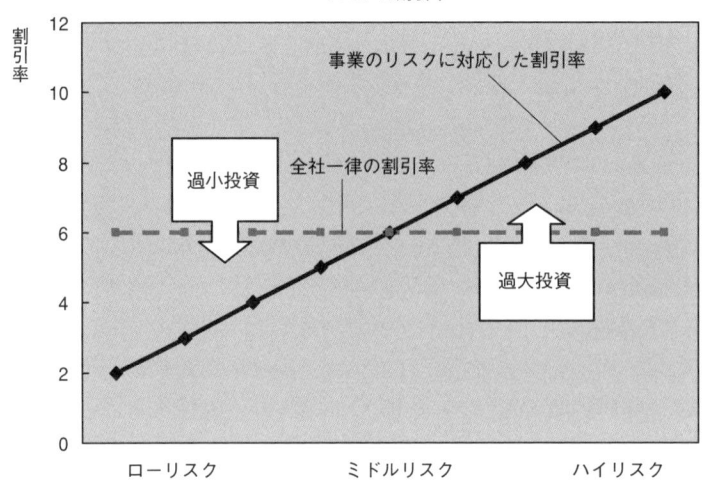

事業のリスクに対応した割引率

過小投資　全社一律の割引率

過大投資

ローリスク　ミドルリスク　ハイリスク

だけに目を奪われると，過大投資が繰り返される。成長投資を行っているにもかかわらず，株価は下落することになりかねない。

第4章

資本コストと
企業経営の実践(1)
―大阪ガスのSVAとグループ経営[1]―

　投資家と良好な関係を維持するため，企業は，中長期的に資本コスト（投資家の期待リターン）を上回る成果を出さなければならない。そのためには，資本コストを取り入れた経営指標を導入し，社内に浸透させることが必要になる。本章と次章では，資本コスト経営を実践している大阪ガスと松下電器産業の事例を取り上げる。両社が，どのような経緯で価値指標を導入し，どのように浸透させたかについて，公開資料やインタビュー調査をもとに考察する。

>>1　資本コストを意識した大阪ガスのSVA

　大阪ガスは京阪神地区を地盤とする都市ガス大手企業である。同社の2006年3月期の連結決算は売上高1兆660億円，営業利益1,007億円，経常利益1,033億円，当期純利益807億円であった。

　同社は1980年代に総合生活産業を目指し，ガス事業以外への新規参入を積極的に進めた。1980年代後半には，多角化の成功企業として高い評価を得ていた。1990年代に入り景気後退が鮮明になると，連結対象子会社の収益が伸び悩んだ。同社はグループの再編に取り組んだ。

　1999年に発表された『2010年ビジョン』において，大阪ガスグループは大阪ガス本社と九つの中核会社（G9）の企業群を，エネルギー事業と都市ビジネス（非エネルギー事業）に分類した（後にガス機器製造販売部門が除かれてG8となる）。[図表4－1]は，2002年3月期における大阪ガス本社と八つの中核会社の業績である。エネルギー事業における競争が激化する中，価値創造経

---

[1] 本章の作成にあたり，大阪ガス企画部グループ経営企画チームマネージャー三浦一郎氏，同チーム副課長藤田武則氏，IR室長立石誠治氏，財務部財務ソリューションチーム副課長大塚洋氏（所属・役職は2006年2月当時）には，大変お世話になりました。感謝いたします。

[図表 4-1] 利益は黒字でもSVAは赤字

2002年3月（単位：億円）	売上高	経常利益	SVA
（エネルギー関連）			
大阪ガス	7,510	703	157
G1関係会社	970	27	▲32
G2リキッドガス	203	15	▲1
G3 NIPG（日商岩井石油ガス）	631	7	▲3
（都市ビジネス）			
G4アーバネクス（不動産）	363	30	2
G5キンレイ（外食・食品）	347	18	4
G6オージス総研（情報）	358	15	▲2
G7大阪ガスケミカル（素材）	149	3	▲1
G8オージーキャピタル（サービス）	814	43	▲14

（出所）大阪ガス『イノベーション100』（グループ別計画）

営を実践するため，グループ全体と各事業部門に対して経営指標SVA（Shareholders' Value Added）を導入した。SVAは資本コストを意識した経営指標である。下記は，日経金融新聞（2002年8月1日付）に掲載された記事からの抜粋である。

　　大阪ガスは2003年3月期から資本コストを織り込んだ株主付加価値（SVA）とよぶ独自の経営指標を導入した。会計上の利益では，事業運営のために調達した資本の出し手に支払う対価が反映されず，投資の収益性や経営効率を正確に測れないためである。同社はSVAを多角化事業の評価などに利用する。
　　SVAは税引き後営業利益から，投下資本（有利子負債と株主資本）に加重平均期待収益率を乗じた額を差し引いた数値である。企業の運営に必要な資金を拠出した株主や債権者に支払うべきコストを控除した後の利益なので，同社の野村明雄社長は「真の利益」と位置づけている。前期のSVAを試算すると連結で131億円の黒字であった。今期は114億円の黒字を目指す。

[図表 4-2] 大阪ガスが導入したSVA

SVA＝税引き後営業利益－(有利子負債＋株主資本)×加重平均期待収益率
　　＝434億円－(約5,000億円＋約5,000億円)×3.2％
　　＝114億円

大阪ガスの連結業績（億円）		
	2002	2003/3（予）
売上高	9,735	9,600
営業利益	966	745
純利益	394	380
SVA	131	114

（注）理論的には，SVAなどの価値指標の算出における株主資本は株式時価総額を用いるのが正しい。実務的には，株式時価総額が日々変動することや，多くの財務比率（ROA，ROE，負債比率など）が簿価をベースに算出されるなどの理由で，簿価の値を用いることが少なくない。上記の算出例は簿価をベースにしている。
（出所）日経金融新聞2002年8月1日付

　SVA算出の前提となる加重平均期待収益率は3.2％に設定した。このうち債権者の期待収益率は約2.3％とみられる。SVA導入の検討を始めた2000年秋の10年物国債の平均利回り2.15％程度に，大阪ガスが社債発行時に求められるスプレッド0.2％程度を足し合わせた。

　株主の期待収益率は約3.9％とみられる。10年物国債の平均利回りに，株価変動リスクを負っている代価としてのリスク・プレミアムを加えた数値を資本資産評価モデル（CAPM）にしたがって計算した。株主は配当収入や株価の値上がり益を期待する一方，元本の保証がない。債権者よりも高い期待収益率を設定した。

　大阪ガスはSVAを今期からグループの10の事業単位ごとの投資収益性の評価に活用する。都市ガス（前期の売上比率は61％）のほか，器具（12％），プロパンガス（7％），食品（4％），不動産賃貸（1％）などがある。

　事業単位ごとのSVAは明らかにしていないが，先行投資が膨らんで赤字になっている場合や早期に黒字回復が見込める事業を除き，SVAが赤字の事業からは原則として撤退する方針。また，新しい中期計画が始まる2004年3月期には加重平均期待収益率を再計算する予定である。

　本章では，資本コストと企業経営のプラクティスとして，大阪ガスのSVAを取り上げる。同社がSVAを導入した背景，SVA導入のプロセスとその成果などを紹介し検討する。

　［図表4-1］から分かるように，2002年当時，経常利益で見ると本体とグ

ループ会社はすべて黒字であった。しかし，資本コストを考慮した価値指標SVAで見ると，グループ会社の多くは赤字になる。利益は黒字でも価値は失われている。大阪ガスはこの問題に取り組んだのである。

>>2 資本コストの公表が意味すること

　1990年代の後半，花王，HOYA，オリックス，ソニー，松下電器などが，資本コストを意識した経営指標を導入した[2]。資本コストは，企業に資金を提供している投資家が期待する収益率である。企業のビジネス・リスクを負担する投資家が，リスク負担の見返りとして要求するリターンといってもよい。

　企業活動に必要な資源は，ヒト，モノ，そしてお金である。ヒトに対する人件費やモノに対する原材料費は，損益計算によって業績に反映される。お金に対するコストのうち，債権者に支払われる分は支払利息として計上される。しかし，株主に対するコストは費用計上されない。費用計上されないため軽視されがちであるが，株主は無償で資金提供しているわけではない。企業のビジネス・リスクを負担する株主には，相応のコストを支払う必要がある[3]。企業が株主に支払うコストが，株式の資本コストである。株主にとっては期待収益率になる。資本コストを明示的に取り入れた経営指標の導入は，株主に対するコスト意識の表れである。

　先の記事によると，大阪ガスは株式の資本コスト（株主の期待収益率）を3.9％に設定した。同社の経営陣は，「われわれは，株主の皆様が年間3.9％の投資リターンを期待していると考えています。皆様方の期待に応えるように企業経営を行ってまいります」と決意表明したのである。経営陣の方針に賛同する株主は，同社の株主であり続ける。新たに，同社の株主になる投資家もいる。経営陣の方針に賛同できない投資家は，株式を売るだろう。賛同しない理由は様々であろうが，少なくとも，経営陣が勝手に3.9％という低い目標を設定したのではないかという見方は誤りである。

　資本コストはどこでどのように決まるか。多数の投資家が参加している競争的な株式市場で，リスク・リターン関係に基づいて決まる。大阪ガスは，実務

2　資本コストを意識した経営指標としては，EVA（Economic Value Added：経済付加価値）が有名である。日本企業の中で，最初にEVAを導入したのは花王だといわれている。
3　負債がある企業の株主は，ビジネス・リスクに加え，ファイナンシャル・リスクも負担する（第7章を参照）。

的に最も広く使われているCAPMに基づいて，自社株式のリスク・リターン関係を推定した。入手可能な公開データを用いてCAPMを推定した結果，株主が期待しているリターンは年間3.9％程度であるという結論に達したのである。経営陣が勝手に決めたわけではない。ビジネス・リスクが小さい公益事業ということを考慮すれば，3.9％という値が低いわけでもない[4]。

　資本コストに変えて，目標ROAや目標ROEを公表している企業もある。総資産利益率であるROAは，投資家から調達した総資本（負債と株主資本の合計）を用いて，どれだけの成果が出るかを表している。企業が目指すROAのハードルは，総資本コスト（加重平均期待収益率）である。株主資本利益率ROEは，株主資本に対する当期利益の比率である。目標ROEのハードルは株式の資本コストである。通常，ROAやROEは，簿価を用いて算出するため，時価をベースにした総資本コストや株式の資本コストと直接比較することは問題がある。また，成果の指標として，利益を用いるかキャッシュフロー（フリー・キャッシュフロー）を用いるかという問題もある。ただし，簿価をベースとしたROAやROEを時価ベースに修正し，成果をキャッシュに修正することは容易である。

　第1章でも紹介したが，有名な企業分析のテキストは，次のように述べている。「たいていの財務比率には絶対的な基準がない。資本利益率は例外で資本コストと比較できる。資本コストを上回る利益率をあげることができると，企業は経済的な価値を付加し，企業価値を高めることができる」。

>>3 資本コストと真の利益

　大阪ガスのSVAを用いて，資本コストと価値創造の関係について見ておこう。［図表4-2］から分かるように，SVAを構成するのは，税引き後営業利益と投資家が提供した資本（有利子負債＋株主資本）と加重平均期待収益率（総資本コスト）である。加重平均期待収益率には，債権者の期待と株主の期待が含まれている。投資家が提供した総資本に加重平均期待収益率を乗じた値は，投資家が期待するリターンの総額である。当時，大阪ガスの総資本は約1兆円で

4　スターン・スチュワート社が発表しているEVAランキングには，資本コストの推定値が掲載されている。同社が推定した2003年度の資本コストは，東京電力1.88％，東京ガス2.21％であった。両社と比較しても大阪ガスの値は低くはない。その他の企業の資本コストは，例えばトヨタ自動車が3.19％，NTTが3.48％，ソニーが6.26％，ヤフーが6.72％などであった（『週刊東洋経済』2004年11月6日号）。

あった。投資家は3.2%に相当する320億円のリターンを期待していたと考えられる。

　税引き後営業利益は，営業活動が生み出すキャッシュの主要項目であり，恒常的にキャッシュを生み出す力の指標といえる。原材料費，人件費，法人税を控除した後の金額であるから，投資家に配分可能なキャッシュを把握するのに適している。大阪ガスの当時の法人税率は約42%，2003年度の税引き後営業利益の予想は434億円であった[5]。

　投資家のことを考えなければ，営業利益が黒字だから順調だということになりかねない。あるいは，負債利息115億円（有利子負債5,000億円×2.3%）を支払えるから問題なしということになるかもしれない。いずれも誤りである。株式の資本コストがない。株式の資本コストを考慮して，初めて，すべての利害関係者のことを意識しているといえる。株主の期待収益率を含めた総資本コストを取り入れることで，大阪ガスは，すべての利害関係者に目が行き届いたのである。

　企業収益から原材料費，人件費，法人税を控除すると税引き後営業利益が算出できる。税引き後営業利益が資本コストを上回ると，すべてのコストを支払ってお釣りがくる。このお釣りが真の利益である。投資家が大切な資金を提供する。社員が知恵を絞って資金の使途を考え，汗を流して資金を増やしていく。資本（お金）と労働（ヒト）の協働によって価値が生まれ，真の利益がもたらされる。真の利益の一部は，社員への報酬に回されることがある。これがインセンティブとなり，更なる価値創造につながる。

　残りは株主のものになる。真の利益が期待できる経営計画は，投資家の期待を上回る成果が可能な計画である。計画に信憑性があれば，株式市場の評価は高まり，株主の資産価値が増加する。これが，Shareholders' Value Added になる。

　大阪ガスは2003年3月期のSVAを114億円と予想した。「株主価値が114億円増加する予定です」というメッセージである。株主にとっては分かりやすい。SVAが前期より小さくなることを心配する必要はない。最も重要なことは，SVAの黒字が継続し，企業価値が向上し続けることである。さらにいうと，過

---

[5] 営業利益に法人税を課すのは，企業価値評価におけるWACC法と同じ考え方である（WACC法の解説については第7章を参照）。WACC法では，法人税を考慮した税引き後の資本コストを用いる。例えば，大阪ガスが目標としている負債比率（時価）を0.3，法人税率を40%としよう。このとき，同社の税引き後のWACCは，0.3×2.35×（1−0.4）＋0.7×3.9＝約3.2%になる。

去のSVAはそれほど重要ではない。企業にせよ投資家にせよ，視線は将来を向いている。ただし，前期のSVAが黒字だったという事実は，今期や来期の予想の信憑性を検討する際に有益な情報となる。

「会計利益は黒字であるが真の利益は赤字である」というねじれ現象は，［図表4－1］に表れている。2002年3月期，グループ会社の多くは，経常利益が黒字であった。一方，SVAは赤字であった。経常利益は支払利息を控除した後の値であるから，債権者の期待には応えている。しかし，株主の期待に応えているとは限らない。繰り返すが，株主の期待に応えているか否かは，資本コストを控除した真の利益（SVA）で判断する必要がある。

当時，経常利益が黒字だった関係会社は，SVAが赤字であるから早期に黒字化するようにという言葉に耳を疑ったであろう。SVAが浸透したいま，同社グループ内では，黒字といえばSVAがプラスのこと，赤字といえばSVAがマイナスのことだという共通認識ができている。

>>4 SVA導入の背景

1990年代，大阪ガスとグループ会社は，規制緩和と資本市場の変化という二つの大きな問題に直面した。この時期，関係会社の収益も伸び悩んだ。同社グループは，これら諸問題に対する本質的な解決策が，株主を重視した経営への転換であると判断した。インタビューでは，次のような話があった。

> 「1990年代の半ばから，株主や資本市場を意識した企業経営を望む声が強くなってきました。業界内では，法改正があり，自由化が進み始めました。従来は総括原価主義の世界で，投資したものはほとんど回収できましたし，競争相手もいませんでした。株主に対する配当もルール化されていました。額面の1割という安定配当を維持していけばよかったのです。株式の資本コストは，ほとんど意識していませんでした。
> 　それが，規制緩和と自由化によって大きく変わりました。競争が激化すると投資を回収できないリスクがあります。事業のリスクが大きくなると，1割配当を維持していくだけでは，株式市場で評価されません。自由化の流れの中で生き残っていくためには，これまでのやり方ではダメだという危機意識がありました。世の中の流れと業界の環境変化を認識し，社内で議論を重ねた結果，長期的な『2010年ビジョン』を打ち出し，「価値創造の経営」を掲げました。価値創造について議論を進める中で，バランスシートの右側（負債・資本側）を意識した全社統一的な投資決定基準が必要

だという結論になりました。そこで，資本コストを明示した価値指標を導入し，とくに株主価値を意識することを強調して，SVAと名付けました」

　企業の競争環境に影響を与える外部要因として，政治的要因，経済的要因，社会的要因，技術的要因があげられる。大阪ガスの場合，政治的要因である規制緩和と経済的要因である資本市場の変化がほぼ同時期に起こった。少子高齢化という社会的な要因と，日々進歩する技術的な要因もあった。

　電力・ガス業界は，事実上地域独占の状態にあり，他の業界に比べると，経営の効率化が遅れているという指摘もあったようだ。高コスト体質を是正し，経営の効率化を促進するため，1990年代以降，電力業界とガス業界において，参入の自由化が段階的に進められた。1994年には，ガス事業法の改正が行われ，年間ガス使用量200万立方メートル以上の大口需要先に対する供給の自由化と料金設定の自由化が実施された。電力の大口需要に対する自由化も平行して進められた。自由化の対象は次第に拡大した。ガス，電力とも総販売量の5割以上が自由化の対象となった。大阪ガスと同地域で事業を展開する関西電力はガス事業に参入した。

　エネルギー事業の自由化は，大阪ガスにとって電力という新たな市場へ参入する機会でもあった。機会と脅威が交錯する中，経営の効率化を進めるため，意思決定の仕組みと従業員の意識を変えなければならない。同社は，資本市場の声を取り入れ，価値創造を追求することにした。資本コストを重視した事業の取捨選択により，競争を勝ち抜こうとしたのである。

>>5　SVA導入に対する社内の反応

　SVAの導入プロセスにおいて，社内ではいろいろな議論があった。株主価値を重視することに疑問を抱く声もあったようだ。

「自由化や競争激化という環境の変化は理解していても，株主を重視することについては様々な意見がありました。なぜ株主価値を全社的な目標に取り入れるのかという意見は多かったです。弊社の個人株主はご年配の方が多いです。頻繁に売買するというより，仏壇を探したら大阪ガスの株券が出てきて，大切な遺産だからずっと持っているという優しい方が多いのです。そのような方は安定配当を好みます。社内の人間が抱く典型的な株主のイメージが優しい株主ですから，敢えて株主を重視する必要性

が理解されにくかったのかもしれません。しかし，株式市場の流れは違います。物言う株主が増え，彼らと対話していかなければなりません。自由化が進み競争が厳しくなる中で，株主の価値を無視した企業経営は成り立ちません。株価が下がり続ければ，優しい株主でさえ株を売るかもしれません。これまでずっと見守って下さった優しい株主の方に報いるためにも，大切な遺産の価値を減らさないためにも，株主価値を重視する必要があったのです」

　従来の日本企業は，優しく物言わない株主に対して安定配当政策をとってきた。企業は毎期一定額の配当を支払い，株主は一定額の配当を受け取ることに慣れていた。1990年代に実施されたアンケート調査によると，株式の資本コストは配当であると答えた企業が少なくない[6]。大阪ガスに限らず，当時の日本企業は，株主は配当を期待している，あるいは株主には配当を支払っておけばよい，という意識が強かったのであろう。
　株式の資本コストを考慮せずに企業経営を行うとどうなるか。たいていの場合，過大な投資が行われ，設備が過剰になる。数年たつと企業業績が落ち込み始める。借金をして過大な投資を繰り返すと，1990年代に多くの企業が陥ったような最悪の事態が生じる。資本コストを判断材料にすることで，過大投資に警鐘を鳴らすことができる。
　SVAの導入に対する社内の反応については，次のような話もあった。

「顧客価値が大事であって株主価値は必要か，という意見もありました。この議論は難しいのですが，SVAがプラスになる前提は，お客様に価値ある商品やサービスを提供して，収入をあげることです。ですから，顧客価値と株主価値は相反するものではないし，顧客価値が株主価値や社会価値など他の全ての価値の起点になると考えています。それに対して，株主価値はあまり意識されてきませんでした。世の中の流れもあり，この時期に株主重視の考え方を浸透させることが，将来のためになると判断したのです。継続的にSVAがプラスになると，お客様にも様々な還元ができます。資本コストを稼いでいるのですから，株主の方から苦情も出ない。一方，資本コストを稼いでいないのに顧客や社会にだけ過剰な還元をすると，株主の理解が得られません。教科書的かもしれませんが，株主価値や資本コストを意識して，SVAをプラスにすることで，お客様，社会，株主，そして従業員，すべてが満足するのです」

6　赤石・馬場・村松（1997）「構造変革期におけるわが国企業の財務構造」（『構造変革期の企業財務』（千倉書房）に所収）などを参照。

自由化による競争激化の流れの中で，同社は株主に対する意識を相対的に強くした。株主を重視することは，顧客や社会を軽視することではない。顧客が離れると，キャッシュの源である売上高が減少する。社会貢献できない公益企業は，地域社会に受け入れてもらえない。当たり前のことである。

　当たり前でありながら，あまり意識されていなかったのが株主価値である。株主価値を意識することで，経営の効率性を高め，これまで以上に良いサービスを提供する。長所を残しながら，短所を改善することで，長所をさらに伸ばすことができる。SVAの導入に対する同社の考え方である。

≫6　SVAが浸透した素地

　実際の導入と浸透はどのように行われたのであろうか。大阪ガスは，事業部ごとの管理会計システムが整備されていた。資源事業部がガスを購入し，製造発電事業部に卸す。製造発電事業部が加工して，パイプラインの事業部である導管事業部に卸す。一般家庭用はリビング事業部，業務用はエネルギー事業部に卸す。各事業部間の社内価格が決められており，事業部ごとに損益計算書が作成される。資産についても事業部ごとに貸借対照表がある。システム上は，資本コストを加えてSVAが算出できるようにしさえすればよい。

　価値指標を導入し，それを管理システムに取り入れることは，ある程度のコストと時間をかければ，どの企業にもできる。これでは，競争優位の源泉にはならない。経営判断に活用し，社員の意識に刷り込み，浸透させることが大切である。同社は，社内でマニュアルを作り，勉強会を繰り返した。加えて，企業説明会では必ずSVAの実績と予想を出した。業績評価にもリンクさせた。当たり前のことを地道に積み重ねたことで，SVAが浸透していったという。

　SVAが浸透する素地も整っていた。インタビューに参加されたメンバーの一人は，SVAの導入当時，事業部にいたという。彼は当時の様子を次のように語ってくれた。

> 「私が所属していた事業部では，SVAの導入に際して，見かけ上大きな混乱はありませんでした。社内での勉強会や配布されたマニュアルを参考にしながら，システマティックに作業すればよかったからです。ただし，実際に投資計画を立てるときには，現場の人間同士で，資本コストの意味などを確認しながら進めました。そのような作業を繰り返すうちに，次第に浸透していったと思います。各事業部には，従来から投

資決定基準がありました。伝統的な投資計算ですが、回収期間や損益分岐点など、各事業部がそれぞれ異なる基準を使っていました。それを、全社的に、資本コストを控除した付加価値という新しい指標に置き換えたわけです。投資決定基準があることは皆が知っていましたから、ある程度の素地はあったと思います」

次章で取り上げるが、CCM（Capital Cost Management）という名で資本コストを経営に浸透させた松下電器にも同様の素地があった。管理会計のシステムが整っており、各事業ドメインが投資決定の基準をもっていた。

大阪ガスは、経営計画の発表や投資家への説明会で必ずSVAを強調する。「あれだけSVAを強調すると、（利益が黒字であっても）SVAが赤字になれば経営の失敗と見られる。その意味で、大阪ガスはSVA経営にコミットしている」というアナリストもいる。

>>7 どこまで浸透させるか

企業には理念があり、その下に具体的な目標がある。SVAは具体的な目標である。SVAの黒字化を目標として、事業戦略や全社戦略が選択され、実践的な行動（戦術）に移される。企業理念は最上位概念であり、すべての社員に正しく浸透している必要がある。多くの企業では、理念が書かれた社員手帳の携帯を義務づけ、朝礼で唱和し、機会あるたびに経営陣や上司が理念を口にするという。

経営目標についても同様である。経営目標であるSVAの数値、意味、必要性については全社員が理解していなければならない。利益が出るだけではダメなこと、真の利益が黒字になる税引き後営業利益の目標額、真の利益が黒字になって株式市場で合格点を与えられることなどは、全社員が知っている。しかし、全社員がSVAの細部まで知る必要はない。例えば、全社員が資本コストの推定方法について知っていてもSVAが黒字になるわけではない。売上高を伸ばし、コスト削減の工夫を考える方が、SVAの向上に結びつく。

大阪ガスの場合、各事業部の管理スタッフ以上が、コーポレートファイナンスの理論を理解し、SVAの細部まで把握しているという。彼らは、所属事業部のSVAが黒字になるように事業計画を立案し、SVAの数値を定期的にチェックしながら、業務をこなしている。計画と実績が乖離すると、その原因をつきとめ、修正する必要がある。どこをどのように修正すると、SVAの黒字化に結

びつくかという判断が求められる。大阪ガスと同様に，松下電器でも事業ドメインの長以上が資本コストの詳細を理解しているという。

>>8 業績評価（SVA）と新事業評価（NPV）の使い分け

　大阪ガスのSVAは，単年度の営業利益に基づいた数字である。単年度の数字を気にしすぎると，長期的な視点が曇り，将来性がある成長分野への投資がおろそかになる。利益を基準にした指標を評価に用いると，事業部門の長が減価償却負担の大きい新規投資を提案せず，大きな機会を逃すことになりかねない。

　大阪ガスの場合，SVAの短所を理解している。同社グループでは，新規の投資プロジェクトの採否をDCF－NPV法で判断している。回収期間やIRRなどの指標も考慮するが，最も重視するのはNPVである。NPVは中長期的な視点にたち，投資プロジェクトを定量的に評価する。NPVは，新規プロジェクトに関する全てのキャッシュフローが評価の対象になる。もちろん，資本コストを考慮している。

　SVAの対象は，投資プロジェクトの集合体である全社の業績である。成長を託す新規のプロジェクトは，将来を見据えたNPVで判断する。同社のような大規模企業では，毎年多くの投資プロジェクトがNPV基準により採択される。事後的には，期待通りの成果を残すもの，期待以上の成果が出るもの，期待を下回るものが混在する。プロジェクトの成果が集まって全社の業績になる。期待通り，期待以上，期待以下，それぞれがほぼ均等に生じるならば，全社の業績は期待通りのものになる。期待通りであるとは，少なくとも資本コストを下回らないことを意味する。

　中長期的な視点から有益な（正のNPVをもつ）プロジェクトを採択し続けることで，全社的に，毎期，真の利益を生み出すことが可能になる。

>>9 事業の選別と撤退

　大阪ガスの価値創造経営は，1999年に発表された『2010年ビジョン』が起点である。ビジョンの下，第一次中期経営計画『ゲートプラン』では，設備投資の抑制（投資を減価償却の範囲内に抑える）などを掲げ，事業の取捨選択を行った。背景には，1990年代に多角化経営が停滞したという事情がある。同社は，資本コストを意識したNPVとSVAを導入した。回収期間法や損益分岐点分析

など伝統的な方法から，NPVやSVAの新しい基準に変えたことで，全体的に投資決定が厳しくなったという。伝統的な方法による投資の選別は緩く，1990年代の収益の伸び悩みを招いた可能性がある。

> 「厳密に調査したわけではありませんが，NPVを用いることで，投資の選別基準が厳しくなったと思います。自由化によってビジネス・リスクが高くなることを考えると，リスクと資本コストを明示的に取り扱わない以前の方法では，利益は出るが価値を生まない案件が採択されたかもしれません。NPVやSVAの導入前は，事業部でも本社でも投資の取捨選択にムラがあったように思います。全社統一の基準にしたのは，ムラをなくす狙いもありました」

　新しいプロジェクトを提案する者は，プロジェクトに対する思い入れがある。全社統一的な基準がなければ，都合のよい基準を用いてプロジェクトを推奨することもあるだろう。「他の部門でも，この基準を使っています」といわれると，その基準を否定することは難しい。否定すると，他の事業部門の基準まで否定してしまうことになるからである。評価基準が全社統一的であれば，このような問題はない。

　プロジェクトを採用してもらいたいという気持ちが強いため，収益見通しが甘くなる可能性もある。同社の場合，投資プロジェクトの収益性は事業部内で十分にチェックされる。金額の大きいプロジェクトは経営会議で検討される。事業部でのチェックが十分に機能を果たす理由は，事業部長をはじめとする社員がSVAをきちんと理解しているからである。

　同社の中期経営計画『Design 2008』は，次のように謳っている。「大阪ガスグループの従業員は，常に研鑽と啓発に努め，お客さま，株主さま，社会の期待に応える新しい価値を生み出すよう努力します。従業員と会社は，相互に信頼感と緊張感を持って，会社の健全な成長をともに高めます」。

　研鑽と啓発によって，価値指標や他のステークホルダーとの関係を正しく理解することは，投資案件を客観的に評価するために必要である。収益見通しが甘いプロジェクトを採用すると，事業部のSVAが低下したり，全社のSVAに悪い影響を与えたりする。事業部の評価が下がり，企業の評価も低下する。株主のためにならない。株主のためにならないことは，自分たちに跳ね返ってくる。企業の価値を高めるとは，すべての利害関係者の満足度を少しずつ高めていくことである。事業部や経営会議では，「収益見通しが甘い」という議論が

頻繁になされる。同時に，資本コストやリスク・プレミアムに関する議論も行われるという。ファイナンスの研究や教育に携わるものとしては，うれしい限りである。

日本企業が下手だといわれてきた撤退基準も明確になった。事業にはリスクがつきものである。常に予想通りであるとは限らない。単年度の価値を表すSVAの赤字が続くようだと，プロジェクトは撤退や中止の選別候補になる。資本コストを考慮すると，会計利益が黒字のプロジェクトでも撤退や中止の対象になる。事業の存続理由を問われたとき，「黒字だから」と答えるのでは企業と株主の溝は埋まらない。「資本コストを上回る真の利益をあげているから」と答える必要がある。

≫10 事業リスクに応じた割引率

企業の資本コストは，全社的なビジネス・リスクに応じて決まる。事業の資本コストは，その事業のリスクに応じて決まる。リスク水準が異なる事業を同じ資本コストで評価するのは好ましくない。実際には，各事業部のリスクを測定することは困難であり，社内調整も難しい。そのため，全社一律の資本コスト（割引率）を用いることも多いようだ。

大阪ガスの場合，本社は一律の資本コストを適用してSVAを算出している（インタビュー当時）。本社の各事業部は，エネルギーの調達から加工，供給まで一体のビジネスを担っているという考え方である。ビジネスの性質が異なる関係会社には，それぞれのビジネス・リスクに応じた資本コストを適用している。具体的には，業界から類似企業を数社選出し，各社の総資本コストを推定して，その平均値を用いている。資本コストが高い場合，「皆さんは大阪ガスのグループの中で競争しているわけではありません。それぞれの業界の中で競争しているのです。業界で負けないようにしっかり経営してください。資本コストが高いということは，投資家の期待が高いということです」と説明する。

SVAの浸透を促進するため，経営計画を作成する際には，関係会社のスタッフに資本コストの算出を求める。資本コストは毎年見直している。資本コストを算出するプロセスは教科書通りだという。SVAがグループ各社にまで浸透した同社グループでは，勉強会で次のような質疑応答がなされるようになった。「収益の安定したガス事業と収益の変動が大きい情報システム事業の評価に用いる資本コストは同じでしょうか」

「各事業の資本は，事業特性によって異なります。公表している資本コストは，企業グループ全体のリスクに対応しています。各事業部における投資判断や業績評価については，その事業のリスクに対応する資本コストを算出し，適用しています」

>>11 大阪ガスの経営計画

[図表 4-3] 大阪ガスの経営計画

長期経営計画『2010年ビジョン』
"価値創造の経営"

1999	2003	2006	2008
中期経営計画『ゲートプラン』	中期経営計画『イノベーション100』	中期経営計画『Design 2008』	
・SVA，NPVの導入 ・投資の取捨選択基準の統一化	・事業の取捨選択 ・生き残りをかけた積極投資	・グループ総合力の最大化 ・マルチエネルギー業者への発展 ・全てのステークホルダーの価値向上	

（出所）同社公開資料より作成。

『2010年ビジョン』という長期的な方向性の下で，大阪ガスは第一次中期経営計画『ゲートプラン』によって価値創造経営の考え方を浸透させ，事業の取捨選択基準を統一した。その後，同社は『イノベーション100』『Design 2008』という中期経営計画を掲げ，積極的な投資戦略を打ち出していく。

中期経営計画は，数ヵ月以上かけて作成される。各事業部からの声を反映させながら本社の経営幹部とスタッフが方向性を決める。再び各事業部で議論を行い，計画を練り直したり精緻化したりするプロセスを繰り返す。中期経営計画作成の一端は，次のようである。

「中期経営計画の作成には半年程度の期間を要します。社内の専門部門や業界誌，アナリストの意見などを参考にして，マクロでの経営環境を議論したり，分析したりします。最近では，中長期的な視点から経済成長率が鈍化しているため，ガス市場の顧客開拓はそれほど期待できないと考えています。ガスの伸びが先々鈍化するだろうと

いうことを前提にして，経営計画を立てます。この前提の下で，いくつかのモデルを用いて経営戦略を考案していきます。

　例えば，3C分析により，経営課題と対応を議論したりします。顧客・市場（Customer）については，関西圏でのガス需要の見通しと環境への取り組みをどう活かすかについて検討しました。首都圏ほどガス需要の拡大が期待できない中で，一戸建てを中心にエコウィル（クリーンな都市ガスを利用する家庭用の省エネ・システム）の普及を図ることが大切である，ガスエネルギーは環境への負荷が小さく製造過程でのロスも小さいことなどを訴求する，等の意見が出ます。競合相手（Competition）の分析については，新規参入者がガス事業にどれくらいの規模で参入してくるかを議論します。自社（Company）の分析では，強みと弱みを再認識し，強みである同社の営業力を活かす販売施策や，ガス事業におけるコスト競争力の確保などを議論します。バリューチェーンの各段階で競争力を強める投資，グループにおけるコア事業と非コア事業の選別なども話し合います。その他，有利子負債を削減するか否かなど，グループ全体の資本政策も議論の対象になります。

　定量的な分析と定性的な議論が平行して行われ，次期の経営計画における重点項目が決まります。SVAを起点にした収支見通しをベースにして，全社的な投資・資本政策と事業部ごとの計画が決まります。この計画を各事業部に投げかけ，議論，検討してもらいます。各事業部からのフィードバックを受けて，本社でもう少し細かい数値計画を作成し，再び事業部で検討してもらいます。この作業を繰り返し，最終的な経営計画が立案できます。『イノベーション100』とそれに続く『Design 2008』では，ガス需要が大きくは伸びない中で，激化する競争に生き残るための積極的な投資計画を打ち出しました。事業の取捨選択基準がしっかりしたいまが，その時期だと判断したのです」

　［図表4－4(a)］には，中期計画『イノベーション100』に盛り込まれたキャッシュフローの源泉（調達）と使途が示されている。成長投資として3年で2,365億円を予定し，そのための資金調達も計画された。期間中に実施された主な投資は，［図表4－4(b)］の通りであった。エネルギー関連事業に積極的な投資を行う一方，2005年9月には食品関連子会社であるキンレイの株式を売却した。事業の選択と集中を進めた時期といえる。コア事業と非コア事業を明確化し，コア事業に積極的な投資を行ったことが評価され，株式市場における同社の評価は高まった。実物投資が評価されたのは，資本コストを意識した投資決定のプロセスを市場が認めている証でもある。

[図表 4-4(a)] 大阪ガス『イノベーション100』の投資計画

■ 3カ年の連結FCF約2,100億円は、電力投資など、成長性投資に充当する方針

04.3～06.3月期累計　連結FCF＋新規借入金の使途

成長投資2,365億円

基幹導管投資180億円　上流投資175億円（ガス田・LNGタンカー）

使途：通常の事業維持投資 1,970億円／配当420億円／電力投資810億円／別途投資枠1,200億円

営業キャッシュフロー

調達：通常の事業維持投資充当分1,970億円／連結FCF 2,120億円／新規調達665億円

0　1,000　2,000　3,000　4,000　5,000（億円）

（出所）同社公表資料

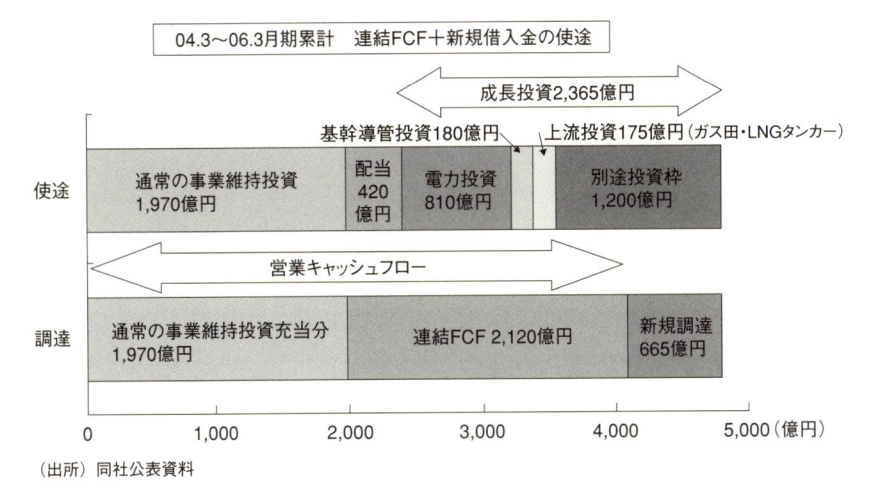

[図表 4-4(b)] 実際の投資

2004年11月　泉北天然ガス発電所建設計画を決定。
　　　　　　約200億円の設備投資。
2005年 3月　大阪ガスケミカルが武田薬品より日本エンバイロケミカルズを買収。その他2社の買収と合わせて120億円のM&A。
2005年 6月　出光スノーレ石油開発の株式49.5％を約300億円（推定）で取得。
2005年 9月　米国ファンドが出資しているIPP（Independent Power Producer）の持ち株会社（フォートポイント・パワー社）の持分を約160億円で取得。

　同社は，2005年10月，次の中期経営計画『Design 2008』を発表した。新しいブランドスローガン「Design Your Energy 夢ある明日を」の下，成長投資資金として2,560億円を投じるという。［図表4－5(a)］と［図表4－5(b)］は『Design 2008』のキャッシュフロー計画と主要経営目標である。経営目標の最上位項目はSVAである。

　2006年3月期，大阪ガスのSVAは553億円となった。『イノベーション100』の当初計画320億円を大きく上回る成果である。連結売上高は1兆円を突破し，営業利益も1,000億円を超えた。営業CFも1,300億円ある。

　［図表4－5(b)］によると，今後SVAの値は低下するが，引き続き黒字を

[図表 4-5(a)] 大阪ガス『Design 2008』のキャッシュフロー計画

＜連結フリーキャッシュフロー及び新規借入金の使途（2006～2008年度3カ年累計）＞

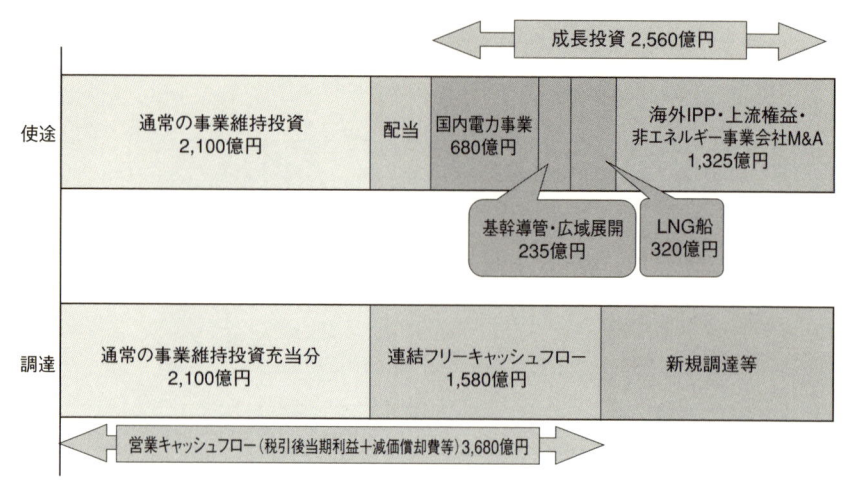

使途：通常の事業維持投資 2,100億円／配当／国内電力事業 680億円／基幹導管・広域展開 235億円／LNG船 320億円／海外IPP・上流権益・非エネルギー事業会社M&A 1,325億円（成長投資 2,560億円）

調達：通常の事業維持投資充当分 2,100億円／連結フリーキャッシュフロー 1,580億円／新規調達等

営業キャッシュフロー（税引後当期利益＋減価償却費等）3,680億円

（出所）同社公表資料

[図表 4-5(b)] 大阪ガス『Design 2008』の主要経営目標

2008年度の経営目標

	連結	個別
SVA	260億円	190億円
営業利益	1,020億円	680億円
経常利益	1,000億円	670億円
当期純利益	560億円	410億円
EPS（一株当たり当期純利益）	25.0円	18.3円
ROE（株主資本利益率）	8.7%	7.8%

（出所）同社公表資料（2005年10月）より抜粋。

維持していく見込みである。同社はいま，成長戦略に軸足が移されつつある。グループ内での連結売上高1兆円を維持し，さらに伸ばしていくことがより重要なステージだと判断したのであろう。一時的なSVAの低下を気にする必要はない。SVAは黒字であることが大切なのである。資本コストを重視した投資の

取捨選択基準がしっかりと根付いたいま，積極的な投資による成長戦略は，数年後に開花することが期待できる。

追記

　大阪ガスは，2007年度から，本社各事業部についてSVAによる目標設定や評価を取りやめることにした。関係会社，大阪ガス本体，そして大阪ガス・グループの連結SVAの策定などは，従来通り継続する。本社の事業部ごとのSVAを廃止する理由は次の通りである。
・　本社内の資本コストは全事業部に共通であり，各事業部の資産規模も年度単位では大きく変動しない。そのため，各事業部の営業利益とSVAの連動性が強く，利益を見ることでSVAの傾向が把握できる。
・　SVAの概念が幹部に浸透し，DCF法による投資決定基準も社内的に定着した。SVAを用いなくても，投資の資本コストとリターンの関係を意識する経営は揺るがない。
・　管理会計が整備されているとはいえ，SVAを策定するのは若干の手間がかかり，煩雑でもある。

　資本コストを意識した経営が浸透したいま，各事業部がSVAという指標にこだわる必要はないという判断であろう。SVAは全社やグループとして管理すればよい。SVAであれ，EVAであれ，数値目標を達成すること以上に大切なことは，社内に"資本コストを意識する"という精神を根付かせることである。

第5章

資本コストと
企業経営の実践(2)
―松下電器のキャッシュフロー経営とCCM[1]―

>>1 CCMとキャッシュフローへの絞り込み

　松下電器産業は，わが国を代表する総合家電メーカーである。2006年3月期の売上高は約9兆円，営業利益は4,143億円，総資産は約8兆円にのぼる。上場以来初の連結営業赤字約2,000億円を計上（純利益は4,000億円を超える赤字）した2002年3月期からの業績の回復は，松下のV字回復とよばれている。［図表5－1］は，同社の営業損益の推移である。

　業績の低迷から脱するため，同社は「企業は社会の公器である」などの経営理念（［図表5－2］も参照）以外のすべてを見直しの対象とした[2]。

　従来の事業部を統合し，事業ドメイン別に再編した上で，ITをベースにしたフラット＆WEB型の軽くて速い組織体制を構築した。同社を知る多くの人々を驚かせた家電の流通改革を断行した。大量生産，大量販売を前提とした流れ作業によるライン生産システムを見直した。終身雇用と年功序列を基本にした硬直的な人事制度を見直し，成果主義を取り入れた。経営トップと直結したIR体制を通じて，資本市場と積極的に向き合い，アナリストの分析や投資家の視点を経営に活用した。

　コーポレートファイナンスの立場から興味深いのは，同社が業績の評価や事

1　本章の作成にあたり，松下電器経理グループグループマネージャー役員（現経理・財務担当取締役）上野山実氏，秘書グループ企画渉外部長木村明則氏，財務・IRグループ財務企画チームチームリーダー中島美憲氏，財務・IRグループIR企画チーム参事三原誠氏，環境本部環境企画グループコミュニケーション第一チームチームリーダー荒井喜章氏には大変お世話になりました（所属・役職は2006年10月当時）。感謝いたします。
2　松下電器の経営理念はCSRに直結している。朝会で経営理念（綱領・信条・七精神）を唱和したり，行動基準冊子を常時携行したりすることで，経営理念の継承と浸透を図っている。

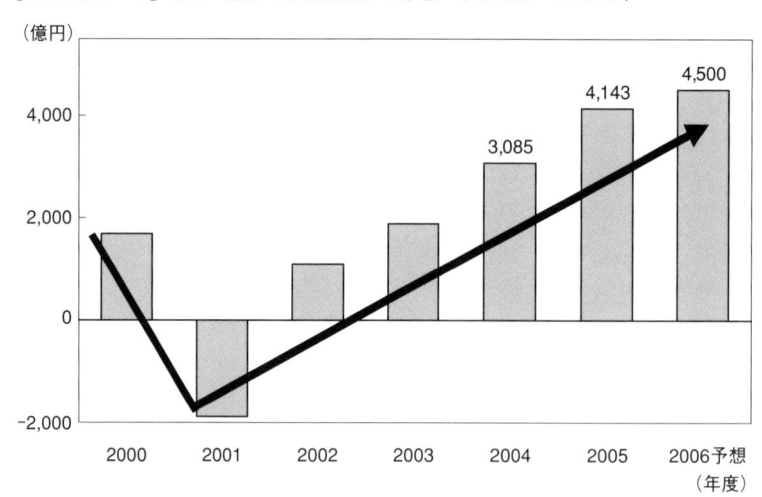

[図表 5-1] 松下電器の営業損益の推移（2000.3－2006.3）

（億円）

年度	営業損益
2000	（約1,700）
2001	（約-1,800）
2002	（約1,000）
2003	（約1,900）
2004	3,085
2005	4,143
2006予想	4,500

（出所）同社の財務諸表などから作成。

[図表 5-2] 松下電器の綱領

> 綱　領
> 産業人タルノ本分ニ徹シ
> 社会生活ノ改善ト向上ヲ図リ
> 世界文化ノ進展ニ
> 寄与センコトヲ期ス

同社の経営理念は，綱領・信条・七精神からなる。

業の取捨選択基準をキャッシュフローとCCM（Capital Cost Management）の二つに絞ったことである。2002年11月15日付の日本経済新聞には，次の記事が掲載された。

> 　松下電器産業は業績評価や資金管理など経営管理制度を来年4月（2003年4月）に抜本的に改革する。フリーキャッシュフローなどが3年連続赤字の事業からは撤退する統一基準を導入する。グループ企業の資金管理を徹底し，国内外で事業の選択と集中を加速する。来年1月（2003年1月）にグループ全体を移動通信，電子部品など14の事業ドメインに再編するのに伴い，業績評価などの経営管理制度を刷新する。業績評価基準は，本社向けの配当や販売手数料などの負担を全社一律にしたうえで，

松下版EVAといわれるCCM（キャピタル・コスト・マネジメント）とキャッシュフローの両指標に統一する。事業利益から資本コストを差し引いたCCM，営業活動で獲得した現金から投資活動に使った現金を差し引いた純現金収支のいずれかが3年連続赤字の事業は原則として撤退する。幹部の報酬も両指標に連動させ，経営の結果責任を明確にする。

トップダウンで二つの指標を徹底したことは，下記の中村邦夫社長（現会長）のインタビュー記事からも分かる。

「本社の役割は，企業集団としての全体の戦略を構築することである。また，各事業ドメインの業績を公平公正に評価することも大事だと思う。そのモノサシは主としてCCM（キャピタル・コスト・マネジメント＝資本コストを重視した松下独自の指標）になる。売上高営業利益率もあるが，使用総資本に対する利益率を基準にきちんと定めたい」
（出所：日経産業新聞〈2002年1月25日付〉から抜粋）

「全社的なリストラは一段落した。今後は各事業ドメインのトップに事業の選択と集中などの戦略を任せる。私が要望するのはCCMとキャッシュフローだけ。それ以外は言わない」
（出所：日本経済新聞〈2005年8月5日付〉から抜粋）

ここでは，資本コスト経営の実践として，松下電器の事例を取り上げる。キャッシュフローとCCMに絞り込んだ理由，実際の経営改革との関連性，CCMの浸透などを公開資料とインタビュー調査をもとに議論する。

>>2 "これぞ" という経営指標

企業の規模が大きくなるにしたがい，経営トップの意向が社員に伝わりにくくなる。業績の低迷がそれに輪をかける。上場以来の営業赤字となった2001年ごろ，松下電器の社内には大企業病と呼べるある種の閉塞感があったという。同時に危機感もあった。当時の状況について，次のような話があった[3]。

---

3 当時，社内に相当な危機感があったことについては，経理担当専務（当時）の川上徹也氏が「本当につぶれるかと思った」（日本経済新聞2004年12月17日付の記事）と述べていることからも推測できる。

「危機感は以前からあったのですが，上場以来の営業赤字が現実になるにつれ，一層強くなりました。社員の間にも，現状について，そして将来に対して，いろいろな想いがあったと思います。純利益ならまだしも，営業利益が赤字でしたから，それはもう恒常的な問題ということになる。放置できないということです。経理グループでは，ネットで借入をする可能性（有利子負債が金融資産を上回ること）も考えました。在庫を圧縮したり，不要な株式を売却したり，不採算事業を整理するとどうなるかなど，実に様々なシミュレーションを行いました。当時，キャッシュフローとCCMに絞り込んだということは，経理や財務の人間から見ても非常に的確だったと思います。これぞという感じでした」

迷走状態から抜け出すためには，トップダウンで"これぞ"という目標を定め，それに向かって突き進むことがカンフル剤の役割を果たす。経営と社員の一体感も生まれる。松下電器の経営トップが決めた目標は，キャッシュフローとCCMであった。新しい経営指標は，誰もが感じている問題点を浮き彫りにし，それを改善していくことで，企業価値が高まるものでなければならない。

わが国では，1990年代の後半から，資本コストとキャッシュフローを重視した価値創造経営の考え方が浸透し始めた。企業経営を取り巻く大きな流れ，松下電器の固有の問題，いずれの観点からもキャッシュフローとCCMは"これぞ"というものであった。

>>3　松下電器のキャッシュフロー経営

企業がキャッシュフローに注目する理由はいくつかある。第一に，「利益はオピニオンであり，キャッシュは事実である」といわれるように，会計利益は計算上の値である。利益に相当するキャッシュが企業内に残っているとは限らない。企業内に残るキャッシュは，キャッシュフロー計算によって明らかになる。松下電器の中村社長は，2003年年頭の経営方針発表会で次のように述べたそうである。「昔から『勘定合って銭足らず』という。計算上利益が出ても実際に資金が入らなければ事業とはいえない」（日経金融新聞2006年6月26日付）。

第二に，理論的には，投資家にとっての企業価値は，将来受け取ることができるキャッシュの現在価値である。標準的な価値評価の方法であるWACC法（DCF法の一種）では，フリーキャッシュフロー（FCF）をキャッシュの指標に用いる。FCFを構成する要因は，営業利益，減価償却，設備投資・売却（固

定資産増減），運転資本（在庫，売上債権，買掛債務）の増減などである。営業利益が最も大きな要因であるが，利益項目に含まれない諸要因も関係する。企業価値の向上を目指す以上，利益以外の項目にも目を配る必要がある。

　第三に，キャッシュフローを重視することで，利益を生み出すプロセスの細部まで目が行き届く。キャッシュフローを指標にすると，減価償却と設備投資の関係や固定資産の効率性，在庫など運転資本を意識するようになる。これまで意識しなかったことの中に，業績を向上させるヒントが隠れている可能性もある。売上高や利益を追求するだけでは見えないことやごまかしてしまうことが，キャッシュフローを管理することではっきりする。

　松下電器の場合，経営指標にキャッシュフローを掲げることで，在庫（棚卸資産）に対するコスト意識の希薄さが改善された。取引先との関係も見直された。

　「在庫は罪庫」。（中村社長が）最大の課題にしたのが在庫の圧縮だ。松下の期末恒例行事となった営業本部長会議は，創業者の松下幸之助氏が営業所に電話し，売上を確認したのが由来である。計画未達の所長に幸之助氏は「まだ何時間かありますな」と言う。これを恐れ事前に販売会社や海外に在庫を移し，売上計画を達成する所長もいたという。

　本社の売上が立っても子会社に在庫が残れば連結会計の時代には意味がない。中村社長は全国の幹部社員に在庫圧縮の大号令をかける。就任2年目の2002年3月期には，棚卸資産が約2,000億円減少した。2006年3月期の棚卸資産の残高は，2001年3月期と比較すると約3割減少した。

　「聖域なき改革」は取引先にも及んだ。資材購入先への支払いは，月末締めの翌月15日現金払いが数十年に及ぶ慣行であった。2002年4月から取引先への支払いは90日後に切りかえた。

　2000年3月期から2006年3月期までの営業キャッシュフローの累計は3兆2,000億円以上となった。資金は流通，財務，雇用改革などのリストラ，プラズマテレビや半導体など成長事業への集中投資に使われ，収益改善という好循環につながった。復活したキャッシュは自社株買いや配当の原資になり，株式市場へのメッセージにもなる。「なんぼもうかったのか」。幸之助氏は社内で事あるごとにこう尋ねたという。中村社長が徹底したのは会計上の利益ではなく，手元に入る現金が「なんぼ」なのかであった。中村改革は必ずしも幸之助氏の経営の否定ではなく，それを現代に置き換えたものといえるかもしれない。

（出所：日経金融新聞2006年6月27日付1面）

売上高を追求すると，在庫に対するコスト意識が希薄化したり，過剰生産を見過ごしてしまったりする。製品のライフサイクルが速まった今日，過剰な生産と在庫保有による製品の陳腐化は，大きな被害をもたらす。松下電器は，トップダウンによる強制的ともよべる在庫圧縮を実現した。在庫の圧縮はFCFの増加につながる。キャッシュフローを経営指標に掲げると在庫管理に目が行く。

上場以来初の連結営業赤字が確実視されていた時期，新聞のインタビュー記事の中で，中村社長は方向性が間違っていないと確信しているような発言をしている。「松下の歴史上，初めて売上減と平行して連結ベースの在庫が減ってきた。いつもなら増えた。在庫を増やしてはいかんという気持ちになったわけで，松下の体質が変わってきた証拠だ」（日経産業新聞2002年1月25日付）。同時に掲載された写真は，自信がある表情であった。

[図表 5－3] 松下電器の取り組み：フリーキャッシュフロー（FCF）との関連

FCF＝営業利益（税引後）＋減価償却－設備投資（固定資産増加）＋運転資本減少	
FCFが増加する主な要因	松下電器の取り組み（FCFの視点）
営業利益の増加 （売上高増加，コスト削減）	・事業ドメインに基づく事業再編による生産効率性の向上 ・プラズマ，半導体など成長分野への集中投資による事業選別 ・セル生産方式導入による収益性の改善 ・マーケティング本部設置による売れる商品開発，宣伝予算の一本化によるコスト削減 ・徹底した変動費の圧縮（資材や消耗品の一括大量購入，携帯の割安サービス利用，白黒コピーの利用など） ・固定費削減（26,000人の早期退職など）
設備投資の抑制	・選択と集中によるメリハリをつけた設備投資 ・セル生産方式導入による設備投資の抑制効果
資産売却（固定資産減少）	・資産効率を意識した経営（5年間で総資産を1兆円削減） ・事業再編，事業撤退（液晶事業など）による固定資産の減少
運転資本の減少： （早期回収，支払いの延期，在庫削減）	・トップ主導の徹底的な在庫に対するコスト意識の浸透 ・部品の共通化，高容量化（モジュール化）による在庫削減 ・資材購入先への支払いを月末から90日後に変更

[図表5－3]は，松下電器が行った改革や改善をFCFの視点から整理したものである。すべての項目がFCFの増加に結びついている。営業利益の増加につながる項目が多いのは当然であるが，利益だけを追求すると細部がおろそかになる。松下電器ほどの企業になると，細部まで目が行き届いた利益を考えなければならない。それが恒常的にキャッシュを生み出す力につながる。ごまか

しが含まれた利益は一時的なものである。一時的な利益が企業価値に与える影響は，微々たるものでしかない。投資家は，長期的な視点から，企業が継続的にキャッシュを生み出す力を評価する。

単にキャッシュや利益が出るだけではダメである。投資家の期待に見合うキャッシュや利益を生み出す必要がある。松下電器の経営改革は，そこまで踏み込んでいった。

>>4 資本コストと資産効率

投資家が提供した資金（資本）は，企業内で有形・無形の資産に変わり，人的資源と結びついてキャッシュを生み出す。投資家の関心事は，企業が資本をどのように利用し，どれだけの成果（利益やFCF）をもたらすかである。投資した資本に対する成果の割合は，資本利益率で表されることが多い。インタビューでは，次のような話があった。

> 「グローバルな株式投資を行っている欧米の機関投資家は，スタンダードな評価基準として投下資本利益率（ROA，ROIC）や株主資本利益率（ROE）を重視します[4]。資本利益率は，資本を利用してどれだけの利益を上げたかという指標です。資本コストを取り入れたCCMを重視するということは，資本利益率を徹底的に意識しようということです。売上高を増やしたり，コストを削減して売上高利益率を改善したりすることに加えて，在庫や運転資本の管理，非効率的な生産設備の圧縮，あるいは不採算事業からの撤退が必要になります。
>
> 周知の通り，弊社は1999年にCCMを導入しました。当時，何が資本市場から求められているのか，資本市場で生き残っていくためにはどうすればよいのか，ということを徹底的に議論しました。財務は資本市場の視点，経理は指標を実際に現場で使うという視点，経営は全社戦略の視点，それぞれのプロ意識がぶつかり合いました。今回の改革でCCMを重視した理由の一つに，資本市場が資産の効率的な利用を強く求めるようになったという状況判断もあります。そして効果が出ています。やはり目のつけどころは間違っていなかったと思います」

---

4 ROICはReturn On Investment Capitalの略である。分母には有利子負債と自己資本の合計額，分子には営業利益や事業利益を用いることが多い。

松下電器は，資本市場からの声を経営にフィードバックするIR体制が整っている[5]。IRといえば企業からの情報発信と思いがちだが，アナリストや機関投資家と議論することで，資本市場の声を汲み取ることも経営のヒントになる。中村社長は自らIRの場に出向き，投資家やアナリストが自社をどう見ているか，資本市場が何を問題視しているかを機敏に感じ取ったという。アナリストからの的を射た厳しい意見にもきちんと耳を傾けたという。

　資産利用の効率性を重点的に追求した成果は，同社の利益と総資産の推移に表れている。［図表5－4］は，総資産と株主資本の推移である。［図表5－1］と［図表5－4］を見るだけでも，資産利用の効率性が高まったことが分かる[6]。営業利益が改善している一方，総資産はほとんど増えていない。もう少し詳しい数値が［図表5－5］に示されている。2006年3月期における総資産営業利益率（営業利益÷総資産）の改善は，総資産回転率（売上高÷総資産）の貢献が大きい[7]。総資産を上回る売上高をあげている。

［図表 5－4］松下電器の総資産，株主資本等の推移

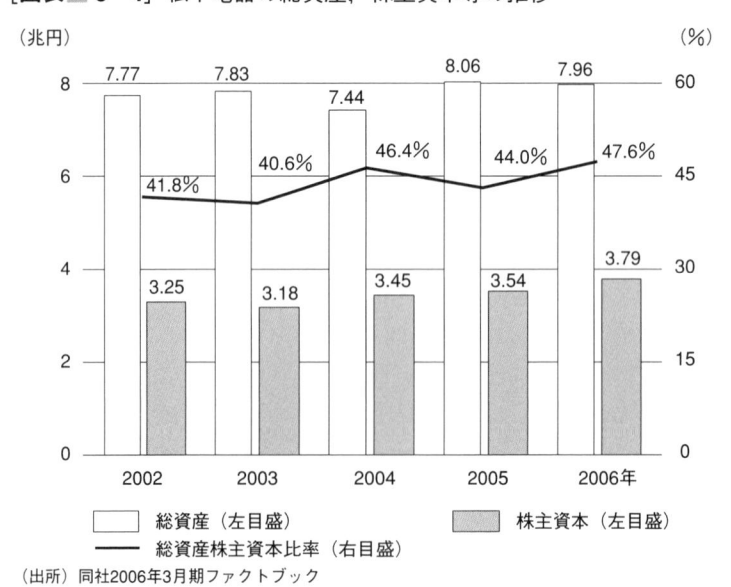

（兆円）　　　　　　　　　　　　　　　　　　　　　　　　　　　　（％）

年	総資産	株主資本	総資産株主資本比率
2002	7.77	3.25	41.8%
2003	7.83	3.18	40.6%
2004	7.44	3.45	46.4%
2005	8.06	3.54	44.0%
2006年	7.96	3.79	47.6%

□　総資産（左目盛）　　　　■　株主資本（左目盛）
──　総資産株主資本比率（右目盛）

（出所）同社2006年3月期ファクトブック

5　同社では，IRセクションは社員の希望が多い人気セクションの一つということである。
6　松下電工とパナホームの子会社化による資産増加額を調整すると，2001年から2006年にかけて，総資産が1兆円以上減少したことになる（日経金融新聞2006年6月28日）。
7　総資産営業利益率は，売上高営業利益率と総資産回転率に分解できる。

[図表 5-5] 松下電器の総資産営業利益率の推移

	1997.3	2000.3	2003.3	2006.3
総資産（億円）	88,565	79,550	78,347	79,646
売上高（億円）	76,759	72,994	74,017	88,943
営業利益（億円）	3,739	1,591	1,265	4,143
総資産営業利益率（％）	4.22	2.00	1.61	5.20
売上高営業利益率（％）	4.87	2.18	1.71	4.66
総資産回転率（回）	0.87	0.92	0.94	1.12

（注）総資産回転率や総資産営業利益率の算出には，期末総資産残高を用いた。

　有望な分野への集中投資や不採算事業の撤退などメリハリのついた事業の再構築により，投資家の資本を効率的に利用できるようになったといえる[8]。総資産回転率が0.87であった1997年には，投資家から提供された100円の資金を用いて87円だけしか売ることができなかった。総資産回転率が1.12になった2006年には，投資家の100円を用いて112円の売上高をあげることができた。

>>5 松下電器のCCM

　2006年の松下電器は，投資家から提供された100円を使って112円の売上高を計上した。諸費用を引いた後の営業利益は4円であった。キャッシュフローに対する意識が浸透した同社では，営業利益は恒常的なキャッシュを生み出す力と考えてよいだろう。100円から4円の営業利益を生み出す力をどう評価するか。それはベンチマークに依存する。
　大阪ガスのSVAで述べたように，営業利益は真の利益ではない。営業利益から資本コストを控除して，初めて真の利益が得られる。株主の価値が増加する。大阪ガスの真の利益SVAに相当する指標が，松下電器のCCMである。

8　不採算部門の整理として，液晶事業の分社化（東芝との事業統合，2001年），モーター事業の分割（2003年），松下リース株の60％売却（2004年），ブラウン管の欧米拠点の清算（2005年）などがある（日経金融新聞2006年6月28日付）。

[図表 5-6] 松下電器のCCM

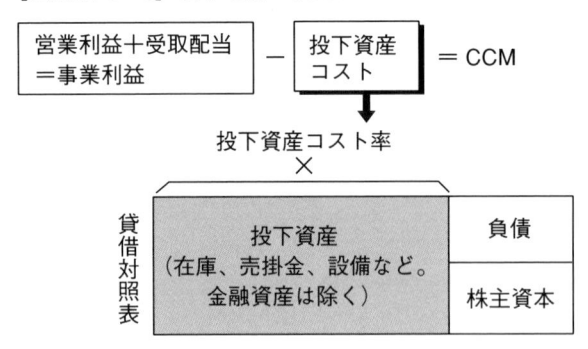

```
営業利益＋受取配当    投下資産
            ―              = CCM
=事業利益         コスト
                     ↓
              投下資産コスト率
                   ×
         ┌─────────────────┬──────┐
貸借      │  投下資産        │ 負債  │
対照      │（在庫、売掛金、設備など。├──────┤
表        │  金融資産は除く）│株主資本│
         └─────────────────┴──────┘
```

（出所）日本経済新聞1999年4月2日付

　［図表5-6］は松下電器のCCMを図示したものである。同社のホームページのIR情報トップ「株主・投資家の皆様へ」では，次のように紹介されている（2006年6月）。「CCMとは，資本収益性を重視した当社の経営管理手法で，CCMがゼロ以上であれば，資本市場が期待する最低限度の利益を満たしたと位置づけます」。

　導入当時（1999年4月）の日経各紙に掲載された関連記事から，CCMのポイントを紹介すると次のようになる。

　　CCMは米スターン・スチュワート社が開発したEVAに近い概念である。負債利子率だけでなく，株主が求める高い利益率を反映させた投下資産コスト率を資産にかけ合わせて，必要最低利益（投下資産コスト）を算出する。CCMは，営業利益に配当を加えた事業利益が投下資産コストを上回った金額である。会計上の利益が出ても，CCMが黒字になるとは限らない。CCMが黒字になって，はじめて価値が創造できたとみなす。投下資産コスト率は，国債の利回りにリスク・プレミアムを加えて算出した。現在は約8％に設定しているが，数年おきに見直す。1998年度は会計上の連結税引き前利益が3,550億円の黒字であったが，投下資産コストを考慮したCCMは1,000億円もの赤字だった。

　　実践的には，現場にどうおろすかが問題である。約2年かけて検討した結果，必要最低利益を"投下資産"ベースにすることが良いと判断した。コスト率は全社一律であるので，投下資産コストを下げるためには，売掛金，在庫，設備投資などの資産をどれだけうまく管理するかが問われる。CCMを改善するために，資産の回転率を高め，最終的には現金収支の増大につながっていくことが期待できる。

松下電器のCCM，大阪ガスのSVA，結局ここに行き着くのである。株主重視の経営を実践し，企業価値を高めるためには，コーポレートファイナンスの理論が教える通り，資本コストを経営指標に実質的に組み入れていくしかない。投下資本に３％をかけるか（大阪ガス），投下資産に８％をかけるか（松下電器），営業利益を基準にするか（大阪ガス），事業利益を基準にするか（松下電器）の違いこそあれ，精神は同じである。

　同社の資本コストの推定も教科書が教える通りであった。松下電器の資本コスト（投下資産コスト率）推定のプラクティスは，大阪ガスやアメリカ大企業のそれと同様である。株式資本コストは，CAPM（資本資産評価モデル）に基づいて推定する。CAPMの推定に必要なマーケット・リスクプレミアムは，過去の資本市場の平均値を用いる。無リスク利子率として長期国債の利回りを採用する。株式ベータや負債の資本コストについては，様々なデータを参考にして決定する。同社では，できるだけ"保守的なもの"を用い，ハードルとしての資本コストが低くならないように工夫しているそうである。インタビュー当時（2006年10月）は8.4％であった[9]。

>>6　CCMの浸透

　松下電器が資本コストではなく"投下資産"コストという言葉にこだわった理由の一つは，創業者以来の金利コスト意識と原価計算システムにある。この二つは，現場にCCMが浸透した要因でもある。インタビューで聞いた次の話が印象に残っている。

> 「創業者が借入れと金利で苦労したためでしょうか，弊社の各事業部には資産がタダではないという考え方がありました。原価計算をする際には，原価に加えて投下資産にかかる金利コストを織り込むという方式が昔から残っています。企業として実質的に無借金になった時期でも，資産に対する金利コストを織り込んだ財務管理を行っていました。経理や財務の人間は，資本コストと投下資産コストは本質的に同じであると理解していますが，これまでの会計システムに慣れている現場の社員には，投下資産コストの方がしっくりきます。昔から資産に対するコストという意識が根付いてい

9　金融資産の多くは現金及び現金同等物であるから，それを含めた全社的な資本コストは8.4％より低くなる。

たため，CCMの考え方は理解しやすく，浸透するのも早かったといえます。この考え方が根付いていなければ，CCMを導入したところで，数値としての結果しか出てこないでしょう。時間をかければ浸透するかもしれませんが，すぐに日常業務に活かされることはないと思います。各事業ドメインが，売上高，コスト，利益を報告して，CCMを計算するだけになりかねません。それではあまり意味がない。投下資産コストとCCMの意味を体で理解し，キャッシュフローを意識しながら，きちんと計画を立て，実行する。常時チェックし，修正しながら，結果につなげていく。このプロセスがCCMの精神に即していることが大切だと思います。結果だけ見て判断するのは，経営指標ではありません」

松下電器の場合，従来から資産に対する金利意識が刷り込まれていた。管理会計システム上は"投下資産"に対する金利コストが取り入れられていたため，CCMでいう投下資産コストの導入には，それほど違和感がなかった。社員に浸透している金利コストという意識は，現代的な株主重視の企業経営を行う際に，少なくとも一時的な競争優位の源泉になったと考えられる。

松下電器は，伝統的に株主に対する意識も弱くない。1970年ごろ，創業者は株主重視を口にしていたと聞く。森下洋一社長（当時）は，日経産業新聞（1999年6月7日）のインタビューの中で次のように答えている。「もともと松下は株主を大事にする意識の高い会社でした。ただ，社内に意識が浸透していても，時には希薄になることもある。CCMを取り入れることが，株主のために企業価値を向上させようとの意識を徹底することにつながる」。

それでも，CCMを導入した当時は，勉強会を繰り返したそうである。

「経営指標をキャッシュフローとCCMに絞るため，様々な仕組みも変えました。そのため，導入時には経理・財務セクションで社内用の資料を作成し，社内セミナーや勉強会を繰り返しました。役員と事業部長は少なくとも3回は勉強会に参加したと思います。現場に対する教育は，事業ドメインの経理担当を通じて行いました。経理担当者は専門家ですから，フリーキャッシュフローやCCMについては明るい。彼らが中心となって事業ドメインごとに勉強会を開くなどして，社員の間に普及していきました。CAPMを用いた資本コストの推定方法などCCMのテクニカル的な細部については，専門スタッフと事業ドメインの責任者までが把握しています」

常に世間から注目されている松下電器のCCMは，新聞紙上でもよく取り上

げられた。新聞を読んで勉強した社員もあるという。

>>7 全社一律の資本コスト

　インタビュー当時（2006年10月），松下電器では，全ての事業分野に同一の資本コスト（投資資産コスト率）を用いていた。この点は大阪ガスと異なっている。大阪ガスでは，ガス事業を営む本社と都市ビジネスを営む関係会社に異なる資本コストを適用している。教科書的には，事業分野ごとに異なる投下資産コスト（資本コスト）を用いる方が好ましい。同社を担当するアナリストからも，そのように指摘されることがあるという。
　同社が事業ごとに異なる資本コストを適用しない実践的な理由はいくつかある。第一に，集中と選択を進めてきたため，事業ドメインごとのビジネス・リスクの相違はそれほど大きくないと考えられる。また，事業ごとに異なる資本コストは，選択と集中を進める時期には馴染まない。第二に，社員が納得する事業ドメインごとの資本コストを客観的に算出することは容易でない。第三に，雇用経営者と社員が団結して改革するという一体感が失われてしまう懸念がある。人事制度は見直したが，やはり松下は全員経営である。
　事業リスクに応じた投下資産コストの導入は検討しているが，現時点では全社的に8.4%のコストを上回る成果を安定的に生み出すことに専念しているという。

>>8 企業が資本コストを導入するステージ

　株主重視の企業経営とは，資本コストを企業経営に活かすことである。ただし，すべての企業が資本コストに徹した経営目標をもつ必要はない。創業間もない企業は，売上高を伸ばして，早期に損益分岐点をクリアすることが大切である。利益が出るようになると，売上高利益率を高めたり，コスト削減に取り組んだりする。やがて，在庫管理や資金回収などの細かい項目が気になりだす。外部資金を導入する際には，銀行の融資基準やベンチャーキャピタルの投資基準を満たすことが大切である。株式公開前になると，組織の体裁を整えたり，株主数を増やしたり，利益や配当に関する公開基準を乗り越えなければならない。株式を公開すると，IR活動，四半期決算，コーポレートガバナンス，コンプライアンス，CSRなどが押し寄せてくる。

いくたびかの業績低迷を乗り越え，株価や社債の格付けが安定し，企業をフォローするアナリストが増えると，資本コストが推定しやすくなる。財務や経理のスペシャリストが揃い，コーポレートファイナンスの理論をきちんと理解した上で，資本コストを活かした価値創造に取り組む体制が整う。投資家も成長性や収益性に加えて，資本利益率を問うようになる。企業が資本コストを意識した経営に本当に取り組むのは，おそらくこの時期である。
　資本コストや資本効率を意識すると，"資本利益率が高い企業がよい"と思い込みがちであるが，それは正しくない。リスクとリターンの関係を忘れてはならない。企業にはそれぞれが活躍するフィールドがある。大阪ガスは公益性の高いガス事業，松下電器は耐久消費財である家電というフィールドにいる。事業のフィールドが違うとビジネス・リスクが異なる。両社を比較すると，企業がコントロールできない景気変動の影響を大きく受けるのは松下電器である。松下電器の方がリスクの高いフィールドにいる。その分，投資家は高いリターンを期待する。大阪ガスの資本コストが3％であるのに対し，松下電器の資本コストが8％である理由は，そこにある。資本市場は，ビジネス・リスクの相違を株価や社債の価格に織り込む。大阪ガスと松下電器の事例で見たように，企業は資本市場の情報を用いて資本コストを推定する。そして，資本コストをベンチマークにする。
　「ベンチマークを上回る成果が期待できるか否か」が重要である。大阪ガスに投資した100円が3円の成果をもたらすことと，松下電器に事業に投下した100円が8円の成果をもたらすことは同じである。大阪ガスが4円の成果をあげ，松下電器が6円の成果をあげたとき，評価されるべきは大阪ガスである。企業活動のリスクを負担する投資家は，リスクに見合うリターンを期待する。投資家の期待リターンは，企業にとって資本コストとなる。企業活動の成果が資本コストを上回ると，投資家が評価する企業価値は高くなる。ベンチマークは企業が活躍するフィールドによって異なる。これが，コーポレートファイナンスにおける価値評価の理論的なエッセンスである。
　わが国企業がこの論理を実践し始めたのは，資本市場の環境が大きく変わった1990年代後半以降である。資本市場の変化に加えて，大阪ガスは関連会社の業績伸び悩み，松下電器は上場来初めての営業赤字という似通った個別要因があった。従来の路線ではうまくいかないのではないかと思い，悩み，市場を見渡し，そして考え抜いた。やがて，両社とも資本コストを明示した経営目標を導入し，浸透させた。浸透の素地が整っていたこと，浸透の方法なども，ほぼ

[図表 5-7] 大阪ガスのSVAと松下電器のCCM

	大阪ガスのSVA	松下電器のCCM
利益概念	税引き後営業利益	事業利益
資本コスト	（有利子負債＋株主資本） ×加重平均期待収益率 事業リスクに対応	投下資産（除金融資産） ×投下資産コスト率 全社一律
株式資本コストの推定	CAPM 無リスク利子率は長期国債利回り	CAPM 無リスク利子率は長期国債利回り リスク・プレミアムは過去の平均
導入時期	2003年	1999年に導入，2003年に重点化
導入（重点化）の理由	収益伸び悩み 事業の取捨選択基準を統一化 株主重視の考え方を根付かせる	上場以来の営業赤字 経営改革に最適と判断 資産効率性の向上（在庫圧縮など）
浸透	会計システムの整備 投資決定基準は意識 社内勉強会，IRなどでの強調	会計システムの整備 金利コスト意識あり，業績評価に連動 社内勉強会，経済新聞などに記載

同じである。難局を打破し，整った体制で次なる成長ステージへと向かう姿勢もよく似ている。大阪ガスは，次の成長に向けて投資を増やし始めた。松下電器は，社長の交代と同時に，成長性の指標として売上高を目標に掲げた。[図表5-7]は大阪ガスのSVAと松下電器のCCMを比較したものである。

>>9 ダム経営方式と資本利益率

　松下電器の経営哲学の一つにダム式経営がある。ダムは，季節や天候に左右されることなく，常に必要な一定量の水を使えるようにする工夫である。経営のあらゆる面にダムのようなものをもつことで，外部の諸情勢が変化しても大きな影響を受けることなく，安定的な発展を遂げるようにするという考え方がダム式経営である。

　ヒト，モノ，お金。ダム式経営を実践すると，ライバル社に比べてすべてが高水準になる可能性がある。同社は，ヒトについては，社員のモチベーションを下げることなく適材適所を実現したようだ。モノ（在庫）については，問題が大きいということで圧縮した。トップダウンでキャッシュフローとCCMを徹底した成果である。

　さて，お金である。在庫が問題なのは，製品のライフサイクルが早まり，陳

腐化による価値の毀損が大きいからである。現金には陳腐化の恐れがない。100円の在庫は50円になるが，100円の現金は100円のままである。同社は伝統的に，実質な無借金経営（金融資産が有利子負債を上回る）をとってきた。必要なときにすぐに使えるという意味でお金は便利である。予期しえないアクシデントがあったとき，お金があれば様々な対応も取れるし，焦らずにすむ。現金保有はリスクマネジメントでもある。理論的には，現金保有はムダだとは言い切れない，ダムの役割も果たす。

同社のCCMにおいて，投下資産コストを算出する際に現金（金融資産）は考慮されていないことに注意しよう。現金はいまだ事業に投下されていない。現金に8.4％という投下資産コスト率を要求することは，リスクとリターンの原則に反している。基本的に，現金は無リスクである。この意味で同社のCCMは理にかなっている。

リターンを生まない現金を保有すると，企業全体の資産利益率は低下する。資本市場がリスクとリターンの関係を正しく認識し，ベンチマークを迅速に調整できればよいが，現実はそう簡単ではない。最近の業績回復を受けて，あるアナリストは「このまま何もしなければ次の5年間でキャッシュがさらに1兆円積み上がってしまう」と指摘する。

現金保有と資本利益率については，筆者の間でも意見が分かれる。「現金保有は投資家に説明しにくい時代である。資本利益率が下がると，資産効率まで低下しているとみなされる危険がある。現金保有は避けた方がよい」という見方がある。一方，「現金保有はそれほど大きな問題ではない。資産効率を議論する際には，資産内容とリスクを考慮しなければならない」という論もある。投資家と企業が折り合える現金保有は，かなり実践的な問題である。現金保有の問題がホットなテーマになっている現時点では，企業が考えるダムの満水と投資家から見た満水は，異なっているのであろう。

>>10 成長ステージへ

2007年1月，松下電器は大坪文雄社長が就任して初の中期経営計画『GP3（Global Progress, Global Profit, Global Panasonic）』を発表した。中期経営計画の中で，2010年3月期に連結売上高10兆円を目標に掲げた。キャッシュフローや資本コストの意識が浸透したため，過剰在庫の可能性などをそれほど気にすることなく，成長戦略に邁進できる。体質改善にばかり時間をかけていては，

走る力が失われる。そのような判断もあったのだろう。社員にとっても，売上高は分かりやすく，元気が出る目標である。同社は，「打って出る！Rise to the Challenge！」をスローガンに掲げる。

中期経営計画では，同時に株主資本利益率（ROE）10%を目標に掲げた。投資家，とくに株主にとっては理解しやすい指標である。目標としての10%もキリがよい。緻密な計算をして，ベンチマークとしてROE10%を算出したのであろう。

ただし，ROEは財務的にコントロールできる指標でもある。後の章で述べるが，負債比率を調整するだけでROEが高まることがある。企業活動の評価は，事業に投下した資産がベンチマークを上回るか否かである。その意味では，CCMやROA，ROICの方が本質的である。もちろん，同社の経理部スタッフはそのことを理解している。大坪社長も「奇手奇策はない。良い製品を作りコストを徹底して削減する」と述べている。

松下電器のCCMは残る。今後は，キャッシュフローを含むCCMと売上高を社内的な業績評価基準にするという。

第6章
M&A戦略の理論と事例

>>1 地の利，人の和，天の時

　成功したM&A（Mergers and Acquisitions：合併・吸収）の事例として取り上げられることがある企業の中堅社員の方と話をする機会があった。M&Aの成功要因を聞くと，「地の利，人の和，天の時です」といわれ，なるほどと思った。

　地の利とは，生産拠点や流通・販売網など地域的な要因だけでなく，事業領域を含めた効果を意味している。二つの企業が一つになることで価値が生まれる可能性がある。経営資源を共有し，相互の補完性を活かすことで，売上増加やコスト削減が実現できるからである。シナジー効果や合理化効果といわれる。戦略的に好ましいM&Aは，地の利を活かせるものである。

　人の和が大切なことはいうまでもない。法律的に一つの会社になったとしても，別々の組織に属していた二つのグループがまとまるには時間がかかる。うまくまとまらずに，M&A後の組織がギスギスすると，地の利を活かすこともできない。M&Aに不満をもつ社員が大勢辞めると，事業そのものが行きづまる。価値はヒトとお金の協働の成果である。ヒトがいなければ何も生まれない。対等合併における人事面での争いや，吸収合併における被買収企業の社員のモチベーションの低下をどのように克服するかは，M&Aを成功させる一つの鍵である。"友好的"という言葉が好まれるのは，人の和を重視している証である。"敵対的"なM&Aが難しいのは，人の和が図れないからであろう。

　天の時とは，時流でありタイミングである。いまやM&Aは日本企業の全社戦略として定着した。経営者は常にM&A戦略を意識している。日本経済新聞社が行っているアンケート調査では，8割以上の経営者がM&Aを前向きに検

討すると回答している（日経産業新聞2006年12月28日付18面）。一昔前はそうではなかった。経営者が，「あの企業と一緒になれば新しい可能性が開ける」と思っても，合併話を持ち出すことは難しかった。経営戦略の選択肢にM&Aがなかったのである。いまは違う。投資銀行が企業にM&A戦略を提案したり，企業が投資銀行にM&Aの案件を依頼したりすることが，日常茶飯事になった。M&A時代という大きな流れがあるからこそ，M&Aが成立し成功する。

　個別の案件では，タイミングも重要である。経営者同士が出会い，話をすることが，M&Aのきっかけになることがある。投資ファンドや再生ファンドから，タイミングよく話を持ちかけられることもある。山崎製パンの飯島延浩社長は，東ハトの買収案件が持ち込まれたとき「まるで神のおぼしめしかと思った」そうである（日本経済新聞2006年7月4日付〈朝刊〉14面）。

　M&A後の新会社の業績が好調だと，M&Aは成功だったといわれることが多い。経営陣や従業員は，M&Aが正しかったと信じることができる。経営陣や社員の意識が事業に集中し，人の和を乱す内輪もめが起こりにくい。逆に，業績が悪化すると，M&Aが失敗だったという声が社内から噴出し，内輪争いが起こりかねない。短期的な業績は外部環境の影響を受ける。輸出企業の場合，海外の景気が良く円安傾向が続くと，業績が上ぶれする。内需関連企業の場合，国内景気が好況で円高傾向が続くと，業績が上向きやすい。外部環境がタイミングよく好ましい方向に振れることも，天の時なのかもしれない。

>>2 戦略的関連性とM&A

　最近のわが国のM&Aブームの背景には，企業の事業ポートフォリオの組み替えがある。選択と集中を進める企業は，経営資源を効率的に利用できるコア事業を強化し，競争力のない事業を売却する。その事業をコアとする企業や，新たな成長分野を求める企業が買手になる。

　事業ポートフォリオの観点から好ましいと考えられるM&Aは，［図表6-1］に示されている。企業Aと企業Bは，それぞれ競争力のある事業（金のなる木や花形）と競争力のない事業（問題児や負け犬）を保有している。企業Aの下での競争力は弱いが，企業Bが経営すると競争力が強化される事業がある。このときM&Aの機会が生じる。精魂こめて育ててきても，競争力がつかない事業があるのは仕方がない。そのような事業は，他社に売ることを考えればよい。良い買手が見つかれば，"売る"という行為が価値を生む。

[図表 6−1] 事業ポートフォリオとM&A

```
      企業A                           企業B
┌──────────────┐         ┌──────────────┐
│ 競争力がある事業群 │         │ 競争力がある事業群 │
│  花形・金のなる木  │         │  花形・金のなる木  │
├──────────────┤   ⤢⤡   ├──────────────┤
│ 競争力がない事業群 │         │ 競争力がない事業群 │
│   問題児・負け犬   │         │   問題児・負け犬   │
└──────────────┘         └──────────────┘
```

競争力がない事業を,その事業をうまく経営している企業に売却する。企業A(企業B)が保有するより,企業B(企業A)が保有する方が価値が高くなる場合,M&AはWIN-WINになる可能性がある。

　二つの企業が別々に保有する問題児を統合することで,花形や金のなる木に生まれ変わることもある。NECと日立製作所がDRAM事業を分離・統合して誕生したエルピーダが良い例である。DRAM業界は,世界的な成長分野でありながら,各社はシェアが伸びないという問題に直面していた。NECと日立製作所が保有する限り,各社のDRAM事業は問題児であった。両社は,DRAM事業を統合することで,規模の経済性を実現し,シェアを高めることが最適であると判断した。その結果,1999年12月にエルピーダが誕生した。当初,エルピーダは"人の和"という問題に直面した。寄り合い所帯と大企業的な弊害が,NECと日立製作所の優れた技術や営業力を活かせなかったという。強力なリーダーの登場で問題は解決された。2002年11月に就任した坂本幸雄社長は,NECと日立にこだわらない企業文化の形成などを掲げ,変革を押し進めた。同社の経営は短期間のうちに再建され,2006年度にはDRAM世界シェアが約15%となり,トップのサムスン電子を追っている。

　戦略的関連性を重視した最近のM&Aの事例をあげておこう。[図表6−2]は,食品業界における最近のM&Aの事例である。食品企業同士というのが特徴である。食品業界に限らず,同じ業界に属する企業同士がM&Aの当事者になることが多い。戦略的な関連性があるからである。

　食品事業を営んだことがない企業が食品関連事業を買うより,食品企業が事業を買って経営する方が価値を高めることができる。キッコーマンの焼酎事業を電機メーカーや自動車メーカーが買っても仕方がない。サッポロホールディングスであれば,自社の生産設備や流通・販売チャネル,企業ブランド,研究開発,マネジメント・ノウハウなどを焼酎事業に活かすことができる。キッコーマンとサッポロを比較しても,サッポロの方が焼酎事業の価値を高める可能性が大きい。キッコーマンのコア事業は醤油・調味料であるのに対し,サッポ

[図表 6-2] 食品大手企業のM&A

企業・事業		目的
サッポロ	キッコーマンの焼酎事業	本業の弱点補完
アサヒ	和光堂	(食品業界内での)新事業への参入
山崎パン	東ハト	非中核事業の強化
伊藤園	タリーズ	本業の弱点補完
日清食品	明星	本業の強化
キリン	メルシャン	本業の弱点補完
マルハ	ニチロ	両社の弱点補完

(出所) 日本経済新聞2006年2月13日付 (朝刊)

ロのコア事業は焼酎を含む酒類だからである。

　M&Aを通じた楽天の成長戦略も戦略的な関連性を重視している。2003年9月4日，同社は，国内最大の宿泊施設予約サイト「旅の窓口」を運営するマイトリップネットを323億円で買収すると発表した。新興市場に上場すると見込まれていたマイトリップネットを，市場関係者の予想額（上場時のマイトリップネットの株式時価総額の予想額）を上回る金額で買収した楽天の動機は，戦略的関連性である。当時，マイトリップネットの親会社は日立造船であった。インターネット事業を営むマイトリップネットとの戦略的関連性が強いのは，日立造船ではなく楽天である。楽天の既存のインターネット事業や会員をマイトリップネットの事業に結びつけることで，シナジー効果が発揮できる。シナジー効果は価値を高める。楽天が高い買収金額を提示できた理由は，同社の事業とマイトリップネットの事業との戦略的な関連性にある。

　実践的にはタイミングも大切であった。上場後のマイトリップネットを買収するには，公開買い付け（TOB）をする必要がある。公開買い付けには，時間と手間とコストがかかる。ライバル社が障害になることもある（例えば，王子製紙が北越製紙の公開買い付けを目指した際に日本製紙が阻止に動いた）。上場前の買収によって，楽天はこれら諸問題を回避することができた。

　マイトリップネットを買収した直後の2003年11月15日，楽天はネット証券事業を営むDLJディレクトSFJ証券の買収を発表した。再び市場関係者を驚かせ

たスピードで同社が大型買収に踏み切った理由は，明らかな地の利（戦略的な関連性）に加え，天の時（タイミング）を重視したためであろう。戦略的関連性は明らかである。タイミングについては，当時，楽天の三木谷浩史社長が「ネット証券事業の成長期に事業参入するのは"いましかない"」と語っている。

>>3 コーポレートファイナンスとM&A

コーポレートファイナンスでは，投資家の立場からM&Aを議論することが多い。以下では，投資家の価値という視点から，M&Aについて議論する。M&Aの形態や会計的な扱い，法律的な注意点については取り上げない。専門書が多数出版されているので，そちらを参考にしていただきたい。

❶ M&Aと価値評価

買収価格や合併比率を決めるため，M&Aには価値評価が必要になる。買手企業にとって，M&Aは投資とみなすことができる。投資コストは買収価格である。投資の成果は，取得した事業がもたらすフリー・キャッシュフロー（FCF）の現在価値である。売手企業の株主にとって，M&Aは事業の売却である。現状の下で事業が生み出すFCFの現在価値が，最低売却価格（最低価格）になる。二つの企業A社とB社の間で事業売買が行われる場面を想定して，M&Aにおける価値評価と買収価格について検討しよう。企業Aが売手，企業Bが買手である。

売手企業Aの下で事業が生み出すFCFの現在価値を$V(A)$とする。買手企業Bの下で事業が生み出すFCFの現在価値を$V(B)$とする。両者の差額（$V(B)-V(A)$）は，M&Aによって生み出される価値である。買収価格の理論的なレンジは，$V(A)$と$V(B)$の間である。$V(A)$より低い価格だと企業Aは事業を売らない。自社で経営する方が得である。$V(B)$より高い価格だと企業Bは事業を買わない。割高な買い物になるからである。M&Aが成立し，そして成功するためには，地の利，人の和，天の時に加えて，売手と買手の価値評価が大切になる。

買収価格の落ち着きどころは，様々な要因に影響を受ける。現在はM&Aがブームであり，一つの案件に対して複数の買手候補が現れるという。そのような状況では，価格は$V(B)$に近くなる。買収合戦が白熱し，価格が$V(B)$を上回る可能性もある。経済が不況になり企業が投資に慎重になると，買手を探す

のが難しくなる。その場合，取引価格はV(A)に近いところで決まる。

買手企業にとって，M&Aは投資である。買収価格が理論的なレンジに収まる限り，M&Aは正のNPVをもつ投資案件になる。理論的なレンジを上回る価格で買収するとNPVは負になる。これは過大投資である。

M&Aは多額の資金が動くイベントである。ソフトバンクによるボーダフォン日本法人の買収には1兆7,500億円の資金が動いた。当時の同社の連結売上高の2倍にのぼる。事業価値を10％過大に評価すると，1,750億円もの価値が失われることになる。阪急ホールディングスが阪神電鉄との経営統合に投下した資金は2,500億円であった。経営統合前の同社の営業利益は600億円，当期純利益は250億円である。投資資金は営業利益の4年分，当期純利益の10年分にのぼる。阪神電鉄の事業価値を10％過大評価すると，純利益1年分に相当する価値が失われることになる。M&Aにおける価値評価の大切さが理解できる。

❷ M&Aにおける価値の配分

通常の実物投資では，投資を行った企業が単独で価値を生み出す。投資の価値（NPV）は，企業の株主に配分される。M&Aでは，売手企業が育てた事業を買手企業が引き継ぐことになる。売手と買手がいるからこそ価値創造の機会がある。そのため，売手と買手の間で，価値配分を巡って駆け引きが生じることがある。

売手と買手，双方の株主が納得しなければM&Aは成立しない。株主が価値評価に納得せず，M&Aに反対した事例として，東京鋼鐵と大阪製鐵の合併提案がある。東京鋼鐵の大株主である投資ファンドが，両社の経営陣が提案した株式交換比率（合併比率）を不服とし，株式交換に反対した。東京製鐵の株主の多くがこの意見に賛同したため，両社のM&Aは成立しなかった。投資ファンドは，M&Aそのものには賛成している。M&Aによって生み出される価値の配分（株式交換比率）が不満だというのである。

東京鋼鐵と大阪製鐵は，それぞれ大手証券会社に依頼して株式交換比率を算定している。価値評価のプロである証券会社の算定結果をもってしても，株主を納得させることはできなかった。M&Aにおける価値配分の難しさを示したこの事例については，後に再検討する。

KKR（コールバーグ・クラビス・アンド・ロバーツ）によるRJRナビスコのLBO（負債を利用した買収）は，大規模なM&Aの事例としてよく知られている。このM&Aは価値を創造したといわれている。M&Aによって生み出された

[図表 6-3] 田辺製薬と三菱ウェルファーマの合併比率

[合併比率]

会社名	田辺製薬（存続会社）	三菱ウェルファーマ（消滅会社）
合併比率	1	0.69

三菱ウェルファーマの普通株式1株に対して田辺製薬の普通株式0.69株を割り当て交付いたします。

[合併比率の算定根拠等]

田辺製薬および三菱ウェルファーマは、本合併に用いられる合併比率の算定にあたって公正性を期すため、田辺製薬はメリルリンチ日本証券株式会社（以下、メリルリンチ）を、三菱ウェルファーマは野村證券株式会社（以下、野村證券）をファイナンシャル・アドバイザーとして任命し、それぞれ合併比率の算定を依頼いたしました。

[メリルリンチの合併比率算定]

メリルリンチは本合併の諸条件等を分析した上で、DCF（ディスカウンテッド・キャッシュフロー法）、類似企業比較分析、類似取引比較分析、市場株価平均分析、利益貢献度分析、過去の事例分析、希薄化増大化分析などを総合的に勘案して意見表明を行っております。メリルリンチが合併比率の意見書の提出メリルリンチが合併比率の算定に当たって使用した主要な評価方法、ならびに分析手続きの概略は以下の通りです。
① DCF法による合併比率は田辺製薬1に対して三菱ウェルファーマ0.72から0.75と算定されております。
② 類似企業比較方式による合併比率は、田辺製薬1に対して三菱ウェルファーマ0.63から0.81と算定されております。

[野村證券の合併比率算出]

野村證券は、田辺製薬については市場株価分析、類似会社比較分析、DCF（ディスカウンテッド・キャッシュフロー）分析等を、三菱ウェルファーマについては、類似会社比較分析、DCF分析等を行いました。なお、DCF分析については、(1) 統合効果を織り込まない各当事者のスタンドアローンの株式価値から合併比率を分析するスタンドアローン分析と、(2) 三菱ウェルファーマのスタンドアローンの株式価値と、本件によりもたらされる統合効果を田辺製薬のスタンドアローンの株式価値に加えて算定される株式価値とを比較し、合併比率を分析する統合効果分析を実施しております。各分析における分析結果は以下の通りです。

	田辺製薬	三菱ウェルファーマ	合併比率のレンジ
①	類似会社比較分析		0.56以上
②-(1)	DCF分析スタンドアローン分析		0.54以上
②-(2)	DCF分析統合効果分析		0.39以上
③	市場株価分析	類似会社比較方式	0.72以上
合併比率（三菱ウェルファーマ株式1株に対して割り当てられる田辺製薬の株数）			0.69

(出所)「田辺製薬株式会社と三菱ウェルファーマ株式会社2007年10月1日付けの合併に向けての基本合意」(2007年2月2日)

価値を受け取ったのは，売手RJRナビスコの株主であった。価値創造の主役であった買手KKRは，名目的な利益を得たが，実質的には損をした。RJRナビスコの代わりにマーケット・ポートフォリオ（S&P500）に投資すれば，小さなリスク負担で，大きなリターンを得ることができたからである。買手がM&Aの価値を享受できなかった理由は，複数の買手候補が絡んだ買収合戦にあった。1ヵ月間の買収合戦の結果，買収価格は跳ね上がった。KKRがRJRナビスコの株主に支払った価格は，1ヵ月前の市場価格の約2倍であった。

上場企業同士のM&Aを調査した実証研究によると，売手企業（被買収企業）の株価は上昇することが確認されている。一方，買手企業（買収企業）の株価はほとんど変化しない。株式市場は，M&Aが価値を生み出すと評価している。そして，M&Aが生み出す価値の大半は，売手企業の株主が受け取っている。

過去の事例を熟知している投資家は，買収価格や合併比率に対して敏感である。投資家は何でもかんでも反対するわけではない。理にかなった算出根拠の説明があれば，価値を生み出す機会に対して賛成を表明するだろう。投資家の理解を得るために，企業は算定根拠の詳細を開示する必要がある。

［図表6－3］は，田辺製薬と三菱ウェルファーマの合併基本合意書に掲載されている合併比率の算出根拠である。野村證券とメリルリンチが，企業側から提供された情報を用いて客観的に算出した交換比率の情報が示されている。田辺製薬と三菱ウェルファーマは，投資銀行の分析結果を持ち寄り，当事者間で慎重に協議・検討を重ね，1対0.69という株式交換比率に至った。

❸ M&AとEBITDAマルチプル法

企業価値や事業価値を評価する代表的な方法はDCF法であった。田辺製薬と三菱ウェルファーマの合併比率算定の事例からも分かる通り，M&Aの実務では，DCF法に加えて，いくつかの方法で企業価値が算定される。とくに，次式のEBITDAマルチプル法がよく用いられる[1]。EBITDA（Earnings Before Interest, Tax, Depreciation, and Amortization）は，利子・税・償却前利益であり，営業利益に償却費を加えて求めるのが一般的である。

　　　企業価値評価額＝EBITDA×適切な倍率（マルチプル）　　　（6－1）

---

[1] 企業価値評価において，EBITDAマルチプル法が優れていることを示した実証研究にBaker and Ruback（1999）がある。

第 2 章で紹介したアナリスト・レポートにも，EBITDA倍率（EBITDAマルチプル）が算出されている（再掲［図表 2 − 16］の最後の行を参照）。田辺製薬と三菱ウェルファーマの事例では，類似企業比較方式の中にEBITDAマルチプル法が含まれていたと考えられる。

（再掲）［図表 2−16］アナリスト・レポートにおける企業価値評価の事例

（単位：百万円）

	売上高	営業利益（税引き後）	減価償却費	設備投資	運転資本減増	FCF	FCFのPV（割引率4.7％）
2003/3	1,692,947	23,500	11,096	99,062	▲16,606	▲47,861	
2004/3	1,749,110	23,344	15,517	▲9,881	1,299	47,443	
2005/3	1,910,469	28,802	15,441	8,289	41,965	▲6,012	
2006/3	1,963,296	29,388	15,642	31,238	10,104	3,688	
2007/3（E）	2,109,921	32,729	15,000	5,000	▲8,066	50,795	48,515
2008/3（E）	2,098,052	31,732	13,067	5,000	▲791	40,590	37,028
2009/3（E）	2,179,897	34,810	12,475	5,000	5,456	36,829	32,088
2010/3（E）	2,260,272	37,383	11,992	5,000	5,358	39,017	32,469
2011/3（E）	2,339,327	39,555	11,599	5,000	5,270	40,884	32,495
(1) 5年間（2007−2011）のFCFのPVの合計							182,595
(2) 継続価値のPV（上段:前提，下段:結果）	永続成長率0％（定額CF）		永続成長率0.5％		永続成長率1％		
	691,388		777,565		887,033		
(3) 企業価値評価 =(1)+(2)	873,983		960,160		1,069,628		
EBITDA倍率	10.86倍		11.93倍		13.29倍		

（注）法人税率50％，割引率は4.7％（［図表2−13］），PVは現在価値を意味する。
残存価値は2012年度以降のFCFの現在価値。永続成長率0％の場合は，$(40,884 \div 0.047) \div (1.047)^5$ で算出。
永続成長率0.5％の場合は，$(40,884 \times (1.005)) \div (0.047 - 0.005)) \div (1.047)^5$ で算出。1％の場合も同様。
EBITDA倍率＝企業価値÷予想EBITDA，予想EBITDAは2007/3の営業利益（税引き前）65,458と減価償却費15,000の合計額80,458（EBITDA倍率については第6章で説明する）。

企業価値評価とEBITDAマルチプルの関係について，［図表 6 − 4 ］を用いて説明しよう。企業は，投資家から調達した資金を営業資産と金融資産に投下する。営業資産は，営業利益を生み出す。営業利益に償却費を加えた値がEBITDAである。償却費を加えるという意味で，EBITDAはキャッシュフローを意識した指標である。

EBITDAマルチプルは，営業資産の評価額とEBITDAの比率である。金融資産がない場合，営業資産の評価額は企業の評価額に一致する。企業の評価額は，有利子負債と株式時価総額の合計に等しい。金融資産がある場合，営業資産の評価額は，企業の評価額から金融資産を引いた値になる。実務では，有利子負債から金融資産（現預金や有価証券など）を控除して純有利子負債を求め，株

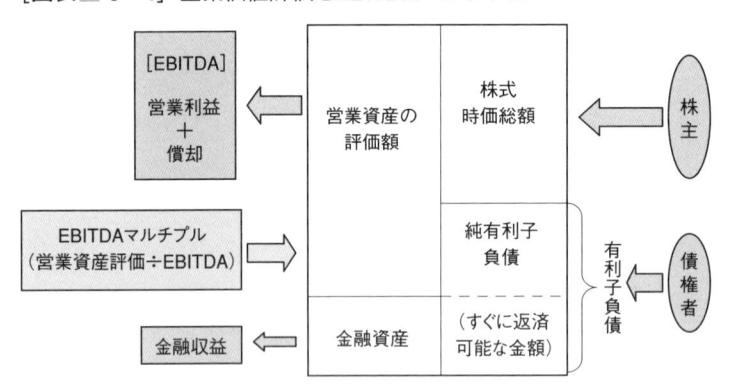

[**図表 6－4**] 企業価値評価とEBITDAマルチプル

```
           ┌─────────────┬─────────────┐
[EBITDA]   │             │   株式      │ ← 株
営業利益 ← │  営業資産の │ 時価総額    │   主
  ＋       │   評価額    │             │
 償却      │             │             │
           │             ├─────────────┤
EBITDA     │             │   純有利子  │  有  ← 債
マルチプル→│             │    負債     │  利    権
(営業資産  │             │             │  子    者
評価÷     │             ├ ─ ─ ─ ─ ─ ─┤  負
EBITDA)    │             │(すぐに返済  │  債
           ├─────────────┤ 可能な金額) │
金融収益 ← │  金融資産   │             │
           └─────────────┴─────────────┘
```

式時価総額を加えて算出することが多い。後に紹介する王子製紙の資料（[図表6－5]）にも同様の説明がある。

　株価を対象とする株価収益率（PER）や株価純資産倍率（PBR）と異なり，EBITDAマルチプルは有利子負債を含めた企業価値を評価の対象にしている。EBITDAマルチプルを用いた分析は，企業全体の価値評価が必要となるM&Aに適しているといえる。

　DCF法と異なり，マルチプル法には，将来のキャッシュフローを予測したり，割引率を推定したりする作業が必要ない。そのため，マルチプル法は企業価値評価の目処をつけるのに適している。次の記事にあるように，企業買収の専門家は，業界ごとにマルチプルの相場観をもって実務にあたっている。

>　中堅買収ファンドであるサイプラス・グループのハーネド氏は，M&Aの加熱を危惧する一人だ。例えば，食品業界の企業の買収額は，EBITDAの5倍以下が常識だった。今は6倍から6.5倍に跳ね上がっている。事業には必ず波がある。「次の不況で企業価値を大きく損ねる怖さがある」として，割高な案件には手を出さない姿勢を貫く。資金の多くを借入金に頼った買収は，破たんの宝庫であることを忘れてはならない。景気拡大と低金利に支えられた今はよいが，逆風が吹けば買収で借金を背負った足腰の弱い企業から追いつめられる。
>（出所：日経金融新聞2005年7月15日付9面）

❹ **EBITDAマルチプル法を用いた価値評価の事例**
　[図表6－5]は，王子製紙が北越製紙に買収提案を行った際の公開資料の

[図表 6-5] EBITDAマルチプル法の事例：王子製紙の北越製紙買収価格提案

■ 公開買付価格に基づくEBITDAマルチプルは、過去5年間のマルチプルを大幅に上回る水準です。

北越製紙のEBITDAマルチプル（実績ベース）の推移

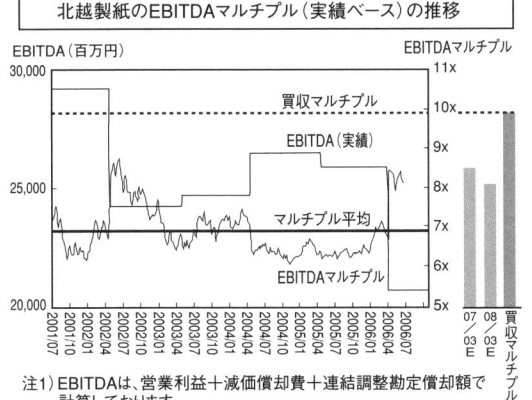

EBITDAマルチプル（過去5年間平均）
- 王子製紙: 9.1x
- 日本製紙グループ: 9.9x
- 大王製紙: 7.4x
- 北越製紙: 6.9x
- 三菱製紙: 11.9x
- 中越パルプ工業: 7.6x

注1) EBITDAは、営業利益＋減価償却費＋連結調整勘定償却額で計算しております。
注2) EBITDAマルチプルは、企業価値÷EBITDAで計算しております。
注3) マルチプル平均とは、公表前営業日（2006年7月21日）から遡る5年間のEBITDAマルチプルの平均値（週次）を表しております。
注4) 企業価値は、時価総額＋ネット有利子負債と定義しております。
注5) 時価総額は、週末の終値×期末発行済株式総数（自己株式及び子会社保有親会社株式を除く）で計算しております。
注6) ネット有利子負債は、有利子負債＋少数株主持分－（現預金＋有価証券）で計算しております。
注7) 財務データは、損益計算書項目については株価採用日現在において公表されている直前本決算期の実績値を、貸借対照表項目については株価採用日現在において公表されている直前本決算期または直前中期決算期のいずれか最新のものを使用しております。
注8) 株価に関しては、AMSUSの数値を採用しており、その他の数値に関しては、会社公表数値を使用しております。
注9) EBITDAマルチプルの07/03E、08/03Eは、北越製紙による増設発表日の翌日の2006年5月19日から2006年7月21日までにI/B/E/Sに掲載されたアナリスト予想平均値及び2006年7月21日終値により算出しております（07/03Eは2007年3月期予想を表し、08/03Eは2008年3月期予想を表しております）。
注10) 買収マルチプルは、本提案公開買付価格に基づき算定された企業価値及び2006年3月期のEBITDAにより算出しております。

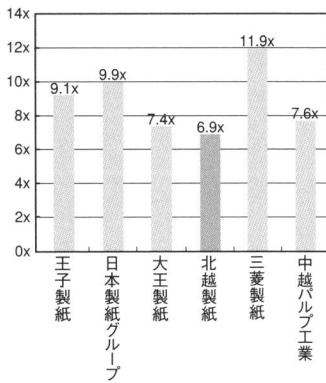

注1) 上記の数値は、公表前営業日（2006年7月21日）から遡る5年間のEBITDAマルチプルの平均値（週次）を表しております。
注2) EBITDAマルチプルの算定にあたっては、左図と同様の前提に基づいております。
注3) 平均値の算出にあたっては、20倍以上のEBITDAマルチプルは異常値として除外しております。
注4) 日本製紙グループは、2001年3月に株式移転によって新設されたため、連結本決算の数値が入手可能な2002年5月以降のEBITDAマルチプルに基づいて算出しております。

一部である。資料から分かるように、過去5年間の北越製紙の評価額は、EBITDAの6.9倍（資料右側のグラフ参照）であった。これに対して、王子製紙はEBITDAの10倍の値をつけた（買収マルチプル）。実績額6.9倍と提案額10倍の差は、経営統合による合理化効果やシナジー効果であると説明した。一般の投資家にとって、シンプルで分かりやすい説明であった。シンプルさと分かりやすさは、マルチプル法の特徴である。

［図表6-5］には、製紙業界に属する企業のEBITDAマルチプルが示されている。実務では、企業のマルチプルを同業他社のマルチプルと比較することが多い。同業他社が比較に適している理由は、定額CFモデルや定率CFモデル

から理解できる。

　第2章4節で述べたように，定額CFモデルは，キャッシュフローにマルチプル（$1/\rho$）を掛けたものとみなせる。定率成長モデルは，キャッシュフローにマルチプル$1/(\rho-g)$を掛けたものとみなせる（［図表2－4］参照）。マルチプルに影響するのは，WACCと成長率である。WACCはビジネス・リスクによって決まる。同じ業界に属する企業であれば，ビジネス・リスクと成長率は大きく異ならないと考えられるため，マルチプルを比較する意味がある。

　同じ業界に属し，営業内容が等しい企業のEBITDAマルチプルが大きく異なっていれば，市場が価値評価を誤っている可能性がある。マルチプル法は，割高に評価されている企業と割安に評価されている企業を見出す目安にもなる。

［図表 6－6］業界平均マルチプルを用いた阪神電鉄の評価の一例

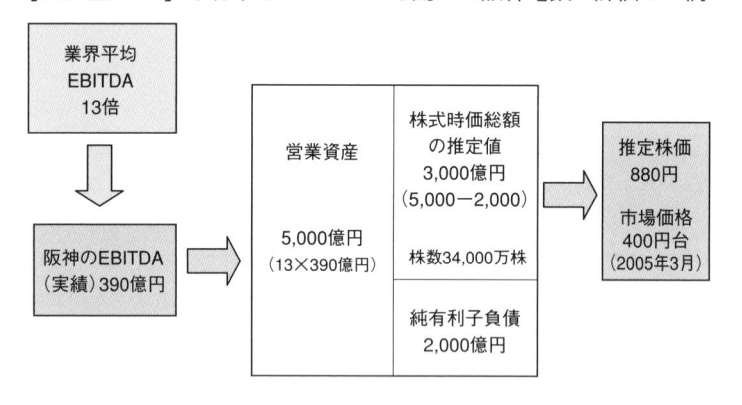

業界平均 EBITDA 13倍
↓
阪神のEBITDA（実績）390億円
→
営業資産 5,000億円（13×390億円）
株式時価総額の推定値 3,000億円（5,000－2,000）
株数34,000万株
純有利子負債 2,000億円
→
推定株価 880円
市場価格 400円台（2005年3月）

　［図表 6－6］は，2005年3月当時の関西私鉄企業（近鉄，京阪，南海，阪急）のEBITDAマルチプルの平均値を用いて，阪神電鉄の企業価値と株価を推定した一例である。マルチプルの平均値は，営業資産と金融資産の区分の仕方によって変わるが，大体13倍近辺であった。阪神の営業資産にマルチプルを掛け，純有利子負債を引くと，株式時価総額が推定できる。発行済み株式数（当時）で割ると，一株当たりの推定株価が求まる。関西私鉄のマルチプル平均を用いて推定した阪神の株式評価額は880円になる。当時，同社の株価は400円台であった。経営統合前の阪神電鉄は，業界平均のEBITDAマルチプルで見る限り，割安だったかもしれない。ただし，セグメントごとの売上高が異なる関西私鉄企業の平均を適用してよいかどうかという疑問は残る。

❺ M&Aにおける財務的な効果

　買手企業が買収資金を負債調達（銀行借入れや社債発行）することは少なくない。RJRナビスコの買収では負債が利用された。ソフトバンクや阪急ホールディングスは，買収資金の多くを負債調達した（ソフトバンクは第11章で紹介する証券化の手法を用いた）。

　M&Aにおいて，負債を利用する理論的な根拠は少なくとも二つある。一つは，負債の節税効果である。負債を利用すると支払利息が費用計上される。負債を利用しない場合に比べて，法人税の支払いが少なくなる。もう一つは，経営の規律づけである。負債調達に付随する元本と利息の返済という義務が，企業経営を規律づけるというのである。

　負債の利用には短所もある。負債の多い企業は，リスクに対して過敏になる。リスクを意識しすぎるあまり，競争に消極的になったり，有益な投資機会を見逃したりする。負債利用の長所と短所については，第7章と第8章で詳しく述べる。

　阪急・阪神の経営統合の事例を用いて，負債利用の節税効果を定量化してみよう。阪急は，経営統合の際に2,500億円の資金を負債調達した。負債の利子率として，当時の有利子負債利子率1.6％よりやや高めの2％を用いると，毎期の支払利息は50億円になる。法人税率は40％であるから，毎年20億円の節税効果が見込める。阪急・阪神ホールディングスは，経営統合によって増加した有利子負債を早期に償還すると計画しているが，節税効果を考えると長期的に保有するという選択肢もある。例えば，のれん消却期間と等しい20年間にかけて毎年20億円の節税効果を享受できると仮定しよう。負債の節税効果の割引率を2％とし20年間の節税効果の現在価値を求めると，

$$\frac{20}{1.02} + \frac{20}{(1.02)^2} + \cdots\cdots + \frac{20}{(1.02)^{20}} = 327億円$$

になる。

　現在価値327億円はシナジー効果や合理化効果が生み出したものではない。税制を利用したものである。当時，阪神電鉄の発行済み株式数は4億2,000万株であった。負債利用による節税効果は，阪神電鉄1株につき70円以上のプレミアムをもたらした計算になる。

>>4 アスティとエフ・ディ・シィ・プロダクツ(FDCP)の経営統合

❶ シナジー効果

2006年4月，アスティとエフ・ディ・シー・プロダクツ（FDCP）は，経営統合を発表した。FDCPは，若者をターゲットとする「4℃（ヨンドシィ）」のブランドをもち，宝飾品（ジュエリー）や服飾，バッグの製造・販売を展開している。アスティは，FDCFの発行済み株式の約6割を保有する親会社であり，アパレル，バッグ，ファッション雑貨などの製造販売を営んでいる。

アスティとFDCPは，経営統合によりシナジー効果と合理化効果を期待した。新会社は，全国の量販店，専門店，百貨店を網羅することになる。この販売基盤と顧客基盤を活用することで，収益の増加が期待できる。企画，商品開発，製造・販売活動の連携が容易になるため，事業創造や事業拡大が期待できる。資産規模が拡大することで，巨額なM&A投資や事業投資が実施しやすくなる。FDCPはIRを重視しており，とくに個人投資家向けのIR活動に積極的な取り組みをしている。FDCPのIR体制やノウハウを活用することで，アスティの事業に対する投資家の理解も深まるであろう。これらはシナジー効果である。管理部門の再編や情報システムの統合によるコスト削減は，合理化効果といえる。

［図表6－7］は，アスティとFDCPが投資家向け説明会で発表した新会社

［図表 6－7］ F&Aアクアホールディングスのシナジー効果

修正計画（統合効果含む） （百万円，％）

	06.2期実績	07.2期計画		08.2期計画		09.2期計画		06.2期比
	—	計画	4月計画比	計画	4月計画比	計画	4月計画比	—
売上高	(53,000) 47,390	56,000	—	60,000	—	65,000	—	(22.6%増) 37.2%増
シナジー効果	—	—	—	+70	—	+75	—	—
売上総利益	17,142	24,750	—	27,070	0.3%増	29,375	0.3%増	71.4%増
シナジー効果	—	—	—	+60	—	+75	—	—
営業利益	3,072	3,400	—	3,780	3.6%増	4,400	3.5%増	43.2%増
経常利益	3,495	3,700	—	4,080	3.3%増	4,600	3.4%増	31.6%増
シナジー効果	—	—	—	+10	—	+50	—	—
当期純利益	22	1,500	—	1,900	5.6%増	2,140	7.0%増	—

（出所）「株式会社F&Aアクアホールディングス戦略説明会資料」（2006年8月23日）

の経営数値目標である。表中，シナジー効果として示されている数値が，経営統合によって期待される効果である。

❷ 株式交換比率と株価動向

経営統合における株式交換比率は1対2に決定された。FDCPの株式1株に対して，アスティの株式2株が割り当てられた。株式交換比率を決定するにあたり，両社は第三者機関に分析を依頼した。両社は分析結果を持ち寄り，当事者間で慎重に協議・検討を重ね，1対2という株式交換比率を決定したという。

アスティとFDCPはともに上場会社である。交換比率の算定には，DCF法やマルチプル法に加え，市場株価の比率を用いることができる（市場株価平均法）。［図表6－8］には，経営統合の発表前における両社の株価比率を示している。FDCPから見た株価比率（FDCP対アスティ）は上昇傾向にあったことが分かる。過去の株価を見る限り，交換比率1対2は妥当なレンジに入っているように思える。

［図表6－9］は，経営統合発表後の両社の株価の動向である。株価比率は，FDCPの株価をアスティの株価で割った値である。経営統合発表の翌日，両社

［図表 6－8］ 経営統合発表前のFDCPとアスティの株価比率

期間（発表前）	①FDCP株価平均	②アスティ株価平均	比率（①÷②）
1年間	1,950円	1,116円	1.75
3ヵ月間	2,274円	1,250円	1.82
1ヵ月間	2,245円	1,182円	1.90

（注）過去の株価動向による分析（市場株価分析）。

の株価は株式交換比率に向けて調整した。株式市場全体（TOPIX）が上昇する中，アスティの株価は上昇し，FDCPの株価は下落した。前日に2.2であった比率は，交換比率2にほぼ等しい1.98まで低下した。

経営統合発表から2ヵ月後の2006年6月上旬，株式市場は大きく下落した。この時期にFDCPは自社株買いを発表した（6月6日）。第13章で詳しく述べるが，自社株買いは，株式市場の評価を高めるという仮説がある。TOPIXが下落する中でFDCPの株価は上昇した。アスティの株価は，TOPIXではなく，FDCPの株価に連動した。

アスティの株価が上昇した理由は二つある。一つは，株式交換比率が決めら

[図表 6-9] 経営統合発表後のFDCPとアスティの株価動向

	イベント	FDCP株価	アスティ株価	株価比率	TOPIX
4月5日		2,550	1,161	2.20	1,746
4月6日	経営統合発表翌日	2,405(−145)	1,213(+52)	1.98	1,775(+29)
……	……	……	……	……	……
6月6日	FDCP自社株買い発表 TOPIX大幅下落	1,951(+45)	990(+16)	1.97	1,567(−27)
6月7日	翌日 TOPIX大幅下落	1,960(+9)	1,006(+16)	1.95	1,533(−34)
6月8日	TOPIX 15,00割れ	1,920(−40)	976(−30)	1.97	1,482(−51)

れていることである。アスティの株価が下落して株価比率が2を大きく上回ると、簡単に儲かる機会が生じる。割安なアスティの株式を買い、割高なFDCPの株式を売ればよい。多数の投資家が虎視眈々と儲ける機会を狙っている株式市場では、そのような機会は長続きしない。もう一つは、アスティがFDCPの株式を大量に保有しているという事実である。FDCPの株価が上昇すると、アスティの資産価値が高まり株価も上昇する。

自社株買いが発表された翌日の株価も同じような動きであった。TOPIXは続落したが、FDCPとアスティの株価は上昇した。両社の株価比率が、株式交換比率から大きく乖離することはなかった。

❸ 投資家への説明

投資家の賛同が得られなければ、M&Aは成立しない。投資家の賛同を得るためには、理論を背景にした現実的で説得力ある説明をする必要がある。投資家と対話をすることで、社内の人間が見過ごしたり、見ぬふりをしたりしていることに気付くこともある。

アスティとFDCPのIR担当者は、経営統合に向けた投資家説明会について検討した。事業が消費者に密着しているため、個人株主を増やすことが事業にも活きてくる。両社の担当者は、個人投資家への説明を重視することにした。懸念もあった。経営統合することで、投資家はFDCPの事業だけに投資する機会を失う。アスティについても同様である。FDCPの株主でいたい、アスティの株主でいたい、という投資家を説得するためには、経営統合の効果と実現可能性を分かってもらうしかない。担当者は、綿密なIRストーリーを構築し、経営

トップが自ら説明する個人投資家向け説明会を計画した。FDCPが蓄積してきたIRのノウハウが活用された。

個人投資家向け説明会は，半年間に4回開催された。東京，大阪，広島（アスティの本社所在地）と地域的なバランスも配慮された。経営トップが経営戦略について，分かりやすく説明した。出席者へのアンケート調査によると，経営統合後の事業内容について，「よく分かった」「大体よく分かった」という回答が9割以上あったそうだ。個人投資家からの意見は，今後のIR活動や企業活動に活かしていくという。

2006年9月1日，アスティとエフ・ディ・シィ・プロダクツ（FDCP）は経営統合し，F&Aアクアホールディングスが発足した。新会社のIR担当は，経営統合直後に証券会社が主催する「女性のための投資フォーラム」に参加し，IR活動をスタートした。

>>5 アサヒビールの和光堂買収

❶ 戦略的な事業の売買

2006年5月，アサヒビール（アサヒ）は，株式公開買い付け（TOB）により，ベビーフード事業を営む和光堂を買収した。友好的なM&Aであった。買収前の和光堂の筆頭株主は大手製薬メーカーの第一三共である。第一三共は和光堂の株式の約6割を保有していた。アサヒビールが第一三共からベビーフード事業を買ったという構図である。

M&Aは重要な経営戦略である。買手であるアサヒと売手である第一三共は，それぞれの戦略的な判断によりM&Aに合意した。和光堂も，自社の事業戦略という観点から，このM&Aは好ましいと判断した。アサヒと和光堂の判断は，買収合意の記者会見における両社の経営トップの説明に表れている（日経流通新聞2006年4月26日付15面）。

> アサヒビール・萩田伍社長：「当社は食と健康をキーワードに事業を展開している。酒類事業が収益をあげているうちに，飲料事業と食品事業を伸ばし，グループ全体を成長させていきたい。和光堂の技術力や顧客層と相乗効果を発揮できれば，成長できると考えている」
>
> 和光堂・内田貞夫会長：「アサヒビールの傘下でブランドを強くできれば，大きく成長できる。第一三共は食品のノウハウが不足していた。流通だけでもアサヒと相乗

効果があるが，商品開発のスピードも増すと期待できる。韓国や中国など，海外展開でも協力を仰げると思う」

アサヒは，スーパードライの大ヒットにより，国内ビール・シェアでトップの座に着いた。ビールを中心とする酒類事業に経営資源を集中した成果であった。しかし，少子高齢化という流れの中で，国内酒類業界が縮小し始めた。最も主要な製品市場の成長が期待できなくなったといえる。ライバルであるキリンビール（キリン）は，ビール・シェアのトップの座から転落したことなどをきっかけに，多角化やグローバル化に力を入れている。売上高に占める酒類の割合は，キリンが65％を下回っているのに対し，アサヒは80％近くもあった。

国内酒類事業の伸び悩みが鮮明になるにつれ，アサヒは酒類事業への集中度を低下させ，戦略的な関連性がある多角化を始めた。少子高齢化の流れにもかかわらず，短時間で手軽に調理できるベビーフードの需要は増加傾向にある。和光堂の買収は，アサヒの多角化戦略の一環であり，戦略的な投資であった。第一三共とアサヒを比較すると，和光堂の事業と関連性が強いのはアサヒである。このことは，経営トップの説明からも理解できる。M&Aは価値を生むと期待された。

第一三共が和光堂を売却した理由は，コア事業への経営資源の集約化である。同社のコアである医薬品事業の売上高営業利益率は20％を上回っていた。一方，和光堂を含む非医薬品事業の売上高営業利益率は3％程度であった。和光堂の

[図表 6−10] アサヒビールと第一三共の事情

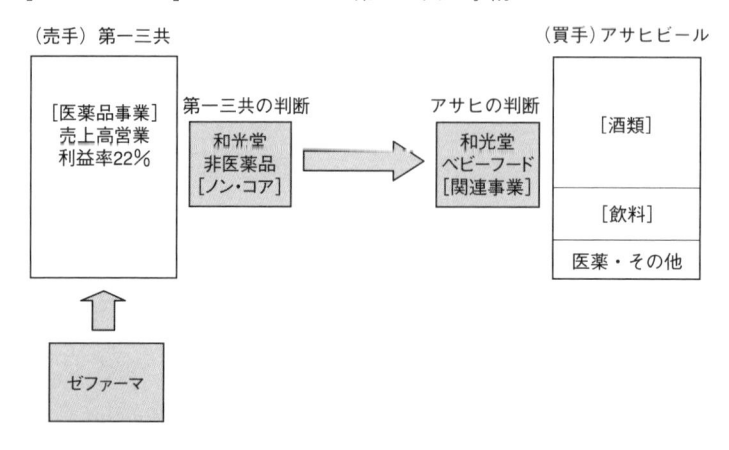

売却に合意する直前，第一三共は製薬メーカーのゼファーマを買収した。第一三共は，売上高営業利益率が高い医薬品事業への選択と集中を明確にした。

［図表6－10］は，売手と買手の事情を図示したものである。第一三共は，売上高利益率を基準として，ノン・コア事業である和光堂を売却すると判断した。アサヒは，関連分野への多角化の一環として，和光堂を買収したいと判断した。"集中と選択"を進める第一三共から，"多角化"を進めるアサヒへの事業譲渡である。戦略的な観点から見ると，売手にとっても，買手にとっても，そして事業にとっても，好ましいM&Aだったといえる。

❷ 売買価格と市場の反応

アサヒは和光堂の株式を一株当たり7,900円で買収することを決めた。和光堂の発行済み株式数は593万株であるから，全ての株式を取得すると，470億円の投資になる。

2006年1月以降，和光堂の株価は4,000円台を中心に推移していた。買収発表の直前1ヵ月間における和光堂の株価の平均は4,600円であった。アサヒは，市場価格を70％上回る価格で和光堂を買収したことになる。わが国における公開買い付けの平均的なプレミアムは，20〜25％だといわれている。アサヒは，かなり高額のプレミアムを支払ったことになる。

多数の投資家の意見が集約される株式市場は，第一三共が経営する和光堂の株式価値を4,600円と評価していた。和光堂の株式を一株7,900円で売却した第一三共は，"売る"という行為で価値を手に入れたことになる。

アサヒは，自社が経営する和光堂の株式価値を7,900円以上であると評価した。しかし，直前まで4,600円だったものを7,900円で買うという行為は，外部投資家にとって不自然に見える。記者会見では「買収価格が高いのではないか」という質問が出た。アサヒの萩田社長は次のように答えたという。「将来のキャッシュフロー予測に基づく収益率が社内基準を上回ったうえ，相乗効果が大きいと判断した。第三者意見も適正な価格であるというものだった」（日経流通新聞2006年4月26日付15面）。

それでも，株式市場は，アサヒの買収価格が高いとみなしたようである。同社の株価は買収発表後に下落した。［図表6－11］は，買収発表前後のアサヒの株価動向である。比較のため，キリンの株価とTOPIXの動向も示してある。短期間の間に，アサヒの株価は100円以上も下落した。下落率は6.5％であった。同期間にTOPIXはほとんど下落していない。アサヒの発行済み株式数は，約

4億8,000万株であるから，400億円以上の価値が失われたという解釈もできる。

[図表 6-11] 買収前後のアサヒビールの株価動向

	アサヒ	キリン	TOPIX
4月21日	1744	1729	1741
4月24日 （買収発表）	1697	1705	1710
4月25日	1697	1712	1702
4月26日	1662	1706	1715
4月27日	1630	1692	1729
期間騰落率	▲6.5%	▲2.1%	▲0.7%

　M&Aが価値を生むからといって，売手企業と買手企業の株価が同時に高くなるわけではない。買収価格が高いとみなされると，買手企業の株価は下落する。買収価格が高くなるのは，複数の買手候補が買収合戦に臨むからである。M&Aのブーム期には，多くの企業や投資ファンドが売り物を探している。買手が競い合うため買収価格は高くなる。M&Aが生み出す価値のほとんどを売手が手にすることになる。

　外部投資家には理解できない戦略的な重要性があるのかもしれない。高い買い物をする方が，その後の事業運営に必死になるという見方もある。「やはり高い買い物だった」といわれたくないためである。ただし，外部投資家が高すぎる買収だと見ると，一時的に株価は下落する。アサヒの株価が300円や400円であれば，100円の株価下落は深刻な経営問題に発展した可能性もある。

❸ ライバル社への影響

　アサヒのM&Aが，ライバル社であるキリンの評価に与えた影響について考察しよう。

　買収価格が割高だとすれば，アサヒは過大投資をしたことになる。過大投資は経営資源の浪費に近い。稀有な経営資源を効率的に利用できない企業は，競争力が低下する。アサヒの競争力は相対的に弱くなり，キリンの競争力は強くなる。株式市場がこのように判断すれば，アサヒの株価は下落し，キリンの株価は高くなる。

　アサヒの買収価格が理論的なレンジに収まっていれば話は違ってくる。アサ

ヒは，正のNPVをもつ投資を実施したことになる。一方，和光堂買収に参戦する機会があったキリンは，有益な投資機会を逃したことになる。株式市場は，キリンが逃した機会をネガティブに評価するであろう。この場合，アサヒの株価は上昇し，キリンの株価は下落する。

　［図表6-11］の株価動向を見る限り，アサヒの和光堂買収は，アサヒとキリン双方の株価にとって良い影響を与えなかったといえる。株式市場は，アサヒは過大投資をし，キリンは機会を逃したと判断したのかもしれない。割高に思えるM&Aをしなければならないほど，業界全体に成長余地がないことを再認識した可能性もある。

　キリンは，直後に好決算を発表した。買収合意のニュースが発表された2週間後の5月8日，キリンの株価は1755円まで上昇した。同日のアサヒの株価は1644円であった。キリンの株価がアサヒの株価を上回ったのは数年ぶりのことであった。

❹ 買収価格の再検討

　買収発表から3ヵ月近くが経過した2006年7月19日には，アサヒビールの和光堂買収について，次のような記事が掲載された（日本経済新聞2006年7月19日付〈朝刊〉「投資の勝算—成長戦略を追う—」より抜粋）。

> 　今年4月話題となったM&Aがある。アサヒビールによるベビーフード大手の和光堂の買収だ。TOB（株式公開買い付け）の価格は，市場の実勢を71％も上回り，買収総額は最大470億円に達した。「高すぎる」驚きの声が上がる中で，アサヒは同社なりの勝算をはじいていた。
>
> 　和光堂の2006年3月期の連結営業利益は11億円。アサヒはコスト削減やグループの連携による相乗効果で，連結営業利益が3年後に30億円，10年後に40億円になると想定し，フリー・キャッシュフローを計算した。投下資本のコストを7％弱として，現在価値を算出し，投資採算に合うTOB価格を算出した（[図表6-12] 参照）。
>
> 　アサヒは投資案件に要求する収益率（DCF法の割引率）を年3.3％＋αに設定している。DCF法で算出した和光堂の企業価値評価に照らすと，「要求収益率を確保するには買収額で500億円，現在の株価に対して約84％までプレミアムをつけることができた」（M&A担当者）という。

[図表 6-12] アサヒビールによる和光堂の価値評価

アサヒはDCF法を使って和光堂の企業価値を算出した

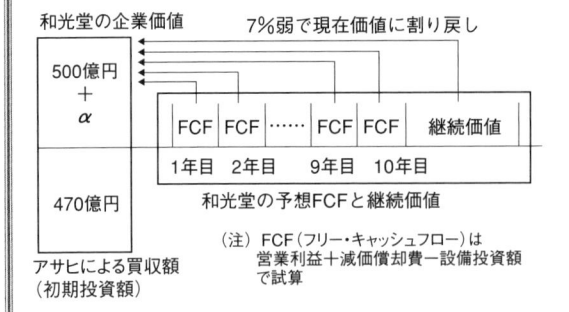

```
和光堂の企業価値   7%弱で現在価値に割り戻し
┌──────────┬─────────────────────────────┐
│ 500億円  │  FCF FCF …… FCF FCF  継続価値 │
│  + α    │  1年目 2年目  9年目 10年目     │
├──────────┤    和光堂の予想FCFと継続価値   │
│ 470億円  │                             │
└──────────┘
アサヒによる買収額
（初期投資額）
```

(注) FCF（フリー・キャッシュフロー）は
　　営業利益＋減価償却費－設備投資額
　　で試算

（出所）日本経済新聞2006年7月19日付（朝刊）「投資の勝算－成長戦略を追う－」

　DCF法の実践的な問題は，フリー・キャッシュフロー（FCF）の予測と割引率の推定である。アサヒビールは，FCFの主要因である営業利益を3年間で3倍にすると計画した。シナジー効果が大きいと考えたのであろうが，強気すぎる感がしないでもない。割引率については7%弱ということであるが，こちらは高すぎるかもしれない。

　買収発表時の和光堂の株式ベータは0.5，10年国債の利回りは1.5%であった。マーケット・リスク・プレミアムは5%とする（第2章で紹介したキッコーマンはマーケット・リスク・プレミアムとして4.8%を使用していた）。CAPMを用いて株式の資本コストを推定すると4%（1.5＋0.5×5）になる。キッコーマンの株式の資本コスト3.3%と比較すると，ベビーフード事業を営む和光堂の株式の資本コスト4%にそれほど違和感はない[2]。和光堂は，有利子負債に相当する現預金を保有しているため，実質的には無借金企業とみなせる。同社のWACCは株式の資本コストに等しい4%前後であると考えられる。

　割引率4%を仮定して，買収金額470億円を再検討しよう。割引率4%の下で定額CFモデルを適用すると，数年以内に和光堂のFCFを19億円まで高める自信があれば，アサヒの買収価格は妥当だったといえる。

　和光堂の買収をアサヒの成長戦略と位置づけるのであれば，定率成長モデルを適用すべきである。成長率1%を仮定すると，割引率は3%（WACC－成

2　野間・本多（2005）表4.2，は，2004年3月における産業別の平均WACCを推定している。それによると，和光堂の事業領域である食品と医薬品の業界平均WACCは，それぞれ3%と4%であった。

長率）になる。この場合，早急にFCFを14億円まで高める自信があれば，買収価格は妥当であったといえる。成長率2％を仮定すると，FCFを9億円まで高めることができればよい。

[図表 6－13] 和光堂の損益の推移

（単位：百万円）

	2003.3	2004.3	2005.3	2006.3
売上高	30,817	31,351	32,456	33,478
売上原価 （対売上高比率）	21,678 (70.3%)	21,860 (69.7%)	22,466 (69.2%)	23,923 (71.5%)
売上総利益	9,139	9,491	9,990	9,554
販売費・一般管理費 （対売上高比率）	7,566 (24.6%)	7,662 (24.5%)	8,027 (24.8%)	8,408 (24.8%)
営業利益 （売上高営業利益率）	1,572 (4.1%)	1,829 (5.8%)	1,962 (6.0%)	1,146 (3.4%)
経常利益	1,357	1,626	1,789	972
当期純利益	601	923	1,158	516

（注）2003年3月期は非連結，2004年3月期以降は連結。

[図表6－13] は，和光堂の利益の推移である。売上高は毎年伸びている。売上高営業利益率は，2006年3月期に落ち込んだが，それ以前は上昇傾向にあった。2006年3月期に営業利益が落ち込んだ理由は，競争激化と原材料価格の上昇である。

アサヒの仕入体制や販売網を活用したり，共同の商品開発が軌道に乗り出したりすると，利益率の改善が期待できる。2006年5月12日に発表された和光堂の決算短信には，次期の見通しとして「売上高3,400百万円，経常利益1,650百万円，当期純利益980百万円を見込んでおります」とあった。キャッシュフロー経営を掲げているアサヒが，FCFを早急に高めることは可能だと判断できた材料は揃っていたようにも思える[3]。

和光堂の事業に対する適切な割引率が7％であれば，買収価格は割高だった

---

3 アサヒは当時の中期経営計画（2004－2006年）において，次のように述べている。「収益性の向上と総資産の圧縮により資本効率を高めるとともに，キャッシュフローの最大化を目指します。創出されるキャッシュフローは，将来のグループの成長を支える戦略的な投資に振り向け，事業構造の変革による新たな成長をはかるとともに，株主還元の拡充や，金融債務のいっそうの削減による財務体質の強化をはかります」。

といえるだろう。一方，割引率が4％であれば，買収価格はそれほど高かったとはいえない。アサヒビールの和光堂買収は，価値評価における割引率の影響の大きさを再認識させるイベントでもあった。

>>6 成立しなかったM&A

　M&A専門誌の『マール』によると，2005年度（2005年1月-12月）に成立したM&Aは2,725件，2006年度に成立したM&Aは2,775件であった。この2年間は，平均すると1日当たり7〜8件のM&Aが成立している。食品企業間の事例（[図表6-2]）やソフトバンクによるボーダフォン日本法人の買収，阪急と阪神の経営統合，アスティとFDCPの経営統合などが含まれる。

　多くのM&Aがまとまる一方で，成立しなかったM&Aの案件も少なくない。最もよく知られている事例は，王子製紙の北越製紙に対する買収提案であろう。北越製紙の経営陣と労働組合が買収提案に反対したため，王子製紙は敵対的TOBによる買収を画策した。M&Aの歴史が古いアメリカでも，敵対的TOBの成功例は少ない。王子製紙のTOBは成立しなかった。経営陣同士が合意した友好的なM&Aの提案に対して，株主が反対したためにまとまらなかった事例もある。先に紹介した東京鋼鐵と大阪製鐵の経営統合である。ここでは，成立しなかった二つのM&Aについて再検討する。最後にHOYAとペンタックスのM&Aを取り上げる。当初は成立しなかったが，条件を変えることで経営統合が実現した事例である。

❶ 王子製紙と北越製紙の事例

　2006年7月3日，王子製紙は北越製紙に経営統合を提案した。北越製紙の経営陣は王子製紙の提案に反対し，買収防衛策の導入と三菱商事を引受先とする第三者割当増資を発表した。第三者割当増資とは，特定の投資家（ここでは三菱商事）を引受先として，株式発行による資金調達を行うことである。第三者割当増資を行うと，引受先の持ち株比率が高まる。三菱商事が引き受けた株式数は，王子製紙の発行済み株式数の23.5％にのぼった。発行価格は一株当たり607円であった。北越製紙の経営陣は，王子製紙との経営統合ではなく，三菱商事との関係強化を選択したのである。

　王子製紙は，第三者割当増資の撤回工作を行ったが，効果はなかった。同社は，8月に入り北越製紙に対する公開買い付け（TOB）を発表した。北越製

紙の経営陣と従業員（組合）が異を唱える敵対的TOBである。TOB価格は800円であった。先に紹介したように，王子製紙はM&Aにおける代表的なマルチプル法であるEBITDA倍率を用いて，北越製紙の株主と資本市場関係者に提案価格の妥当性を説明した（［図表6-5］参照）。

株式市場では株価がすべてに優先される。株式市場の関係者は，TOB価格が北越製紙の株主にとって魅力的であり，TOBが成立すると判断したのであろう。北越製紙の株価は上昇した。シナジー効果の一部を取り込めることを期待して，王子製紙の株価も上昇した。

企業同士のイベントでは，株価ですべてが決まるわけではない。王子製紙が提案したTOBには，三菱商事はもちろんのこと，北越製紙の取引金融機関や取引先が応じなかったという。さらに，王子製紙のライバル社である日本製紙が北越製紙の株式を市場で買い付け，TOBの阻止に動いた。王子製紙と北越製紙が経営統合した場合，製品市場での競争が不利になると判断したのである。周知の通り，王子製紙によるTOBは成立しなかった。

王子製紙によるM&Aの提案には，戦略的な関連性があった。株価の動向を見る限り，価値評価と価値配分は妥当であったと思われる。通常の事業投資であれば，理想的な価値創造経営につながったかもしれない。一方，M&Aが成功するためには，人の和や天の時が必要になる。買収企業のライバル社や，被買収企業の取引銀行や取引先などの利害も絡んでくる。

株主価値を重視する経営をサポートする考え方の一つは，株主が満足すれば，すべての利害関係者が満足しているというものである。現実はそれほど簡単ではないが，話の筋は通っている（第1章3節参照）。王子製紙と北越製紙のイベントでは，現実は簡単ではないという方向に結果が出た。M&Aの不成立を受けて，北越製紙と王子製紙の株価は大きく下落した。少なくとも，一部の株主にとっては不満が残る結果となった。

敵対的TOBを回避した北越製紙は，大きな課題を残すことになった。同社は，三菱商事が提供した資金を用いて，価値を創造しなければならない。さもなければ，自社の株主価値を毀損するだけでなく，三菱商事の株主価値をも毀損することになる。資本提携や株式持ち合いを検討する際には，自社の株主だけでなく，相手企業の株主価値に与える影響も考慮しなければならない。

❷ DCF法による王子製紙と北越製紙の株価の検討

筆者の一人は，長年資本市場関連の業務に携わってきた経験も踏まえ，王子

製紙と北越製紙の理論的な株価の算定を試みた（算定は2007年1月）。ここでは，DCF法を用いた算定プロセスの前提と結果の概要を紹介する。

王子製紙が北越製紙に経営統合を提案した理由は，業界が成熟化する中で，利益率を高める必要があったからだといわれている。利益率を高める方法として，主に二つの点が指摘されている。一つは，規模拡大による価格交渉力の強化を通じて売上高利益率を高めることである。もう一つは，紙製品の中でも利益率が高い分野に特化している北越製紙の事業を取り込むことで，グループとしての利益率を高めることである。

［図表6-14］のパネル（A）には，両社の売上高営業利益率の推移がグラフとして示されている。理論的にも経験的にも，売上高営業利益率には，企業活動の状況が集約されると考えられる。バブルとその崩壊をはじめ，景気の波の影響を観察する必要があるため，20年間程度の長期分析が必要になる。グラフから分かるように，両社の売上高営業利益率は，水準こそ決して高くないが，1990年代の後半を除いて安定した推移を示している。過去20年間の売上高営業利益率の平均は，王子製紙が5.8%，北越製紙が7.1%であった。売上高に注目すると，紙製品に対する需要は安定しているものの伸び率は小さい。紙製品は，投資関連財ではないため，景気の悪化が需要の減少につながることはない。実際，GDPに対する弾力性（感応度）は1を下回っている。安定的な需要は期待できるが，日本経済の成熟化を受けて，国内市場における大きな成長は望めない。総合的な製品展開を図っている王子製紙の売上高成長率は低くなるであろ

［図表 6-14］王子製紙と北越製紙の財務データ

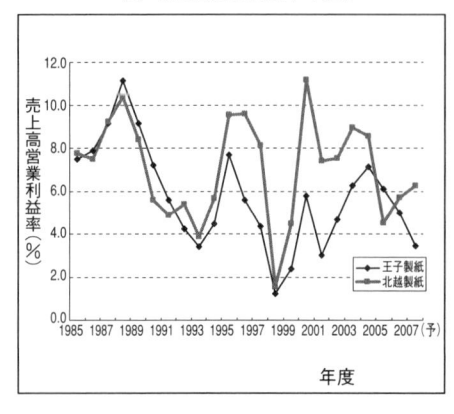

（A）売上高営業利益率の推移

（B）売上高営業利益率の推移

	売上高成長率	売上高営業利益率
王子製紙	2%	6%
北越製紙	2.5%	7%

う。一方，高品質製品にターゲットを絞った北越製紙の売上高は，消費の二極化の影響もあり，ある程度の成長が可能である。この予測は，過去20年間の売上高のトレンドと整合している。

　以上を踏まえて，企業業績とキャッシュフロー予測のベースとなる売上高成長率と売上高営業利益率を［図表6-14］のパネル（B）のように設定した。売上高営業利益率は，過去の平均値を重視し，王子製紙よりも北越製紙を高めに設定した。売上高成長率については，名目GDP成長率よりも低いという前提の下で，過去の推移を重視して，北越製紙の成長率を王子製紙より高く設定した。

　売上高の成長には新規投資が必要になる。ここでは，営業資産の回転率が一定であると想定し，必要な新規投資額を決めた。王子製紙については，新規設備投資計画が公表されているので，それも加味した。王子製紙の新規投資については，少なくとも既存設備と同じ回転率で稼働すると想定した。王子製紙の新規投資は，売上高成長率を高める要因になる。足元の業績については両社が決算短信などで公表している予測値を用いた。このようにして，2011年度までのフリー・キャッシュフロー（FCF）を推計した。この期間，王子製紙は新規設備投資がかさむので，FCFはマイナスか小さなプラスの値でしかない。2012年度以降の業績は，［図表6-14］パネル（B）の率で成長すると想定し，継続価値を評価した。

　DCF法に用いる割引率は，次のように推定した。無リスク利子率には長期国債の利回りを用いた。マーケット・リスク・プレミアムは3％としたが，これはリスクプレミアムが低下しているという最近の議論を踏まえたものである（もう少し高く想定する方が現実的という意見もある）[4]。筆者の経験からすると，紙パルプ業界に属する企業の株式ベータは低位で安定している。過去のデータから算出した業界平均の株式ベータは0.7を少し上回っている。業績の変動が大きくないという事実からも，この程度の株式ベータは現実妥当性がある。両社の株価算定基準を合わせるという意図もあり，株式ベータの基準値を過去の業界平均値に近い0.8として，資本コストを推定した。資本構成の算定には現状の株式時価総額と有利子負債額を用い，それを変えないと仮定した。

　これら諸前提に基づいて推定した王子製紙の株式評価額は，市場の時価総額とかなり近い値になった。推定値と市場価格の相違は一割以内に収まった。北

4　山口（2007，第5章）を参照。

越製紙についても，第三者割当増資が行われる前の時点では，DCF法による株式価値評価額と市場価格の間に大きな差が見られなかった。業績が安定している紙パルプ業界の価値評価においては，DCF法が適用しやすかったといえる。

王子製紙の買収提示価格は，北越製紙単独の株式価値（stand aloneの価値）にM&Aのシナジー効果を上乗せしたものであったといえる。北越製紙の株価が割安だったわけではない。買収成立によるシナジー効果を見込んで上昇した北越製紙の株式は，M&Aが成立しなかったことで，一連のイベントが起こる前の水準にまで下落した。

❸ 東京鋼鐵と大阪製鐵の事例

東京鋼鐵と大阪製鐵が属する電炉業界は，市況の影響を受けやすく，業績の変動が大きい。経営基盤を安定させるため，業界各社はM&Aなどを利用した規模の拡大を模索している。東京鋼鐵は，売上高150億円程度の小規模電炉メーカーである。同社は三井物産の系列であり，新日本製鐵とも関係が深い。売上高1,000億円の大手電炉メーカーである大阪製鐵は，新日本製鐵の系列にある。東京製鐵と大阪製鐵の経営統合は，両社にとって好ましい全社戦略であったといえる。

2006年10月26日，東京鋼鐵は大阪製鐵と経営統合し，子会社になる計画を株主に提案した。両社の経営陣や従業員が賛同した友好的なM&Aの提案であった。両企業は，東京鋼鐵1株に対して大阪製鐵の株式0.228株を割り当てるという株式交換を提示した。交換比率は，10月26日における東京鋼鐵の株価459円と大阪製鐵の株価2,085円の比率（0.220）に近い。

M&Aの提案が行われた後，臨時株主総会で賛否を決定するまでの期間にイベントが生じた。いちごアセットマネジメント（いちごAM）が，東京鋼鐵の株式を購入して10％を超える大株主となり，交換比率の見直しを求めたのである。いちごAMの主な主張は次の通りである。「東京鋼鐵の市場株価は割安である。加えて，過去のM&A案件を見る限り，子会社化される企業の株式には，平均して3割程度の買収プレミアムが付与されている。したがって，交換比率は少なくとも1：0.295である（東京鋼鐵の株式1株に対して大阪製鐵の株式を0.295株割り当てるべきである）」。

東京鋼鐵と大阪製鐵の経営陣は，いちごAMの主張に応じなかった。いちごAMは，東京鋼鐵の株主に対し，臨時株主総会において経営統合に反対するよう呼びかけた。周知の通り，臨時株主総会では，経営統合の決議に必要な3分

の２以上の賛成票は集まらなかった。東京鋼鐵と大阪製鐵の経営統合は白紙に戻った。

　アスティとFDCPの事例で述べたように，上場企業同士の経営統合比率の算出においては，市場株価の比率が参考になる。両社の経営陣が株主に提案した経営統合比率は，市場株価から大きく乖離したものではなかった。問題は買収プレミアムである。東京鋼鐵の株主が要求した買収プレミアムは，妥当であったのだろうか。この点について考えてみよう。

　東京鋼鐵と大阪製鐵は，同じ事業を営んでいる。過去の業績を分析すると，売上高営業利益率や売上高成長率は，大阪製鐵の方が良好である。東京鋼鐵が電炉メーカーとして突出した技術力や経営ノウハウを有していることはないと考えられる。大阪製鐵の売上高は，東京鋼鐵の約７倍である。経営統合によって，経営基盤の安定化というメリットを享受するのは，東京鋼鐵の方であろう。東京鋼鐵の株主が，３割もの買収プレミアムを要求できる状況ではなかったように思える。

　過去の事例を用いて買収プレミアムを要求する方法は，交渉戦術の一つである。しかしながら，買収プレミアムが常に付与されるわけではない。買収プレミアムは，M&Aが生み出すシナジー効果の配分である。本章３節で述べたように，複数の買手が存在する場合は，売手がシナジー効果の大部分を得ることができる。今回の案件では，経営統合の相手が決まっていたため，一方が多額のプレミアムを獲得できるという状況でもなかった。結局，シナジー効果の配分を巡る株主間の駆け引きが，価値を創造するM&Aの成立を妨げることになった。

　企業側にも問題があったようだ。東京鋼鐵の株主構成を見ると，三井物産や創業者一族が大株主として名を連ねている。これら大株主は，経営統合案に賛成するはずである。同社の経営陣は，経営統合案が可決されると思い込んでいたのではないだろうか。そのため，一般投資家に対する対応を軽々しく考えてしまったのかもしれない。少なくとも，経営統合の公表文書には，株主に対して経営統合の必要性を強く訴える説明がない。いちごAMが大株主として登場したとき，東京鋼鐵の経営者は焦ったであろうが，すでに遅かった。MBOの価格に対する投資家の不信感が募ってきた時期であったことも，東京鋼鐵と大阪製鐵に経営陣にとっては不幸だったといえる。天の時を得ていなかった。

　経営統合の案件は，経営陣から投資家への提案である。経営陣は投資家に積極的な情報開示を行い，密な対話を行うべきであった。現状，企業が要求され

ている開示情報は金融商品取引法で定められている項目（ディスクロージャー）である。ただし，法定開示情報は，投資家にとって必要最小限のものである。法定開示だけで，投資家との関係や対話がスムーズになる保証はない。M&Aのような大きなイベントに際して，投資家の理解を得るためには，法定開示を超える情報提供が必要である。現代では，日常的なIR活動も不可欠である。東京鋼鐵が日頃から積極的なIR活動を行うことで投資家の信頼を得ており，加えて経営統合の事情を丁寧に説明していたならば，3分の2以上の賛成票を集めることができたのではないだろうか。

❹ HOYAとペンタックスの事例

　2006年12月，光学ガラスメーカーのHOYAと一眼レフカメラの名門企業ペンタックスは，合併の基本合意に達した。合意内容は，2007年10月を目処に両社が合併，ペンタックスの普通株式1株に対してHOYAの普通株式0.158株を割り当てるというものであった。合併公表日前日の両社の株価は，HOYAが4,490円，ペンタックスが642円であった。割り当て比率は，ペンタックスの株主に配慮した形になっている（ペンタックスの株式に10％程度のプレミアムがついている）。

　それにもかかわらず，ペンタックスの大株主であるスパークス・アセットマネジメントやフィデリティ投信からは，評価が低すぎるという不満が表出した。同時に，ペンタックス社内での確執もあり，合意の実行が怪しくなった。2007年4月，ペンタックスの取締役会は合併推進派の社長を解職した。HOYAは株式交換による合併をあきらめ，友好的TOBによる経営統合を申し入れた。5月31日に公開された資料によると，TOB価格は770円に設定された。当時のHOYAの株価は3,900円前後であったから，ペンタックスの株式1株でHOYAの株式が0.197株買えることになる。ペンタックスの株主の主張が通ったといえる。また，人株主は，公開買い付けに応じることで，マーケット・インパクト（自身の売買で需給が崩れ株価が変動すること）を気にせず，保有株式を売却できる。

　［図表6－15］は，主要カメラメーカーの相対的な営業利益の推移である。ペンタックスは，1970年の上場以来，営業利益が大きく成長したことがない。経営の抜本的な改革が期待できない限り，同社は一般の投資家にとって魅力的な投資対象とはいえない。HOYAの提案をペンタックスの株主が受け入れたのは，妥当な判断であった。後は価格の交渉である。今回，実質的な価格交渉を

行ったのは，ペンタックスの経営陣ではなく，大株主の投資ファンドであったといえる。M&Aでは，買手は売手企業の株主から株式を購入する。本来，交渉の相手は企業の株主である。株主が交渉に影響を与えることは，自然な流れである。

[図表 6-15] 主要カメラメーカーの営業利益の（相対的）推移

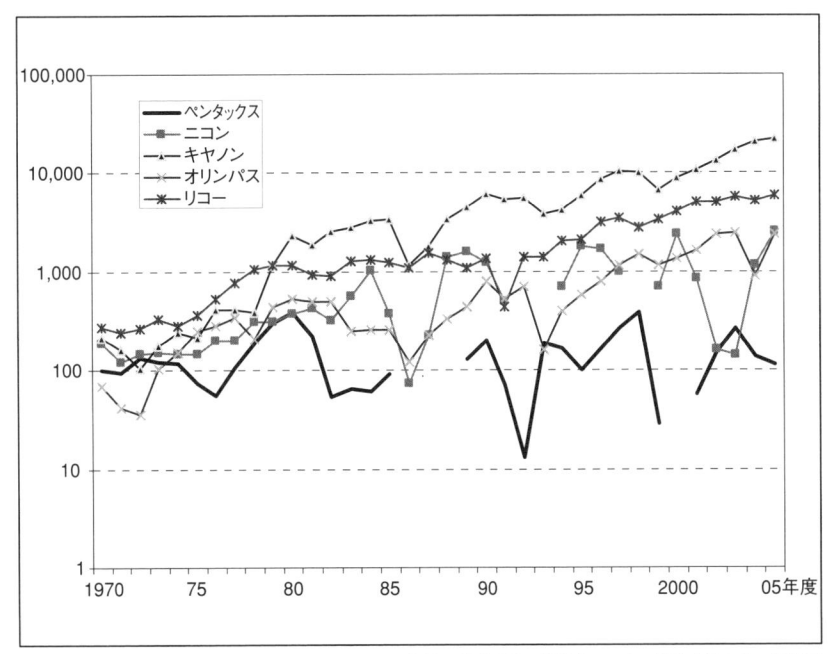

(注) 1970年のペンタックスの営業利益を100として各社の営業利益を指数化し，その推移を示した。営業利益がマイナスの年度は値が途切れている。表示していないが，ミノルタはコニカと経営統合するまで（2003年），ニコンやオリンパスと近い推移であった。

第7章
負債の利用と企業価値評価

>>1 資本構成とは何か

　これまでは，企業の投資行動に焦点を当ててきた。これからは，企業の資本・負債サイドに目を向ける。第7章から第11章までは，資本構成（Capital Structure）について，理論を解説し，いくつかの事例を紹介する。

　資本構成とは，負債と自己資本（株主資本）の組合せ方である。負債比率ということもある。負債比率は，総資本に占める負債の割合（総資本負債比率）や，自己資本に対する負債の割合（自己資本対負債比率）である。Debt（負債）とEquity（自己資本）の頭文字をとり，後者をとくにD/Eレシオということがある。

　投資家にとって，企業価値を最大にする最適な資本構成はあるのだろうか。ノーベル経済学賞を受賞したモジリアーニ教授（Modigliani, F.）とミラー教授（Miller, M.）は，いくつかの条件の下で，資本構成が企業価値に影響しないことを示した。彼らの研究成果は，MMの無関連命題として知られている。資本構成を巡る現代の諸仮説は，MMの無関連命題を嚆矢とする。

　レバレッジ（財務レバレッジ）効果という言葉を知っている方も多いだろう。コーポレートファイナンスにおけるレバレッジ効果は，負債を利用することで株主の期待収益率（期待ROE）が高まることをいう。もちろん，無償でROEが高まるという甘い話はない。その裏には，株主の負担するリスクが増大するという事実がある。効果という言葉に過大な期待をしてはならない。MMの無関連命題は，このように教えてくれる。

　現実的な諸要因を考慮すると，最適な資本構成は存在すると考えられている。ただし，最適な資本構成は，すべての企業に共通のものではない。企業の状態

や資本市場の環境に依存する。資本構成に唯一の理論はないが，企業経営にとって有益なヒントとなる条件付き理論は存在する。このことは，MMの無関連命題以降の資本構成の研究やコーポレートファイナンスの教育に大きな貢献をしてきたマイヤーズ教授（Myers, S.）も述べている[1]。

>>2 MMの無関連命題

［図表7－1（a）］は，負債をもたない企業U（英語ではUnlevered Firm）が生み出す1期後のキャッシュフロー情報を示している。本業がもたらすキャッシュフローに焦点をあてるため，営業利益が税・利息支払い前利益（EBIT, Earnings Before Interest and Tax）に等しいとしよう。簡単化のため，減価償却費と設備投資が等しく，運転資本の増減はゼロであると仮定する。法人税を考慮しなければ，企業UのフリーキャッシュフロＦＣ（FCF）は純利益に等しく，その値は営業利益（EBIT）に一致する。不況時には1,000，好況時には1,200，不況でも好況でもない中立時には1,100のFCFが生じる。それぞれの生起確率は3分の1であるから，期待FCFは1,100となる。企業Uは負債をもたないので，FCFはすべて株主に配分できる。

［図表 7－1（a）］負債がない企業U

	不況 (1/3)	中立 (1/3)	好況 (1/3)
営業利益 （EBIT）	1,000	1,100	1,200
元利 （債権者）	0	0	0
純利益 （株主）	1,000	1,100	1,200
FCF	1,000	1,100	1,200
企業価値	1,000＝1,100÷1.1 （株式価値1,000）		

［図表 7－1（b）］負債がある企業L

	不況 (1/3)	中立 (1/3)	好況 (1/3)
営業利益 （EBIT）	1,000	1,100	1,200
元利 （債権者）	520	520	520
純利益 （株主）	480	580	680
FCF	1,000	1,100	1,200
企業価値	1,000＝1,100÷1.1 （負債価値500，株式価値500）		

---

1 Myers（2003）を参照。マイヤーズ教授とブリーリー教授が執筆したテキストPRINCIPLES OF CORPORATE FINANCE（邦題『コーポレートファイナンス』）は，この領域で最も定評があるテキストである。

企業UのFCFを評価する適切な割引率を10%としよう。割引率10%は，企業Uの資本コストであり，株式の資本コストでもある。企業は1期間だけ営業する。企業価値は，期待FCFの現在価値であり，1,000（1,100÷1.1）になる。当たり前だが株式価値も1,000である。

　資本構成が企業価値に与える影響を分析するため，資産内容（事業ポートフォリオ）が同じで，資本構成だけが異なる企業を考えよう。［図表7－1（b）］は，負債をもつ企業L（英語ではLevered Firm）についての情報である。企業Lと企業Uは資産内容が等しく，同じ事業を営んでいる。したがって，本業からの利益である営業利益は等しい。

　企業Lは負債を500保有している。負債の利子率は4％である。元本と利息を合わせて，1期後に520を支払う必要がある。不況が起こっても，企業Lは負債の元利を支払うことができるため，デフォルトのリスクがない。負債の評価額は500（＝520÷1.04）である。

　法人税を考慮しなければ，営業利益から支払利息を引いた値が企業Lの純利益になる。株主に配分できる純利益と債権者に支払う元利の合計がFCFである。不況であっても，中立であっても，好況であっても，企業Lと企業UのFCFは一致する。FCFのリスクも等しい。同じ事業を営んでいるからである。

　事業とFCFのリスクが等しければ，割引率も等しくなる。企業LのFCFを評価する割引率は，企業Uに適用された10%である。企業Lの企業価値は，企業Uと同じく1,000（＝1,100÷1.1）になる。負債の価値が500，株式の価値が500である。

　企業Lの株式が500より低く評価されているとき何が起こるだろうか。例えば，企業Lの株式が400に評価されているとしよう[2]。企業Lの評価額は900，企業Uの評価額は1,000である。1期後に同じキャッシュをもたらす二つの企業の評価額が異なっている。賢明な投資家は，企業Lが割安（過小評価）であることに気付き，その株式を買うであろう。企業Lの株価は500まで上昇する。企業Lの評価額は1,000となり，企業Uと等しくなる。これでバランスがとれる。

　企業Lの株式が500より高く評価されているときは逆である。賢明な投資家は，割高な（過大評価されている）企業Lの株式を売るだろう。企業Lの株価は500に下落し，そこでバランスする。

2　株式投資と債券投資を比較すると，株式投資の方がより不確実である。そのため，価値評価は株式の方が難しい。過大評価や過小評価が起こりやすいのは，負債ではなく株式である。

割安なものを買い，割高なものを売ることを裁定取引という。裁定取引がよく機能する資本市場では，同じ事業を営む二つの企業の評価額は等しくなる。キャッシュを生み出すのは資産である。企業価値は資産の構成に依存する。資本構成には影響されない。これがMMの無関連命題のエッセンスである。

>>3 レバレッジの影響

MMの無関連命題が成り立つ世界では，負債の利用は価値を生まない。負債を利用することでROEの期待値が高まるという主張は，ハイリスク・ハイリターンを意味している。

再び企業Uと企業Lを比較しよう。［図表7－2］は，両企業のROEの比較である。企業UのROEは，株主が投下する自己資本1,000に対する投資収益率である。不況の場合，1,000の投資が1,000にしかならないから収益率は0％になる。中立の場合，1,000の投資が1,100になるから収益率は10％，好況の場合は1,000の投資家が1,200になるから収益率は20％である。企業Uの期待ROEは10％になる。

企業Lの株主は，自己資本500を投下して純利益を得る（［図表7－2（b）］参照）。期待ROEを計算すると16％になる。確かに，負債を利用することで期待ROEは高まっている。

[図表 7－2（a）] 負債がない企業U

	不況 (1/3)	中立 (1/3)	好況 (1/3)
純利益	1,000	1,100	1,200
自己資本 （株式価値）	1,000	1,000	1,000
ROE	0%	10%	20%
期待ROE		10%	
リスク		相対的に低い 株式ベータ＝1.0	

[図表 7－2（b）] 負債がある企業L

	不況 (1/3)	中立 (1/3)	好況 (1/3)
純利益	480	580	680
自己資本 （株式価値）	500	500	500
ROE	▲4%	16%	36%
期待ROE		16%	
リスク		相対的に高い 株式ベータ＝2.0	

(注) 自己資本は［図表7－1］の株式価値。ROE＝［（純利益）－（自己資本）］÷（自己資本）。
　　 株式ベータはCAPM（無リスク利子率4％，マーケット・リスク・プレミアム＝6％）として算出。

世の中にうまい話はない。リターンが高いときはリスクを疑うべきである。［図表7－2］から分かるように、それぞれの状態における企業UのROEは、0％、10％、20％である。一方、企業LのROEは－4％、16％、36％である。企業LのROEの方がハイリスクである。

CAPMが成り立つとき、リスクの指標はベータである。二つの企業の株式ベータを比較するため、無リスク利子率とマーケット・リスク・プレミアムの情報を追加しよう。企業Lの負債はリスクがないから、無リスク利子率を4％としてよいだろう。マーケット・リスク・プレミアムは6％とする。企業Uの期待ROEは10％であるから、CAPMが成り立つとき企業Uの株式ベータは1.0になる（4＋1.0×6＝10％）。企業Lの期待ROEは16％であるから、CAPMが成り立つとき、株式ベータは2.0になる（4＋2.0×6＝16％）。

負債を利用することで期待ROEが高まることを、レバレッジ効果ということがある。効果というと良い意味に聞こえるかもしれないが、そうではない。負債比率を高めると、株式のリスクが大きくなる。期待ROEが上昇するのは、リスク負担に対する見返りにすぎない。本書では、レバレッジ効果とはいわず、レバレッジの影響ということにする。レバレッジは、リターンだけでなくリスクにも影響する。レバレッジがもたらすリスクをファイナンシャル・リスクという。

>>4 ファイナンシャル・リスク

負債がない場合、株式のリスクは企業のリスク（ビジネス・リスク）に等しい。企業Uの株主が負担するリスクは、ビジネス・リスクのみである。株主が期待するリスク・プレミアムは、ビジネス・リスクに対応するビジネス・リスク・プレミアムになる。

CAPMの枠組みで考えると、ビジネス・リスクの相対的な大きさは、企業Uの株式ベータに等しい。つまり1.0である。ビジネス・リスク・プレミアムの大きさは、企業Uの株式のリスク・プレミアムである。数値例でいうと6％になる。

負債がある企業Lの株主は、ビジネス・リスクに加え、負債利用という財務戦略がもたらすファイナンシャル・リスクを負担する。負債がある場合、収益の安定的な部分が債権者に支払われるため、株主に帰属するキャッシュフローのリスクは大きくなる。この意味で、株主は追加的なリスクであるファイナン

シャル・リスクを負担する。企業Lの株主は，ビジネス・リスク・プレミアムに加え，ファイナンシャル・リスク・プレミアムを要求する。企業Lのファイナンシャル・リスク・プレミアムは，企業Lの期待ROEと企業Uの期待ROEの差である。数値例では6％になる。ファイナンシャル・リスクの相対的な大きさは，企業Lの株式ベータと企業Uの株式ベータの差で1.0になる。[図表7－3]は，二つの企業のビジネス・リスク・プレミアムとファイナンシャル・リスク・プレミアムを図示したものである。

[図表 7－3] 企業Uと企業Lの資本コスト

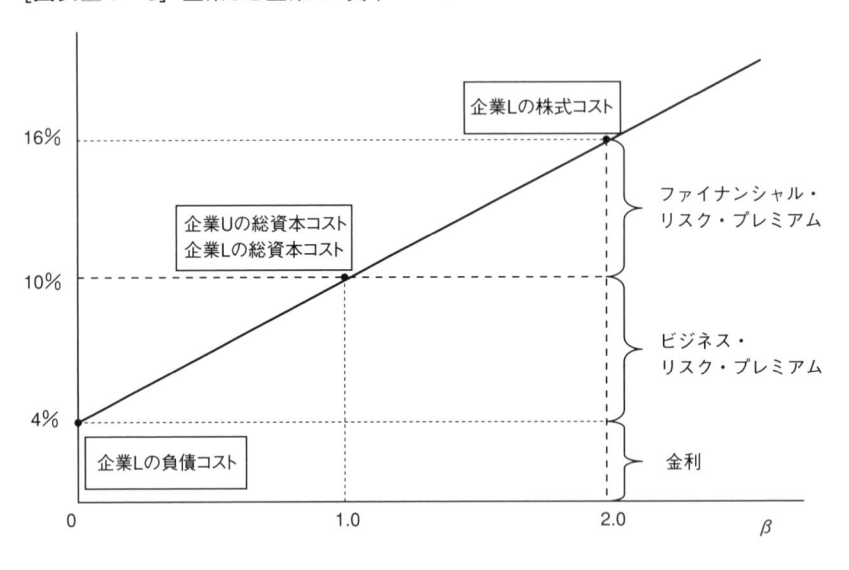

企業の総資本コスト（WACC）の公式を用いて，負債がある企業の株式のリスク・リターン関係について見ておこう。法人税がない場合，企業の総資本コストは次の式で与えられる。

$$R_V = \frac{D}{V} R_D + \frac{E}{V} R_E \quad (7-1)$$

R_Vは総資本コストであり，企業のビジネス・リスクに対応する。R_Dは負債の資本コスト（負債の利子率），R_Eは株式の資本コスト（株式の期待収益率，期待ROE）である。D/VとE/Vは，それぞれ負債比率と自己資本比率を表している。企業価値は負債と自己資本の和であるという事実（$V=D+E$）を用い

ると，（7－1）式から次式が導かれる。

$$R_E = R_V + (R_V - R_D)(D/E) \qquad (7-2)$$

　右辺第一項は，ビジネス・リスクに対応する期待収益率である。右辺第二項が，ファイナンシャル・リスクに対応している。負債利用の程度が大きいほど負債比率（D/Eレシオ）が高まり，ファイナンシャル・リスク・プレミアムは高くなる。企業Lの場合，$D/E = 1$，$R_D = 4\%$だから，その値は6％になる。

　MMの無関連命題は，負債を利用することで，株式のリスクとリターンが高くなることを意味している。負債の利用により期待ROEが高まるという主張の裏側には，ファイナンシャル・リスクが隠れている。

　負債の資本コストは株式の資本コストより安い。だからといって，負債を増やせば企業の資本コストが下がるというのは誤りである。負債は魔法の杖ではない。負債を増やせば株式のリスク（ファイナンシャル・リスク）が大きくなり，株式の資本コストが上昇する。資産内容や事業内容が変わらない限り，企業の総資本コストは変わらない。

>>5　ROEとROAと利子率

　［図表7－4］は，企業Uと企業LのROEとROAの関係を表している。ここでは，ROAを総資産営業利益率（営業利益÷総資産）としている[3]。両企業の総資産は，企業価値1,000に等しい。負債がない企業UのROAとROEは等しくなる。ファイナンシャル・リスクがある企業LのROEは，企業Uより変動が大きい。不況時にはROAを下回り，中立時と好況時にはROAを上回る。このことはグラフからも見てとれる。

　負債がある企業のROEと負債がない企業のROEが等しくなるのは，ROAが負債の利子率に一致するポイントである。いまの場合，ROA＝4％のところで，両企業のROEが等しくなる。グラフから推測できるように，レバレッジの利用が良い結果をもたらすか否かは，ROAと負債利子率の大小関係に依存する。このことは，（7－2）式からも推測できる。（7－2）式は期待収益率（資本

---

[3]　第1章で述べたように，ROAは総資産事業利益率（事業利益÷総資産）で定義されることが多い。事業利益は，営業利益に金融収益を加えたものである。ここでは金融資産を考えていないので，事業利益と営業利益は一致する。

[図表 7-4] 企業Uと企業LのROAとROE

企業UのROAとROE

	不況	中立	好況
ROA	0%	10%	20%
ROE	0%	10%	20%

企業LのROAとROE

	不況	中立	好況
ROA	0%	10%	20%
ROE	▲4%	16%	36%

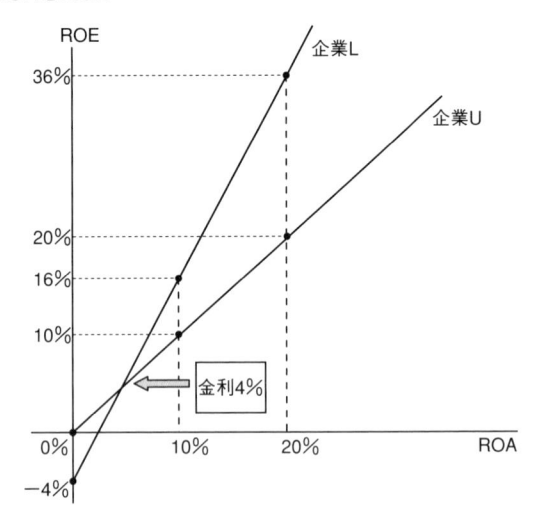

コスト）についての関係式であるが，実現収益率についても同様の関係式が成り立つ[4]。

$$ROE = [ROA + (ROA - 負債利子率) \times (D/E)] \quad (7-3)$$

　負債利用がうまくいった場合，言い換えると負債の利子率を上回る収益が稼げたとき，レバレッジ（D/E）はROEに好影響を与える。[図表7-4]の例でいうと，業績が好調（好況）でROAが負債利子率を上回ったとき，企業LのROEは企業UのROEより高くなる。逆に，不況時の業績悪化によってROAが負債利子率を下回ると，レバレッジが裏目に出る。このとき，企業LのROEはマイナスになる。

　レバレッジに関する最近の記事を紹介しよう。日経金融新聞2006年8月16日付「企業に借り入れ圧力，市場ROEの頭打ちを懸念」からの抜粋である。

「借入れを増やせば日本企業の自己資本利益率（ROE）が高まり日本株を買い増すのに」。

---

[4] 導出については，日本証券アナリスト協会編（2004）13章，を参照。現場では，簿価をベースにしたROEとROAについて，(3) 式を用いた分析を行うことが多い。実際のROEは税引き後利益であるため，法人税を調整する必要がある。

投資家がいらつくのは，ROEに頭打ちの懸念が出始めているからだ。東京証券取引所第１部に上場し，2000年３月期以降の連結決算データが入手できる1068社を調べたところ，2001年３月期に4.6％だったROEは2006年３月期には8.8％まで急上昇した。一見好調だが，ROEを売上高当期利益率，総資産回転率，財務レバレッジ（負債比率）に分解するともろさも見える。
　売上高利益率は2002年３月期のマイナス0.1％で底打ちし，2006年度は3.8％に上昇した。回転率も改善傾向にある。これに対して，財務レバレッジは低下の一途をたどっている。
　限られた元手で利益を極大化するために，どれだけ負債を膨らませているかを示すのがレバレッジである。日本企業は，バブル崩壊後の財務リストラで負債を圧縮してきた。調査対象企業の有利子負債（短期・長期借入金と社債の合計）は，ピークの1997年度から2005年度末まで2割強減っている。
（中略）
　利益率と回転率が前期並みとして，レバレッジを2000年当時の3.4倍程度まで高めれば，今期の期待ROEは12.7％に跳ね上がる。もっとも，レバレッジは財務の安全性を損なう劇薬でもある。借り入れを極端に増やすと信用度が低下，期待とは逆に株安を招きかねない。
　日本板硝子は英ピルキントン社の買収で新規借り入れを実施，新株予約権付社債（転換社債＝ＣＢ）も1,100億円発行した。2006年３月期の有利子負債は，前の期からほぼ倍増し，６月には格付投資情報センター（R&I）が発行体格付けをトリプルＢプラスからトリプルＢに下げた。「成長分野の自動車用板ガラスで世界シェアの３割を確保できる」（銀行系証券）との期待で４月に773円まで強含んだ株価だが，足元は収益の不透明感から500円台前半でもみ合っている。

　借入れを増やせば，レバレッジの影響でROEは高まる可能性がある。そのことが株価上昇に結びつくとは限らない。これまで述べてきたように，株式のリスクも増加するからである。記事の中にも，レバレッジを高めるとリスクが高まることが述べられている。
　コーポレートファイナンスの理論に立脚すると，企業は財務戦略を通じてROEをコントロールすることができる。企業Uと企業Lを比較すればよく分かる。両企業のROAは等しいが，負債比率に応じてROEは様々な値をとる。ROEの数値だけで企業の力を比較することはできない。企業の実力は，財務戦略によってコントロールしやすいROEではなく，ROAである。財務戦略によ

ってROAをコントロールすることはできない。この意味で，ROAの方が企業の真の力を表している。

企業Uと企業Lの企業価値が等しいのは，ROAが等しいからである。企業の財務担当者の多くは，このことをきちんと理解している。理解している上で，投資家が注目しているROEにも気を配っている。

上の記事によると，日本企業は負債比率を下げながらROEを高めてきたという。これは特筆すべきことである。ROAが変わらなければ，負債比率の低下はROEの低下につながる。このことは（7－2）式や（7－3）式から理解できる。負債比率の低下とROEの上昇を実現するためには，ROAを大幅に高めなければならない。日本の株式市場が上昇した本当の要因は，真の力であるROAが大幅に改善したからである。

>> 6　負債利用の節税効果

MMの無関連命題では，法人税が考慮されていない。実際には，企業の利益の一部は法人税として政府に支払われる。政府の取分である法人税が少なければ，投資家の受取額は大きくなり，投資家にとっての企業価値は高くなる。法人税が多ければ，投資家の受取額は小さく企業価値も低くなる。法人税は支払利息を控除した利益に課せられるため，負債の利用は節税効果をもつ[5]。

具体的な数値例で見ておこう。これまでと同様に，営業利益がEBIT（税・利息支払い前利益）に等しいと仮定し，負債をもたない企業Uを考える。企業Uのビジネスは，毎期100の期待EBITを永続的にもたらすとしよう。法人税率は40％である。企業Uは，毎期EBITの4割を法人税として納め，残り6割を株主に配分する。割引率を10％とすると，定額CFモデルより，株式価値は600（60÷0.1）となる。法人税の現在価値は400，EBITの現在価値は1,000である。このことは，「図表7－5（a）」に示されている。

企業Lは負債をもつ企業である。負債額は500，利子率は5％とする。毎期の支払い利息は25である。［図表7－5（b）］では企業Lのキャッシュフローの計算と価値評価額が示されている。EBIT（営業利益）から支払利息を控除した課税前利益は75，法人税は30，純利益は45である。株主と債権者に配分可能なキャッシュフロー（CF）は，純利益と支払利息の合計で70となる。企業Uより

5　負債の節税効果についてはGraham（2000）やMyers（2003）なども参照。

[図表 7-5] 法人税の影響

(a) 負債のない企業U (割引率10%)		
	毎期の期待値	評価（現在価値）
営業利益（EBIT）	100	1,000
法人税（40%）	40	400
純利益（CF）	60	600

(b) 負債がある企業L (負債500, 利子率5%)		
	毎期の期待値	評価（現在価値）
① 営業利益（EBIT）	100	1,000
② 支払利息	25	500
③ 税前利益（①−②）	75	500
④ 法人税（③×40%）	30	200
⑤ 純利益（③−④）	45	300
CF（②+⑤）	70	800

（注）EBIT＝営業利益。営業外損益, 特別損益, キャッシュフロー調整項目は考慮しない。

10だけ多い。

　企業LのCFが企業Uより多いのは，法人税の支払額が少ないからである。その理由は，支払利息を費用計上できることで，課税対象額が低く抑えられることにある。企業Uは，EBITがすべて課税対象となる。企業Lは，EBITから支払利息を控除した金額が課税対象となる。企業Lの支払利息は25だから，法人税率40%を掛けた10だけ法人税が少ない。

　企業Lの負債の評価額は500（＝25÷0.05）である。EBITの評価額が1,000であるから，課税前利益（法人税と純利益）の評価額も500になる。毎期の課税前利益は75であるから，その割引率は15%（＝75÷500）のはずである。すぐ後に述べるが，負債の節税効果の割引率が利子率に等しいとき，企業Lの法人税と純利益の割引率は，ともに15%になることが分かる。したがって，法人税の現在価値は200，株式の評価額は300になる。企業Lの企業価値は，負債500と株式300の合計800となり，企業Uの600を上回る。企業Lは，負債を利用することで，投資家への配分を増やしたといえる。これが負債の節税効果である。[図表7−6]は，このことを図示してある。

　言うまでもないが，負債を利用することで，企業の生産性が改善したり，収益性が高まったりするわけではない。投資家と政府の配分比率とリスク負担が

[図表 7－6] 企業Lの価値評価

節税効果の割引率がR_Dのケース

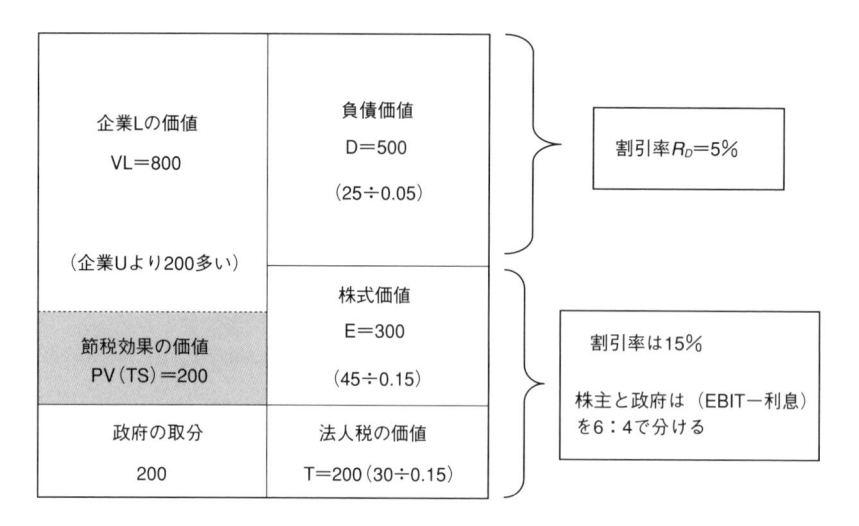

企業Lの価値 VL＝800	負債価値 D＝500 (25÷0.05)	割引率R_D＝5％
（企業Uより200多い）	株式価値 E＝300 (45÷0.15)	割引率は15％ 株主と政府は（EBIT－利息）を6：4で分ける
節税効果の価値 PV(TS)＝200		
政府の取分 200	法人税の価値 T＝200(30÷0.15)	

変わるだけである。

≫7 負債の節税効果と企業価値評価

　負債がある企業Lの価値評価について詳しく解説しよう。以下では，三つの方法を紹介する。それぞれの方法は，［図表7－7］にまとめてある。

❶ APV法

　最も自然な企業Lの価値評価の方法は，企業Uの評価額に負債の節税効果の現在価値を加えるというものである。この考え方をAPV法（Adjusted Present Value method：調整現在価値法）という。

　負債がない企業Uの評価額は600である。企業Lが500の負債を維持すれば，節税効果の期待値は毎期10となる。問題は節税効果の割引率である。節税効果の割引率は節税効果のリスクに依存する。最もシンプルで楽観的な考え方は，節税効果のリスクが負債のリスクに等しいというものである。

　安定した収益をあげ続ける企業が，コンスタントな負債水準を維持するとき，毎期一定の節税効果が期待できる。この場合，負債の資本コスト（利子率）を

[図表 7-7] 負債がある企業の企業価値評価

節税効果の割引率がR_Dのケース

	分子	分母	加算
APV法	企業UのFCF EBIT(1－t)＝60	企業Uの割引率 R_U＝10%	節税効果価値 $tDR_D/R_D=tD$＝200
WACC法	企業UのFCF EBIT(1－t)＝60	税引後WACC R_V^*＝7.5%	なし
CCF法	CCF EBIT(1－t)＋tR_DD＝70	税引前WACC R_V＝8.75%	なし

(注) tDR_Dは毎期の負債の節税効果である。
CCFはFCFより節税効果の分だけ大きい。

節税効果の割引率としてよいだろう。数値例における負債の資本コスト 5 ％を用いると，節税効果の現在価値は200（＝10÷0.05）になる。企業Lの評価額は，企業Uの評価額600に節税効果の200を加えた800になる。負債が500あるから，株式価値は300である。企業Lの株主に配分されるキャッシュは，税引き後利益45である。定額CFモデルによると，株式の期待収益率（資本コスト）は15％（＝45÷300）であることが分かる。[図表 7－6] ともつじつまが合う。

❷ WACC法

価値評価において最もポピュラーな方法がWACC法である。株式市場が効率的であれば，投資家は企業Lの株式時価総額を300と評価し，15％の収益率を期待しているはずである。負債は500，負債利子率は 5 ％である。

WACC法では，負債の節税効果を分母の割引率で調整する。具体的には，次式のR_V^*で与えられる法人税を考慮したWACCが割引率となる。

$$R_V^* = \frac{D}{V} R_D (1-t) + \frac{E}{V} R_E \tag{7-4}$$

数値例では，負債比率（D/V）5/8，負債の資本コスト（R_D）5 ％，法人税率（t）0.4，自己資本比率（E/V）3/8，株式の資本コスト（R_E）15％である。これらを（7－4）式に代入すると，R_V^*＝7.5％になる。

WACC法の分子には，負債の節税効果を考慮しないキャッシュフローが用

いられる。つまり，負債がない企業Uの期待FCFである。企業Uの毎期のFCFは，税引き後営業利益（EBIT $(1-t)$）＝60で与えられる。

WACC法は，FCFをR_V^*で割り引いて企業価値を算出する。もちろん，APVで求めた評価額とWACC法で求めた評価額は等しくなる。確かに，60÷0.075＝800となっている。

❸ CCF法

CCF法（Capital Cash Flow method：キャピタル・キャッシュフロー法）は，分子のキャッシュフローで負債の節税効果を調整する方法である[6]。CCF法の分子には，負債の節税効果を考慮した企業LのFCFが用いられる。数値例では70になる。企業Lが資本（Capital）の提供者である投資家に配分できるキャッシュフローである。このキャッシュフローをキャピタル・キャッシュフロー（CCF）という。負債がない企業では，FCFとCCFが等しくなる。

CCF法の分母は，法人税を考慮しないWACCである（7－1）式のR_Vで与えられる。再掲しておこう。

$$R_V = \frac{D}{V} R_D + \frac{E}{V} R_E$$

WACC法で用いたそれぞれの値（$D/V=5/8$，$R_D=5\%$，$E/V=3/8$，$R_E=15\%$）を代入すると，$R_V=8.75\%$になる。CCF法による企業Lの価値評価は，予想通り800（＝70÷0.0875）になる。

❹ 節税効果のリスクと評価

企業は常に負債水準を一定に保つわけではない。事業環境の悪化により業績の落ち込みが予想される時期には，できるだけ負債を減らそうとするであろう。逆に，事業環境が良好な時期は，負債調達による積極的な投資を行うこともあるだろう。事業環境に応じて負債水準を変化させると節税効果も変動する。この場合，負債の節税効果には，企業のビジネス・リスクと同程度のリスクがあると考えられる。

ビジネス・リスクに対応する割引率は，負債をもたない企業Uの資本コスト

---

6 CCF法の詳細については，Harvard Business School（Case No. 9-295-069）やKaplan and Ruback（1995）を参照。

であると考えられる。節税効果の割引率が企業Uの割引率と等しい場合，負債がある企業Lの価値評価はいくらになるだろうか。これまでと同様に，企業Lの負債は500，負債利子率は5％，節税効果の期待値は10である。節税効果の割引率には，ビジネス・リスクに対応する割引率（企業Uの資本コスト）10％を用いる。節税効果の現在価値は100である。［図表7－8］には三つの方法が示されている。

［図表 7－8］負債がある企業の企業価値評価

節税効果の割引率がR_Uのケース

	分子	分母	加算
APV法	企業UのFCF EBIT$(1-t)$＝60	企業Uの割引率 R_U＝10％	節税効果価値 tDR_D/R_U＝100
WACC法	企業UのFCF EBIT$(1-t)$＝60	税引後WACC RV^*＝8.57％	なし
CCF法	CCF EBIT$(1-t)+tR_DD$＝70	税引前WACC $R_V=R_U$＝10％	なし

（注）tDR_Dは毎期の負債の節税効果である。
　　　CCFはFCFより節税効果の分だけ大きい。

APV法

APV法によると，企業Lの価値評価は，企業Uの評価額と節税効果の現在価値100を合わせた700になる。内訳は，負債が500，株式価値が200である。税引き後利益が45だから，株式の期待収益率は22.5％（＝45÷200）のはずである。投資家に配分される節税効果のリスクが高まると，それが株式のリスクに転化される。ハイリスク・ハイリターンの原則より，株式の期待収益率（資本コスト）は上昇する。

WACC法

WACC法の分子であるFCFは税引き後営業利益60である。法人税を考慮した割引率は，（7－4）式に$D/V＝5/7$，$R_D＝5％$，$t＝0.4$，$E/V＝2/7$，$R_E＝22.5％$を代入した8.57％になる。節税効果のリスクの高まりが，株式の資本コストを通じてWACCの上昇をもたらしている。WACC法による企業Lの価

値評価額は700（＝60÷0.0857）である。

CCF法

最後にCCF法について見ておこう。CCF法の分子は節税効果を考慮したキャピタル・キャッシュフロー70である。割引率には，法人税の影響を考慮しないR_Vが用いられる。$D/V=5/7$，$R_D=5\%$，$E/V=2/7$，$R_E=22.5\%$を代入すると，$R_V=10\%$となる。これは，ビジネス・リスクに対応する割引率に等しい。企業Lの価値評価は700（＝70÷0.1）である。

節税効果のリスクとビジネス・リスクが等しいとき，CCF法の割引率はビジネス・リスクに対応する割引率（企業Uの資本コスト）になる。ビジネス・リスクは資本構成に影響されないため，CCF法の割引率（R_V）もレバレッジと無関連である。この場合は，企業のレバレッジが変化しても割引率を再計算する必要はない。

節税効果のリスクと割引率によって，負債がある企業の価値評価は影響を受ける。ここでは二つの極端な場合を解説した。節税効果の割引率が負債利子率に等しい場合と，ビジネス・リスクに対応する割引率に等しい場合である。実際の節税効果の割引率は両者の中間に位置すると考えるのが現実的であろう。

≫8　負債利用とデフォルト・コスト

❶ デフォルト・コスト

投資家の立場からすると，節税効果を目的にした負債の利用は好ましい。だからといって，企業が負債を増やし続けるのは問題である。デフォルトのリスクが大きくなるからである。

　負債が増えると毎期の返済額も増える。返済ができなければ債務の不履行（デフォルト）である。デフォルトに陥ると，法的手続きに必要な費用がかかる。アフターサービスの低下を嫌って顧客離れが起こる。取引先が取引を打ち切ったり，取引条件を厳しくしたりする。負債を返済するために，在庫や固定資産を叩き売らねばならない。経営者が資金繰りや債権者への対応に追われ，本来の業務が遂行できない。従業員のモチベーションが低下する。これらの諸要因により，企業のキャッシュフローが減少する。デフォルトが原因で生じる典型的なコストである。

　デフォルト・コストが発生するのは，債務不履行が発覚した後だけとは限ら

ない。債務不履行の可能性が高まるだけで，顧客離れや取引関係の悪化は起こる。銀行からの追加融資が困難になり資金繰りが悪化する。経営者と従業員は不安になる。デフォルトに陥る可能性が高いとみなされるだけで，企業のキャッシュフローが低下する。これもデフォルト・コストである。

さらに，多額の負債を抱える企業は，そうでない企業に比べて，価値創造の機会を逃すことがある。内部資金が不足しており，有益な新規投資案件を実施するための資金を外部から調達する場合を考えよう。多額の負債が原因で，資金調達が困難になることがある。

大きな理由は，新規に資金提供した投資家が，プロジェクトからのキャッシュフローを受け取れないことである。プロジェクトが生み出すキャッシュフローの大半が，既発行の負債の利払いや元本返済にあてられる。企業にとって有益なプロジェクトが，新規の投資家にとって魅力のないプロジェクトになる。得をするのは，前々からの債権者になる。過剰な負債が有益な投資プロジェクトの妨げになることを，負債のオーバーハング問題という。プロジェクト単位で資金調達を行うプロジェクト・ファイナンスは，この問題を解決する手段である。また，事業再生初期の企業に対するDIPファイナンスは，新規投資家への配分を優先することで，オーバーハング問題を回避している。

負債が多い企業は，資本市場からの資金調達が困難になることもある。景気の低迷が続き，企業の倒産件数が増えると，投資家はデフォルトに対して過敏になる。このような時期に，多額の負債を抱える低格付けの企業が資金調達を行うことは困難である。［図表7－9］は，わが国社債市場の格付けと信用スプレッド（国債金利に上乗せされる金利）の関係を示している。社債の格付けは，元利返済の確実性（デフォルトの可能性）をランクづけたものである。図表では，AAAの格付けが最も高く，AA，A，BBBという順に格付けが低くなっている。格付けが低くなるにつれ，債務不履行に陥る危険性が大きいと判断され，信用スプレッドが大きくなる。2002年から2003年にかけては，格付けが低いBBB社債のスプレッドが異常なほど高くなっている。このような時期に，格付けが低い企業（例えば，BB以下）の社債は買手がつかない。買手がついても，発行条件が非常に厳しくなる。企業は資金調達をすることができない。

多額の負債を抱える企業は，利害関係者間の関係もギクシャクしがちである。債権者はいち早く安全な債権回収を図ろうとする。経営者や株主は延命策をとりたいと考えるであろう。債務超過が明らかになると，失うものがない株主は，イチかバチかの勝負に打って出ることを主張するかもしれない。これは，リス

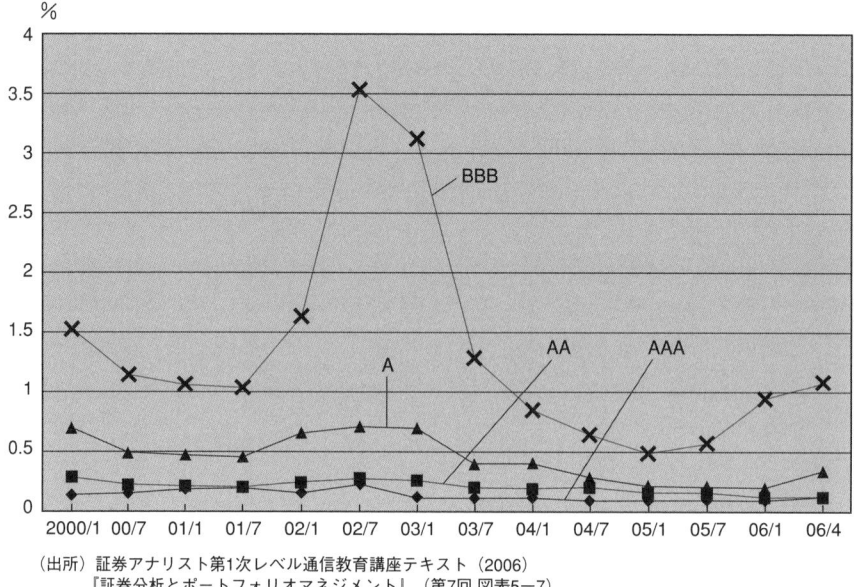

[図表 7−9] 格付けと信用スプレッドの例

(出所) 証券アナリスト第1次レベル通信教育講座テキスト (2006)
『証券分析とポートフォリオマネジメント』(第7回 図表5−7)

ク・インセンティブ問題といわれている。債権者と経営者，あるいは債権者と株主の意見が対立すると，企業の意思決定が遅れたり歪んだりして，様々な機会が失われてしまう。早い段階で利害関係者間の合意ができていれば再生可能であった企業が，姿を消すこともある。株主と債権者の利害対立の問題については，第11章で詳しく解説する。

過剰な負債が原因で失われる価値創造の機会は，デフォルト・コストである。過剰とまではいかなくても，負債が多い企業は，新規の事業や規模の拡大に対して消極的になる傾向がある。安全性を重視するあまり，リスクをとって成長性を追い求めることができない。アメリカのスーパーマーケット業界を分析した実証研究は，負債比率の低い企業が競争優位であるという結果を報告している。また，運輸業界を分析した研究によると，負債比率が高い企業は，規制緩和によって業績が著しく悪化し，倒産する企業もあったという。競争が激化すればするほど，負債比率の高い企業は，不利な戦いを強いられる[7]。

---

7 スーパーマーケット業界の分析はChevalier (1995)，運輸業界の分析はZingales (1988) による。負債比率と競争の関係については，Phillips (1995) も参照。

❷ デフォルト・コストの大きさ

デフォルトに陥った企業は，どれくらいの価値を失うのであろうか。アメリカの企業を対象とした実証研究によると，デフォルトが原因で失われる企業価値は2割程度であると推定されている（Andrade and Kaplan〈1998〉）。この値は，財務データや株式データが入手可能な大規模企業が対象である。規模の小さい企業がデフォルトによって失う価値は，より大きいと思われる。

わが国は，アメリカに比べて，会社倒産や事業再生に関する法制度の整備が遅れている。デフォルトに陥った企業を再生したり，事業清算をサポートしたりするビジネスも普及していない。企業のデフォルト・コストは，アメリカ企業のコストより大きいと考えられる。

デフォルト・コストの大きさは，すべての企業に共通というわけではない。個別企業の資産内容などにも依存する。例えば，土地などの有形固定資産を多く保有する企業は，資産を売却することでデフォルトを回避できるかもしれない。デフォルトに陥っても，土地は実勢価格に近い値段で売却できるであろう。

知財や営業権など無形資産を多く保有する企業は，そうはいかない。無形資産は評価が困難である上に，誰にでも有効活用できるものではない。換金しようとしても，資産を有効活用できる買手が見つかるとは限らない。運よく買手が現れても，買い叩かれる。総資産に占める無形資産の比率が高い企業は，デフォルト・コストが大きいと考えられる[8]。

デフォルトしなければ実行できたであろう有益な成長機会も損失である。この意味で，成長企業のデフォルト・コストは，成熟企業に比べて大きいといえる。

❸ デフォルトの可能性と格付け

デフォルトの可能性が顕在化するのは，数年にわたり業績低迷が続き，負債の返済が困難だというシグナルが点滅してからである。格付け機関が公表している債券格付けは，デフォルトの可能性を評価したものである。格付け機関は，経済動向や業界動向を踏まえ，個別企業の財務内容や経営戦略を綿密に分析し，元利返済の確実性をランクづける。格付けに影響すると考えられる財務指標は，インタレスト・カバレッジ・レシオ（ICレシオ），負債比率，ROAなどである。

---

[8] 非常に強固なブランドを構築している企業は，この限りではないと考えられる。強固なブランドは，デフォルトに対する抵抗力がある。投資ファンドが多額の負債調達を行い，ブランド価値の高い企業を買収しようとする試みは，デフォルト・コストが小さいという性質に注目しているのであろう。

ICレシオは，事業からのキャッシュフローと支払利息との比率で表されることが多い。例えば，（EBIT÷支払利息）や（EBITDA÷支払利息）などが用いられる。ICレシオが高いほど，利払いの確実性が増す。

格付けにはアルファベット表示が用いられる。例えば，AAAが最も高く，AA，A，BBB，BB，…という順に格付けが低下していく。最も高いAAAは，デフォルトの可能性がほとんどないという評価であり，低位のCCCは，債務不履行に陥る危険性が大きいという評価である。

デフォルトが生じる確率は，過去の格付けとデフォルト率の関係から類推できる。格付け機関は，自社が行った格付けと実際のデフォルト率の関係を公表している。過去10年間に格付けAの評価をした企業が100社あり，その中の2社がデフォルトに陥った場合，デフォルト率は2％になる。公開されたデータを見ると，格付けが低いほどデフォルト率が大きくなっていることが分かる。格付けは，デフォルトの可能性を表す指標として有効である。

[図表 7-10] 格付けの仮想事例

格付け	D/Eレシオ	ICレシオ	ROA	デフォルト率
AAA	0.2	30	10%	0.9%
AA$^+$	0.4	20	9%	1.2%
AA	0.5	10	8%	1.7%
A$^+$	0.7	8	7%	2.5%
A	0.9	6	6%	3.7%
A$^-$	1.1	5	5%	5.5%
BBB	1.5	4	5%	8.7%
BB$^+$	2.0	3	4%	13.6%
BB	3.0	2	3%	20.8%
B	4.0	1.5	2%	30.9%
B$^-$	6.0	1	1%	43.5%
CCC	6.0以上	1以下	0以下	57.0%

（注）D/Eは負債対自己資本比率（簿価）。ICレシオ＝EBIT/支払利息（年間）。

[図表7-10]は，いくつかの格付け機関の公開情報をもとに作成した格付けに関する仮想事例である。数値は仮想であるが，格付けと財務比率やデフォルト率との関係は，現実的な特徴を把握してある。負債比率（D/Eレシオ）が

低いほど，ICレシオが高いほど，社債の格付けは高い。ROAと格付けは正の関係にある。格付けが低下するほどデフォルト率は高くなる。格付けがBB以下になると，デフォルト率は急激に高まる。

　明示していないが，ビジネス・リスクの大きさもデフォルト確率に影響する。実証研究では，ビジネス・リスクの指標として，ROAや株価の変動が用いられる。ビジネス・リスクが大きい企業は，ROAの変動が大きく，株価もボラタイルである。他の条件を一定にすると，ROAの変動が大きい企業は，デフォルトに陥る可能性が高い。

❹ 格付け機関による評価の違い

　格付け機関の格付け情報は，デフォルトの可能性を分析したり，負債の資本コストを推定したりする際に有益である。ただし，格付け機関の間で評価が異なる事例もあるので，注意が必要になる。

　現在，日本企業が主に利用する格付け機関は，格付投資情報センター（R&I），日本格付研究所（JCR），ムーディーズ，スタンダード＆プアーズ（S&P）などである。格付けを判断する基本的な指標は各社同様であると考えられるが，独自の手法や判断が加えられるため，同じ企業に対する格付けが異なったものになる。

　例えば，2007年6月時点における新日本製鐵に対する上記四機関の格付けは，それぞれAA⁻，AA，A1，BBBと異なっている。負債の資本コストを推定する場合，どの機関の格付けを参考にするかで，わずかではあるが差が生じる。

　ソフトバンクによるボーダフォン日本法人の買収においても，格付け機関の判断が分かれた。第6章で述べたように，ソフトバンクは買収資金の大半を負債で調達した。S&PとJCRは，財務的な要因である負債の増加に注目して，ネガティブ・ウォッチ（格下げの方向での見直し）とした。一方，ムーディーズは，ソフトバンクを格上げの方向で見直すと発表し，数ヵ月後に格上げを実施した。ムーディーズは，一時的な財務要因よりも事業戦略の将来性を積極的に評価したといえる。

第8章

最適な負債比率の探求

>>1 資本構成のトレードオフ理論

　投資家にとって，負債利用の長所の一つは，法人税制による節税効果であった。一方，負債利用の短所の一つは，デフォルト・コストによるキャッシュフローの減少であった。両者を同時に考慮すると，節税効果とデフォルト・コストのトレードオフ関係が導かれる。トレードオフ関係とは，一方が良ければ他方が悪くなるというものである。

　節税効果とデフォルト・コストのトレードオフ関係は，企業価値を最大にする最適な資本構成（負債比率）の存在を示唆している。負債比率がゼロに近いとき，デフォルトの可能性は小さく，デフォルト・コストも軽微になる。この場合，負債の節税効果によるプラスの影響が，デフォルト・コストによるマイナスの影響を上回る。負債を増やし負債比率を高めることで，企業価値が上昇する。負債比率が100%に近づくと，デフォルトの可能性が加速度的に大きくなる。この場合，デフォルト・コストによるマイナスの影響が，節税効果によるプラスの影響を上回る。負債比率を低下させ，デフォルト・コストを小さくすることで，企業価値が上昇する。

　［図表8－1］は，最適資本構成のイメージである。水平の破線は，負債ゼロの企業価値である。右上がりの破線は，節税効果のみを考慮した企業価値を表している。実線が，節税効果とデフォルト・コストを考慮したときの企業価値である。最適資本構成は，実線の最大値に対応する負債比率である。最適資本構成以上に負債比率を高めると，デフォルト・コストが顕在化して企業価値が低下する。最適資本構成より負債比率を低くすると，税効果という長所が小さくなり，企業価値が低下する。

[図表 8-1] 最適資本構成

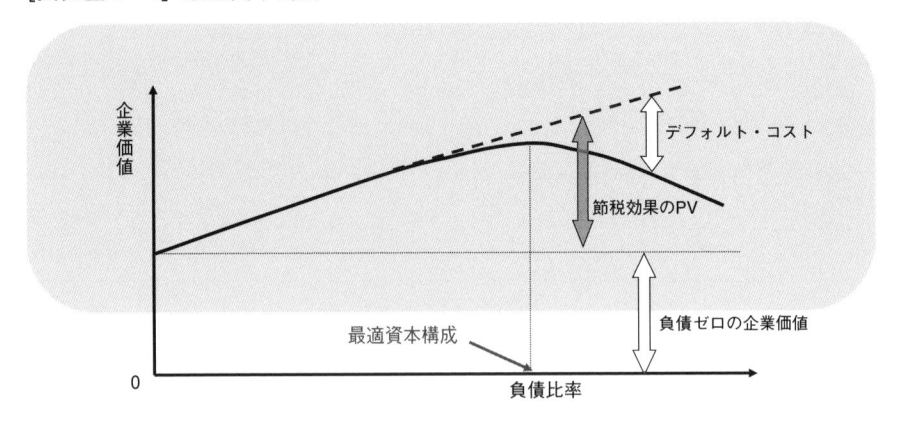

>>2 トレードオフ理論の数値例

　数値例を用いてトレードオフ理論に対する理解を深めよう。毎期100のEBIT（利息・税支払い前利益）をもたらす企業を考える。無リスク利子率は5％，企業のビジネス・リスクに対する割引率は10％，法人税率は40％である。負債がない場合，企業に課せられる法人税は毎期40（＝EBIT×0.4）である。定額CFモデルより，企業価値は600（＝60÷0.1）となる。

　企業は最適な資本構成を考えている。資産内容を維持するため，負債調達した資金で自社株買いを行うとする。資本構成の変更が企業価値に与える影響のみを推定しようという試みである。財務担当者は，様々な負債政策を想定し，節税効果とデフォルト・コストを定量化する必要がある。

　一例として，負債対自己資本比率（D/Eレシオ）を1前後にする負債政策を考えよう。負債額でいうと300程度である。［図表8-2］より，格付けはAかA⁻になりそうである。保守的にA⁻を仮定しよう。格付けA⁻の信用スプレッドは1％である。したがって，負債利子率は6％（無リスク利子率＋信用スプレッド）と考えられる。負債利子率6％の下では，毎期の支払利息が18（＝300×6％）になる。支払利息に対するEBITの倍率であるICレシオは，5.6（100÷18）である。この値は，［図表8-2］の格付けA⁻のICレシオに近い。

　負債が300で支払利息が18の場合，節税効果は7.2（＝18×0.4）である。企業は一定の負債水準を維持することはない。事業環境に合わせて，負債の水準を

変えていく予定である。このため，節税効果の価値評価にはビジネス・リスクに対応する10％の割引率を用いる。節税効果の現在価値は72になる。デフォルト・コストがなければ，企業価値は672まで増加する。

企業は比較的小規模で，有形資産の比率は高くない。このような属性をもつ企業は，デフォルトによって失うものが大きい。簡便的に，デフォルト・コストは，デフォルト率に資産の一部400を掛けた値であるとしよう。負債がない場合の企業価値は600だから，デフォルトによって資産価値の3分の2程度が失われるという仮定である。デフォルト率は，格付けデータ（[図表8－2]）にしたがう。格付けA^-のデフォルト率は5.5％である。デフォルト・コストは，22（＝400×5.5％）と推定できる。

負債がない場合の評価額600に，節税効果72を加え，デフォルト・コスト22を引いた650が，300の負債水準に対する価値評価額である。D/Eレシオを算出すると0.86になる。D/Eレシオ0.86は当初の想定である1を下回るため，格付けは1ランク上昇するかもしれない。気になれば，格付けをAにして再度このステップを繰り返せばよい。簡単ではあるが，節税効果とデフォルト・コストのトレードオフ関係を定量化した一例である。[図表8－3]はこのプロセス

[図表 8－2] 格付け情報の仮想事例

格付け	D/Eレシオ	ICレシオ	デフォルト率	信用スプレッド
AAA	0.2	30	0.9％	0.025％
AA^+	0.4	20	1.2％	0.05％
AA	0.5	10	1.7％	0.2％
A^+	0.7	8	2.5％	0.4％
A	0.9	6	3.7％	0.7％
A^-	1.1	5	5.5％	1.0％
BBB	1.5	4	8.7％	1.5％
BB^+	2.0	3	13.6％	2.0％
BB	3.0	2	20.8％	2.5％
B	4.0	1.5	30.9％	3.0％
B^-	6.0	1	43.5％	3.5％
CCC	6.0以上	1以下	57.0％	4.0％

（注） D/Eは負債対自己資本比率（簿価）。ICレシオ＝EBIT/支払利息（年間）。

[図表 8-3] トレードオフ理論の計算例：D/Eレシオ1の場合

ステップ	作業	数値例
ステップ①	負債がない場合の企業価値V(U)	V(U)=600
ステップ②	負債比率（D/Eレシオ）を想定	D/E=1，負債=300
ステップ③	格付けと支払い利子率を予想	格付けA⁻，利子率=6%
ステップ④	ICレシオなどで格付け確認	IC=5.6，格付けA⁻に近い
ステップ⑤	節税効果（PV(TS)）を測定	PV(TS)=72（割引率10%）
ステップ⑥	デフォルト・コスト（PV(DC)）を測定	PV(DC)=22
ステップ⑦	企業価値評価V(L)=V(U)+PV(TS)−V(DC)	V(L)=600+72−22=650
ステップ⑧	D/Eレシオの確認	D/E=0.85⇒格付けA?
ステップ⑨	（気になれば）格付けAを仮定して②から⑧を繰り返す	

をまとめたものである。

　様々な負債比率を仮定して，上と同様のプロセスを繰り返すと，トレードオフ理論に基づく最適資本構成の目処がつく。[図表8-4]は，上と同じ手続きで，様々な負債水準に対する企業価値を計算した結果である。負債が増えるにしたがい，節税効果は大きくなることが分かる。トレードオフ理論が教える通り，負債利用に付随するデフォルト・コストも増えている。両者の差額は，負債利用のネットの効果（節税効果−デフォルト・コスト）として表されている。[図表8-5]は，節税効果とデフォルト・コストをグラフ化したものである。[図表8-6]は，負債比率と企業価値の関係をグラフ化したものである。

　実際には，様々なシナリオごとに負債と企業価値の関係を導き，最適な資本構成を議論していく。将来の業績やデフォルト・コストに影響する諸要因を抽出し，シミュレーションによって資本構成を分析する方法などもある。複雑なモデルであっても，トレードオフ理論の基本的な考え方は変わらない。

　いまの数値例によると，負債比率（D/Eレシオ）が1.5以下の領域では，負債比率を高めることで得られる追加的な節税効果がデフォルト・コストを上回る。一方，負債比率が1.5を上回る領域で負債比率を高めると，追加的なデフ

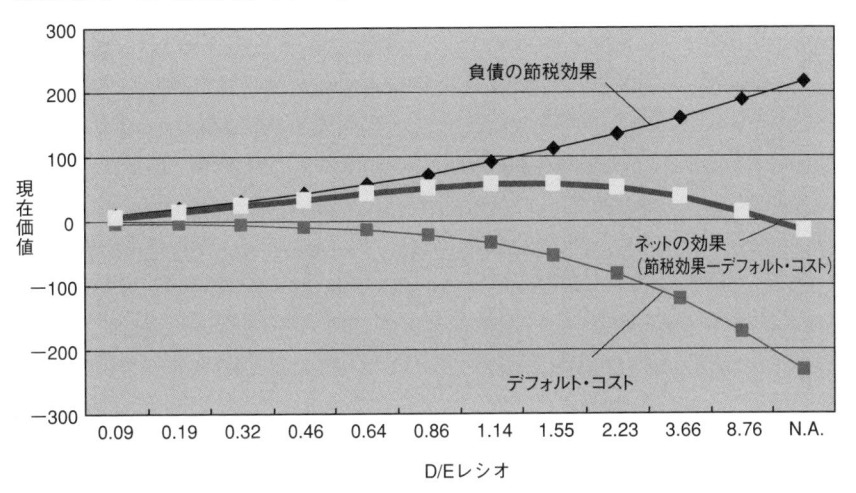

[図表 8-4] トレードオフ理論の計算結果

負債	格付け予想	節税効果	デフォルト・コスト	企業価値評価	D/Eレシオ
50	AAA	10	▲4	606	0.09
100	AA⁺	20	▲5	615	0.19
150	AA	31	▲7	624	0.32
200	A⁺	43	▲10	633	0.46
250	A	57	▲15	642	0.64
300	A⁻	72	▲22	650	0.86
350	BBB	91	▲35	656	1.14
400	BB⁺	112	▲54	658	1.55
450	BB	135	▲83	652	2.23
500	B	160	▲123	637	3.66
550	B⁻	187	▲175	612	8.76

[図表 8-5] 節税効果とデフォルト・コスト

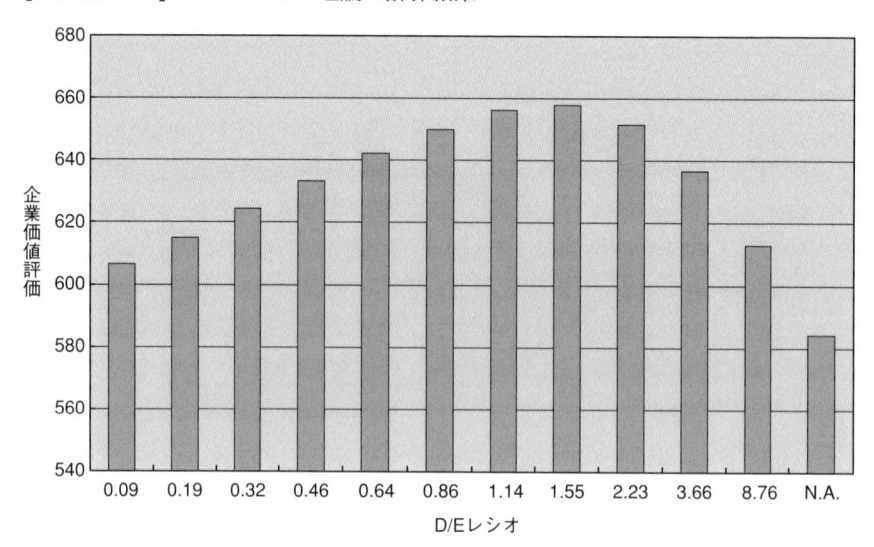

[図表 8−6] トレードオフ理論の計算結果

（縦軸：企業価値評価、横軸：D/Eレシオ）

ォルト・コストが節税効果を上回る。企業価値を最大化するポイントは，D/Eレシオ1.5近辺であることが分かる。D/Eレシオのみを考えると，対応する格付けはBBBになる。

投資家の視点から定量的な分析をすると，BBBの格付けが好ましくなる。実際には，企業がBBBの格付けになるまで負債比率を高めるとは考えにくい。資金繰りが悪化したり，大きな資金需要があったりしない限り，企業は負債比率が低い保守的な財務戦略を選択するであろう。

>>3 トレードオフ理論は現実的か

負債の節税効果とデフォルト・コストを用いたトレードオフ理論は，ほとんどすべてのコーポレートファイナンスのテキストが取り上げている。筆者たちが，ビジネス・スクールで必ず教える考え方でもある。

トレードオフ理論における負債の長所は節税効果である。いま，節税効果の割引率が負債利子率に等しいとしよう。定額CFモデルによると，100億円の負債を5％の利子率で調達すれば，40億円（＝［100億円×5％×40％］÷5％）の節税効果が生まれる。割引率を10％としても，節税効果は20億円（＝［100億円×5％×40％］÷10％）になる。これほど大きな効果が期待できるならば，

資本構成の決定において，節税効果が最も重視されても不思議ではない。

現実はそれほど簡単ではない[1]。収益性が高い優良企業ほど保守的な負債比率を保つ（負債が少ない）傾向がある（Myers〈1984〉）。これは，デフォルト・コストが小さい高収益の優良企業ほど負債比率が高いと予想するトレードオフ理論と整合しない[2]。安定的に黒字をあげる企業がレバレッジを高めると，実に7％も価値評価が高まるという試算もある。価値が高まるはずなのに，なぜ企業は積極的に負債を利用しないのであろうか。

実際には，節税効果にそれほど関心を示さない企業が少なくない。コーポレートファイナンスの考え方が深く浸透しているアメリカでも，レバレッジの決定要因として，節税効果が突出しているわけではない（後の［図表8－7］を参照）。豊富な実証研究をもってしても，法人税制が企業の資本構成に影響しているとは言い切れない（Myers〈2003〉）。1990年代に，わが国の企業を対象に行われたアンケート調査（赤石・馬場・村松〈1998〉）でも，節税効果があるから負債比率を高めたいという回答は，ほとんどなかった[3]。

企業が負債の節税効果にさほど関心を示さないのは，次のような理由もある。節税効果を目的とした負債の利用は，企業活動の成果の配分を変えるだけであり，社会的な価値を生み出さない。単に納税額を減らし，投資家への配分を増やすための手段である。納税を社会的な責任と考えている企業は，節税のために負債を利用することをよしとしない。企業活動が関与するステークホルダーには，地域社会や政府も含まれる。

トレードオフ理論が重視する負債の短所はデフォルト・コストである。理論では，投資家の視線からデフォルト・コストを考えるが，企業で働く従業員の意識と乖離があるように思える。トレードオフ理論では，節税効果を活かすために，デフォルトの可能性が高まってもよいと考える。十分に分散投資されたポートフォリオをもつ株主にとって，一企業の倒産はデフォルト・コストで定量化できる。しかし，企業の従業員にとって，デフォルトは定量化できないほど大きな痛手になる。企業の財務担当者は，デフォルト・コストの定量化より

---

[1] トレードオフ理論の現実妥当性については，日本経済新聞（2002年8月27日付）「最適資本構成のパズル」も参考になる。
[2] 第11章で紹介するペッキング・オーダー理論は，この現象を説明することができる。トレードオフ理論とペッキング・オーダー理論は，学術的に最も研究されてきた資本構成の理論である。
[3] 赤石・馬場・村松郁夫（1998）は，当時のわが国企業のコーポレートファイナンスに関する実態調査を詳細に行っている。負債に関する回答の顕著な特徴は，①金利負担を軽減するため負債を削減するという回答率が突出して高かったこと，②節税効果と倒産コストはほとんど考慮されていなかったこと，③約2割の企業が現状の負債比率が適当であると考えていたこと，である。

デフォルトの回避を重視するであろう。平時における企業は，デフォルトのリスクを意識しなくてもよい範囲で負債比率を決めている。現実に観察される負債比率が，トレードオフ理論の予測より保守的になることも納得できる。

お金とヒト，投資家と従業員，どちらが希少であり，どちらが相対的に強い競争優位の源泉であるのだろうか。人材の方が希少であると考える企業は，従業員がデフォルトの懸念をもつような高い負債比率を選ばないであろう。

>>4 ファイナンシャル・フレキシビリティの重要さ

保守的な負債比率は財務的なゆとりをもたらす。財務的にゆとりがある企業は，経営上の様々な選択が可能となり，意思決定の柔軟性が高まる。財務的なゆとりや柔軟性をファイナンシャル・フレキシビリティとよぶ。

前章で，負債が多い企業は，資本市場の冷え込みなどが原因で価値創造の機会を逃すことがあると述べた。また，負債の元利返済やデフォルトのリスクを意識して，企業の意思決定が保守的・硬直的になる可能性についても述べた。元本や利息の返済は義務であり，滞らせたり延期したりすることができない。このため，負債は企業経営の足かせになる。株式の資本コストは負債より高いが，配当やキャピタル・ゲインは義務ではない。実際の支払いという面では柔軟性がある。

［図表 8 − 7 ］は，アメリカ企業のCFOを対象に実施されたアンケート調査の結果である。負債利用の決定要因として，ファイナンシャル・フレキシビリティが第一位になっている。第二位は格付けに与える影響，第三位は利益やキャッシュフロー（CF）の変動である。以下，資金不足，金利水準，節税効果，株式の過小評価，ライバル企業との比較，デフォルト・コストと続いている。

それぞれの要因は独立的なものではなく，相互に関連している。格付けが高い企業はフレキシビリティも大きいと考えられるため，第一の要因と第二位の要因は関連している。利益やキャッシュフローの変動が大きい企業は，下振れ時にデフォルトに陥る可能性がある。キャッシュフローの変動の程度は，格付けにも影響するであろう。

同時に行われた目標負債比率に関する調査結果では，サンプル企業の 9 割以上が何らかの目標負債比率をもっている。しかし，厳格な目標負債比率をもっている企業はそれほど多くない。全体の 7 割程度は，ターゲットやレンジを定めているが，かなり柔軟に対応している。柔軟性は企業の負債政策を分析する

[図表 8-7] 負債利用の決定要因

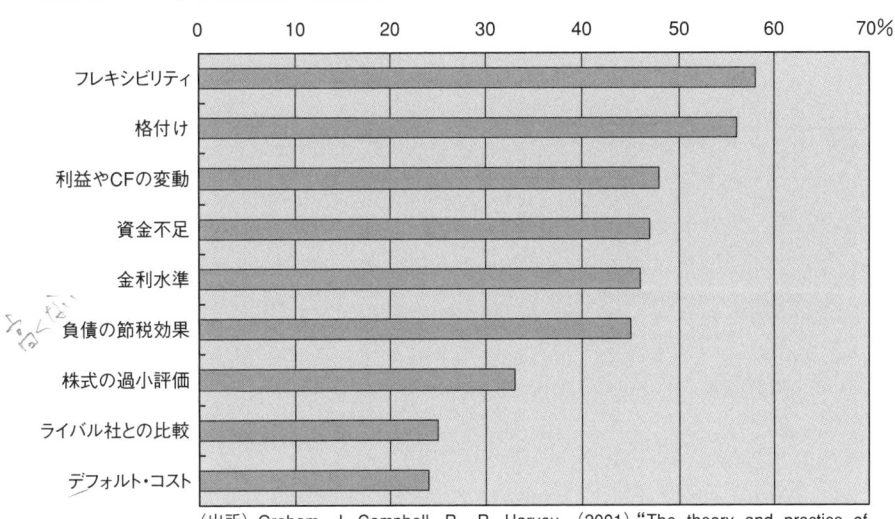

項目	割合(%)
フレキシビリティ	約59
格付け	約57
利益やCFの変動	約48
資金不足	約47
金利水準	約46
負債の節税効果	約45
株式の過小評価	約32
ライバル社との比較	約24
デフォルト・コスト	約22

（出所）Graham, J., Campbell, R., R. Harvey, (2001) "The theory and practice of corporate finance: evidence from the field" より抜粋。彼らは、4,000社余のアメリカとカナダの企業にアンケートを送付し、回答があった392社を調査サンプルとしている。

際の一つのキーワードといえる。

　企業を取り巻く環境の不確実性は大きくなり，環境変化のスピードも速くなっている。価値を生む有益なビジネスを実行するためには，迅速に投資判断を行い，資金を投入する必要がある。投資判断が正しくても，投資資金がなければ絵に描いた餅である。有益な投資案件を実行する機会は何ヵ月もない。あっという間に過ぎ去っていく。

　現実の世界では，格付けが高くファイナンシャル・フレキシビリティの大きい企業が，多額の資金を素早く調達できる。ファイナンシャル・フレキシビリティを保つことで，有益な投資機会を行使できる可能性が高まる[4]。有益な投資機会が豊富な成長産業ほど，ファイナンシャル・フレキシビリティの価値は高い。

4　オプション理論のフレームワークを用いると，ファイナンシャル・フレキシビリティは権利行使の実行可能性を高めるといえる。金融オプションと異なり，リアル・オプションは権利行使した直後に原資産（事業）を売却することができない。権利行使後に事業を遂行していく必要がある。権利行使が価値を生むことは期待できるが，確実に価値を生むとは限らないのである。リアル・オプションの権利行使には，リスクが付随する。そのため，資本市場から確実に資金調達できるとは限らない。ファイナンシャル・フレキシビリティが高い企業は，資金調達が容易であるから，権利行使の実行可能性を高めるといえる。

有益な投資機会を豊富にもっている成長企業の典型はベンチャー企業である。ベンチャー企業にとって，株式市場への公開は，成長投資のためのファイナンシャル・フレキシビリティを確保するという意味がある。楽天は，2000年4月の新規公開時に約500億円の資金を調達した。調達された資金は，同社がマイトリップネットを買収するまでの成長を支えたと考えられる。第6章で紹介したように，同社はマイトリップネットの買収直後にDLJディレクトSFJ証券を買収した。買収資金は株式発行により調達した。有利子負債への依存を極力抑えることで，同社はファイナンシャル・フレキシビリティを維持してきたといえる。現在，同社はTBSの株式を大量取得し，事業提携などの話し合いを続けているが，交渉は難航している。株価もさえない動きが続いている。株式市場は，同社がTBSの株式取得に用いたといわれる1,100億円の資金が，成長企業に必要なファイナンシャル・フレキシビリティを奪うことを懸念しているのかもしれない。

　有利子負債を利用しないことでファイナンシャル・フレキシビリティを維持し続けている企業の例は，少なくない。信越化学工業の金川千尋社長は，「借金は罪悪である。熟知した投資でも借金をするのは危険である」と述べている（日経ビジネス2005年1月24日号）。同社は，2003年3月期におよそ3,000億円の手元資金を保有しており，資金使途について投資家から質問攻めにあいながらも，その必要性を主張し続けた。2005年3月期，同社は産業素材の塩化ビニール樹脂と半導体材料のシリコンウエハー関連に1,000億円以上の大型投資を行い，それまでの主張を実行した。同社の投資は成果をあげている。

　優良企業が集まる京都には無借金企業が少なくない。日本写真印刷も，実質的な無借金経営を維持しながら，高収益をあげている京都企業である。［図表8－8］は同社の財務データの要約である。高水準の利益を維持しながら，売上高を伸ばしていることが分かる。図表には示していないが，同社のROEは10％を大きく上回っている。まさに優良企業である。

　成長の源泉である毎期の投資CFには，かなりの変動がある。投資環境の不確実性が大きいのであろう。同社が，メリハリの利いた投資を積極的に実行できた理由の一つは，実質的に無借金であるというファイナンシャル・フレキシビリティである。

　信越化学や日本写真印刷は，好業績という形で投資家の期待に応えている。優れた経営者の投資判断と，それを迅速に実施するためのファイナンシャル・フレキシビリティを見せつけられると，負債活用による節税効果やROEのコン

[図表 8-8] 日本写真印刷の要約財務データ（連結）

	2003年3月期	2004年3月期	2005年3月期	2006年3月期	2007年3月期
売上高(億円)	631	669	701	824	887
営業利益(億円)	62	82	94	151	153
当期利益(億円)	25	44	57	90	95
1株利益(円)	54	98	132	205	220
1株配当(年間:円)	12	17	24	34	40
配当性向(%)	22	17%	18%	17%	16%
営業CF	69	51	82	116	76
投資CF	▲49	▲178	▲5	▲145	▲89

(出所) 同社の決算短信などから作成。

トロールなどは，脇役にしか見えない。優良企業は安定して高い収益をあげるからこそ負債が少ないのである。企業経営の成果が，低い負債比率をもたらしているという解釈もできる。

>>5 コーポレート・ガバナンスと資本構成

　将来の有益な投資機会に対する備えという意味において，ファイナンシャル・フレキシビリティは重要である。しかし，企業が何の目的もなく，フレキシビリティだけを維持すると，ぬるま湯につかっていると誤解されることがある。

　負債が多く格付けが低い企業の経営者は，債権者からのモニタリングを受け，更なる格下げを回避するために必死である。それに対して，負債がなく格付けも高い企業の経営者にはプレッシャーがかかりにくい。大多数の経営者は，外部からのプレッシャーなどなくても立派に企業経営を行っているが，そうでない経営者がいないとも限らない。経営者もヒトであるから，気が緩むときもあろう。気が緩みすぎないために，外部からのプレッシャーが必要なこともある。

　コーポレート・ガバナンスに立脚した資本構成の理論は，主に負債利用による規律づけに焦点が当てられている。負債があるという事実が，経営者の気の緩みを律すると考えるのである。負債による規律づけといわれる。ただし，負債が過多になると事業の運営や競争に支障をきたすことがある。

　LBO（Leveraged Buy Out）は，多額の負債調達をともなう企業買収である。

LBOによる価値創造が通常のM＆Aと異なる点は，負債を利用して価値を生み出すことにある。理論的な根拠は，負債利用の節税効果と経営の規律づけ（コーポレート・ガバナンス）である。実際，1989年に行われたKKRによるRJRナビスコのLBOでは，負債利用の節税効果に加えて，経営の規律づけによる収益性の向上があったといわれている。当時，煙草と食品をコア事業とするRJR社がスポーツ専門チャンネルの主要株主であったり，経営陣の移動目的にジェット機を10機以上保有したりしている状況は，問題視されていた。LBOの後，RJRの新経営陣は，徹底したコスト削減とノン・コア事業の資産売却を進めた。LBOは価値を創造した（第6章で紹介したように，創造された価値のほとんどは，LBOに応じた当時の株主が獲得した）。

　経営陣が株主として参加するとともに，将来のキャッシュフローを担保に多額の借入れをして自社の株式を買い取るMBO（Management Buy Out）の価値創造の源泉の一つは，負債の規律づけである。負債を返済するため，経営者は一心不乱に企業価値の向上に取り組むであろう。経営者の目的が企業価値の最大化になる。このとき，外部からのコーポレート・ガバナンスは必要ない。ただし，過大な負債が有益な投資案件の実施を阻むリスクも忘れてはならない。

>>6　負債と経営戦略 ―関西電力と大阪ガスの事例―

　［図表8－9］は，2004年3月期から2006年3月期における関西電力と大阪ガスの負債比率とキャッシュフローである。電力・ガス事業の自由化が進み，競争が激化し始めたこの期間の両社の財務戦略を比較することは興味深い。

　関西電力は有利子負債の削減を積極的に進め，財務基盤の強化（自己資本比率の向上）に努めた。同社の経営計画では，2007年3月期の連結自己資本比率（自己資本÷総資本）を30％まで高めることが掲げられている。競争が激化する時期，負債を減らしファイナンシャル・フレキシビリティ（財務的な柔軟性）を高めておくことは重要であり，理にもかなっている。負債は競争の足かせになる。金利の上昇が重なるとなおさらである。アメリカでは，負債比率の高い企業が規制緩和を乗り切れなかったという事実がある。図表からは，同社が長期負債（長期借入と社債）の返済を進めている様子が見て取れる。

　その分，投資支出は抑制された。2004年3月期から2005年3月期にかけて，営業CFのうち，投資に回された資金は4割に満たなかった。2006年3月期の投資は上向いたが，それでも営業CFの5割強である。

[図表 8-9] 関西電力と大阪ガスのキャッシュフローと負債比率

	2004.3	2005.3	2006.3
関西電力			
営業活動によるCF	8,083	6,912	5,288
投資活動によるCF	▲3,086 (0.38)	▲2,572 (0.37)	▲2,936 (0.56)
財務活動によるCF	▲5,181	▲4,519	▲2,474
長期借入・社債の返済	▲3,339	▲4,634	▲775
現金・現金同等物の残高	857	680	558
株主資本比率 (%)	22.9%	24.0%	26.1%
大阪ガス			
営業活動によるCF	1,328	1,169	1,529
投資活動によるCF	▲679 (0.51)	▲656 (0.56)	▲1,630 (1.06)
財務活動によるCF	▲759	▲239	132
長期借入・社債の返済	▲477	139	172
現金・現金同等物の残高	157	443	477
株主資本比率 (%)	41.3%	43.6%	44.9%

(注) ▲はキャッシュ・アウトフロー、投資活動によるCFの( )は対営業CF比率。
　　 長期借入・社債の返済＝長期借入増加＋社債発行増加－長期借入の返済－社債の償還

　大阪ガスは、同時期に選択と集中を加速し、エネルギー事業に積極的な投資を行った。営業CFに対する投資の割合は関西電力より高い。ライバル社が有利子負債削減を進める中で、同社は積極投資に転じていた。2006年3月期には、営業CFを上回る投資を行い、不足分を外部から調達した形になっている。

　伝統的に、大阪ガスは関西電力に比べて負債比率が低かった。同社が自由化による競争激化を見据えて、いち早く積極的な投資に舵を切ることができた要因の一つは、相対的に低い負債比率（高いファイナンシャル・フレキシビリティ）にあったと考えられる。大規模なライバル社が財務基盤を強化し、準備を整えるのを待つ必要はない。この時期、同社がファイナンシャル・フレキシビリティを背景に、積極的な成長投資を行ったことは、やはり理にかなっている[5]。

5　大阪ガスと同業の東京ガスは、この時期に有利子負債の削減を進めている。2004年3月期に36%であった同社の自己資本比率は、2006年3月期に43%まで向上した。この期間、同社の投資はほぼ横ばいであった。東京ガスは、競争激化に備えて、有利子負債の削減に注力したと考えられる。

>>7 負債利用と資本コスト ―花王の事例―

トレードオフ理論から導かれる実践的なインプリケーションの一つは，無借金経営が好ましいとは限らないことである。投資家にとっての企業価値を重視すると，負債を増やす戦略が最適になる場合がある。負債を増やすと格付けは低下するが，企業価値は高まる可能性がある。この理論を実践している企業の例が，花王である。ここでは，日本経済新聞（2006年10月13日付〈朝刊〉「企業価値を探る ③花王」）と日経金融新聞（2006年8月16日付「スクランブル―企業に借り入れ圧力―」を参考にして，花王の事例を紹介する。

花王は2006年1月に産業再生機構からカネボウ化粧品を買収した。買収資金約4,000億円はすべて負債調達であった。内訳は，銀行借入れ2,000億円超，普通社債1,000億円，残りは生命保険からのローンである。普通社債は実に25年ぶりの発行であった。2005年3月期に無借金であった同社のバランスシートに，突如，4,000億円を超える有利子負債が加わった。いくつかの格付け機関は，財務指標の悪化（D/Eレシオなど）を理由に格下げを行った。格下げが予想されたにもかかわらず，同社が負債調達を選択した理由は何であろうか。

花王は，わが国ではいち早く，事業活動の成果が資本コストを上回ったかどうかを示すEVA（経済付加価値）を導入した。常に価値創造を目指して，経営戦略を策定している。企業価値の最大化と資本コストの意識は，社内に十分浸透している。資産内容や事業ポートフォリオは，改善の余地がないくらいに洗練されている。

花王にとって検討の余地があったのは，負債ゼロという資本構成である。カネボウ化粧品の買収を機に，同社は負債の利用に踏み切った。トレードオフ理論が示唆するように，負債水準が低い企業は，負債を利用することで，価値評価額を高めることができる。節税効果が倒産コストを上回るからである。格付けは下がるが，企業価値は高まる。これはパズルではない，理論である。同社はこのように考えて，負債調達に踏み切ったと考えられる。同社の事例は，事業戦略である成長投資と財務戦略である資本構成の調整を同時に行った典型的なケースである。

負債の利用が企業価値評価に与える影響について，実践的によく用いられるWACC法の枠組みで考えてみよう。第7章で見たように，WACC法で用いる分子は，レバレッジの影響を受けない。レバレッジの影響は分母の割引率で考

慮する。WACC法で用いられる割引率を再掲しよう。

$$R_V^* = \frac{D}{V} R_D (1-t) + \frac{E}{V} R_E$$

　新聞によると，花王が負債調達を選択した理由は，資本コストに対するこだわりである。花王は価値評価にWACC法を適用しており，上式のR_V^*を割引率に用いていると推測できる。負債を利用することで，法人税率の分だけ資本コストが低下し，価値評価が高まるというのである。
　しばしば用いられるこの説における注意点を二つあげておこう。第一に，負債の利用によって，ビジネス・リスクが低下することはない。企業の資本コストを決める最も重要な要因はビジネス・リスクである。ビジネス・リスクは，企業の資産内容や事業ポートフォリオによって決まる。負債の増加によって資本コストが低下するのは，節税効果を通じてであることを忘れてはならない。
　第二に，WACC法では，節税効果と同様にデフォルト・コストも資本コストに取り入れる必要がある。負債が増加すると，デフォルトのリスクを織り込む形で株式の資本コストが上昇する。WACC法を用いて価値評価を行う場合，デフォルトのリスクと株式の資本コストの関係を定量的に把握しておく必要がある。
　法人税やデフォルト・コストなど現実的な要因を考慮すると，資本構成は企業価値に影響する。日本企業は，これまでキャッシュフローを高めるためにコスト削減を徹底し，設備投資を厳選してきた。今後は，資本構成に目を向ける企業が増えるかもしれない。

≫8　企業のビジネスとレバレッジ

　信越化学と花王の財務戦略を比較することは興味深い。信越化学は無借金にこだわっている。花王は，総資本コストを引き下げるために，カネボウの買収資金を負債で調達した。優良企業という評価を得ている両社が，異なる財務戦略を選択している。その理由は，両社が営業活動をしているビジネスの特性にも関係している。
　花王の商品は，家庭で使用される消費財であり，生活必需品としての性質が強い。買収したカネボウの商品である化粧品が必需品か否かは多少議論の余地があるが，国民所得の水準が高い現代の日本においては，必需品に準じるとい

える。このような領域でビジネスを展開している花王は，よほどの個別事情が生じない限り，売上高の変動は小さいと考えられる。売上原価と販売管理費の管理がずさんにならなければ，営業業績が落ち込む可能性は低い。実際，花王の業績は極めて安定している。

業績の安定性を考慮すると，花王の財務戦略として重要なことは，節税効果のある負債を増加させ，全社のWACCを低下させることであろう。デフォルト・コストの懸念がない限り，負債を利用した最適な資本構成を探る財務戦略には意義がある。

信越化学のビジネスは花王と異なっている。電子部品の材料や住宅投資向けの材料を主力製品とする同社の業績は，景気変動の影響を大きく受ける。とくに，電子部品関連事業の業績の変動は大きい。また，製品市場のシェアと技術革新を巡る激しい競争に打ち勝つため，新規投資を行うタイミングが重要な意思決定になる。同社は，しばしば大胆とも評される新規投資を実行することで，グローバルな競争に打ち勝ってきた。

このような経営環境にある信越化学にとって，負債利用の節税効果はほとんど魅力がないと考えられる。負債を増やし財務レバレッジを高めると，金利上昇期に当期純利益が赤字になる可能性が高まり，ライバル社に打ち勝つための大胆な投資の足を引っ張りかねない。同社の競争優位を支えてきた積極的な実物投資が手控えられれば，大きな機会損失をもたらすことになろう。同社にとって，負債利用の実質的なコストは非常に高いと考えられる。

全ての企業に共通する普遍的な財務戦略は存在しない。企業は，自社の経営環境や製品戦略を考慮した上で，負債利用等の財務戦略を立案する必要がある。投資家も同様の視点で投資対象企業の財務戦略を分析しなければならない。一律の判断を下すのは間違いである。もちろん，優れた投資家はこのことを理解している。

>>9　無借金経営へのこだわり

景気の回復にともない，多額の設備投資資金が必要になってきた業界では，負債の増加が目立ち始めている。金利が安いうちに借りておこうという現実的な理由もある。海外投資家や国内の機関投資家から求められるROEの向上に配慮した企業もあるだろう。負債の利用によってROEをコントロールして株式市場の声に応えることは，一時的な株価の上昇をもたらすかもしれない。しかし，

（リスク水準を維持しながら）ROAを上昇させない限り，本当に力がついたとはいえない。

　積極的に負債を利用する企業がある一方で，無借金経営にこだわる企業もある。無借金経営にこだわる企業には，負債のマイナス面である"万が一の事態"を極端に嫌う創業者の経験や考え方が根強く残っていることが少なくない。「借金は赤字」という京セラに代表される京都の優良企業は，実質無借金経営である。最近でこそ方向を転換したようだが，大和ハウス工業には「借金はあかん」という創業者の考え方が根付いていた。創業者は，従業員とその家族を大切にしてきた。取引先との信頼関係を誇らしげに語る方も多い。万が一の事態は，みなに迷惑をかける。株主はポートフォリオの一部を失うだけかもしれないが，従業員と家族は明日からの生活に困るかもしれない。取引先が連鎖倒産するかもしれない。倒産は避けなければならない。大企業になったいまでも，零細企業当時の苦労を思い出し，無借金経営にこだわるのは納得できる。成功した企業家たちは，無意識のうちに，「企業価値を決めるのは事業であり資産である。負債比率ではない」という命題を実践してきたのかもしれない。

　小型モーターの製造企業であるマブチモーターも実質的に無借金経営を続けている。同社の無借金経営について，次のような話を聞いた。

「創業時代の借金は大変だったという思いがあったようです。名誉会長や会長からは，借金しないことは大切だというお話を聞いたことがあります。当社の場合，好調な業績が持続した結果，無借金経営を続けることができています。ほとんどの事業は内部資金で調達できます。借入れをする必要がないのです。借入れをする第一次的な理由は，事業を遂行する上で内部留保を上回る資金が必要だからというものでしょう。いまの当社にはこの理由が当てはまりません。最近では，レバレッジ効果によってROEを高めたり，支払利息の節税効果を享受したりするために，負債の利用も考えるべきという意見があります。これは個人的な意見ですが，事後的にROEを高めても，それは（ファイナンシャル）リスクをとっているからで，企業経営の本質ではないような気がします。二次的な意味合いしかないと思います。無借金というのは健全な証拠だと思います」

　負債利用の効果に対する否定的な見方も，無借金経営をサポートする要因である。納税を社会的責任と考えている企業は，負債利用による節税効果に賛同しない。負債の規律付けについても，懐疑的な見方がある。実質的に無借金経

営を行っている企業の財務担当者から,「借金をすると経営が緩むかもしれない」というコメントを聞いたことがある。資金が限られていると,数ある投資案件の中から,本当に良い案件だけを"厳選して"実行することになる。借金が恒常的になり,資金制約が緩和されると,"厳選する"というプロセスが失われる可能性がある。その結果,自分たちがコントロールできる以上の投資プロジェクトを抱えてしまうことになりかねないというのである。この企業は,内部資金を再投資することで実現できる成長のスピードが,持続可能な成長率(サステイナブル成長率)だと考えているのであろう。無借金経営にこだわることで資金制約を課し,成長速度をコントロールしているといえる。

今日では,M&Aを通じて成長のスピードを優先することが重要な戦略とされている。確かにスピードは競争優位の要因になる。しかしながら,成長の速さにこだわるあまり,LBOなどの資金調達方法を駆使して身の丈を超える多額の投資を行い,企業グループとしてのコントロール機能を失ってしまった事例もある。

多額の資金を負債調達し,経営に対する規律を利かせながら,大きな成長を目指すステージに位置する企業もある。無借金にこだわり,内部資金の再投資によって持続可能な安定的成長を目指すことが適している企業もある。負債利用の効果は一様ではない。条件付きである。自社を取り巻く経営環境と,自社の経営資源を冷静に判断し,条件付きの理論に基づいて負債を利用することが,理にかなった実践的な財務戦略といえる。

第9章

伊勢丹の有利子負債削減[1]

　財務戦略は全社的な戦略である。財務部や経理部が数値計画を作成するだけでは，あまり意味がない。とくに有利子負債の削減は，各事業部が，そして社員一人一人が，意識をもたないと達成できない。経理や財務を経験したことがない社員は，借金があることを知っていても，それが企業経営に及ぼす影響を理解していないことがある。投資決定や財務戦略に加えて，社員に自社の財務状況を理解してもらうことも，財務や経理の業務だといえる。

　百貨店大手の伊勢丹は，1980年代に積極的な多角化と海外展開を進めた。かつて無借金経営であった同社の有利子負債は大幅に増加し，1994年には2,800億円近くまで膨らんだ。同社は経営方針を転換した。百貨店事業への集中を図ると同時に，有利子負債の削減に取り組んだ。営業面での成果はあがり，業績は回復傾向にあったが，有利子負債の削減は思ったようには進まなかった。1998年3月期の有利子負債残高は2,700億円（連結）であった。

　有利子負債の削減に悩んでいた同社の経営陣や経理部スタッフは，あるタイミングをとらえ，営業現場と協力し合い，負債の削減と運転資本の効率化を実現していく。その結果，2006年3月期には有利子負債残高が1,000億円を下回った。伊勢丹は，何をきっかけにし，どのように有利子負債の削減を進めたのであろうか。負債利用についてどのように考えているのだろうか。公開資料とインタビューによって考察していく。

---

[1] 本章の作成にあたり，伊勢丹経理部財務企画担当部長の西山茂氏，経理部財務企画担当マネージャーの篠田竜之氏，総務部広報IR担当マネージャーの奥村正嗣氏（所属・役職は2006年7月当時）には大変お世話になりました。感謝いたします。

>>1 社員に説明しやすい指標

　伊勢丹は1886年に呉服店として開業し，1933年に現在の新宿本店に移転した。電鉄系の百貨店に比べると，立地条件に恵まれていない。同社の競争力の源泉は，顧客のニーズに合った商品やきめ細かなサービスの提供であるといわれるが，立地条件に恵まれていないことが，同社の競争力を支える商品力を生み出したともいえる。現在，同社の収益力は業界トップクラスで，2006年3月期の売上高は7,600億円，営業利益は301億円，当期純利益は187億円にのぼる。［図表9－1］は，同社の財務データの要約である。

[図表■9-1] 伊勢丹の要約財務データ

（単位：億円）

	1997.3	1998.3	1999.3	2000.3	2001.3	2002.3	2003.3	2004.3	2005.3	2006.3
売上高	6,150	5,904	5,784	5,731	5,929	6,157	6,019	6,148	6,290	7,600
営業利益	143	107	123	126	211	223	180	169	192	301
売上高営業利益率(%)	2.32	1.81	2.13	2.19	3.55	3.63	2.89	2.74	3.05	3.96
経常利益	113	114	114	101	197	217	171	162	219	309
当期利益	53	26	32	32	▲22	125	77	▲31	126	187
現金同等物	474	961	460	365	406	543	406	241	225	372
有利子負債	2,417	2,719	2,282	2,107	1,861	1,472	1,201	1,144	1,121	892
支払利息	48.57	41.53	50.81	60.04	54.12	38.39	27.77	16.28	11.11	14.12
有利子負債利子率(%)	2.0	1.53	2.22	2.85	2.91	2.61	2.31	1.42	0.99	1.58
自己資本	1,197	1,197	1,181	1,444	1,403	1,504	1,547	1,531	1,639	1,948
総資産	4,944	5,263	4,618	4,806	4,705	4,489	4,209	4,236	4,616	4,935
営業CF	—	—	—	303	19	317	260	98	285	356
投資CF	—	—	—	▲239	37	128	▲94	▲150	83	14
財務CF	—	—	—	▲174	▲310	▲409	▲299	▲96	▲380	▲228

（出所）同社の財務諸表などから作成。

　伊勢丹の経理部では，居心地のよい有利子負債の水準を売上高の1割と考えている。財務分析やコーポレートファイナンスの議論では，総資産や株主資本に対する負債比率（D/Eレシオ）が用いられる。次のインタビューにあるように，現場では，売上高に対する負債比率を用いることもあるという。

「他の日本企業と同様に，1980年代までは売上高が経営目標でした。お客様に商品を買っていただいてこその百貨店であるという意識が強かったですし，いまでも強いといえます。負債を削減したり，運転資本の効率化を進めたりするためには，全社員の協力が必要です。売上高という意識が強い社員に理解してもらうためには，売上高に対する比率で表現するのが良いと考えています。彼らは，日々売上高を上げるために苦労をしています。売上高と同額の負債がある，あるいは売上高の2分の1の負債がある，などということで，負債がどの程度あり，その返済にどれだけ苦労するかが実感できるはずです。

また，当社では売上高営業利益率も目標にしています。売上高と同時に費用も考えなければならないということで，社員の間には営業利益や売上高営業利益率が浸透しています。いまでは，営業利益に連動する報酬体系も取り入れています。総資産利益率（ROA）など資産効率の指標は，経営陣と経理部が意識していけばよいと考えています。

当社の営業利益率は4％前後です。営業利益と営業キャッシュフロー（事業活動からのキャッシュフロー）がほぼ等しいと仮定します。配当や投資も必要ですから営業キャッシュフローの2分の1，売上高の2％程度が無理なく負債を返済できる金額です。金融機関の要注意債権の基準には，5年で負債を返済できるか否かという項目があったと思います。当社の売上高営業利益率などを考慮すると，5年で返済できる負

[図表 9-2] 売上高有利子負債比率

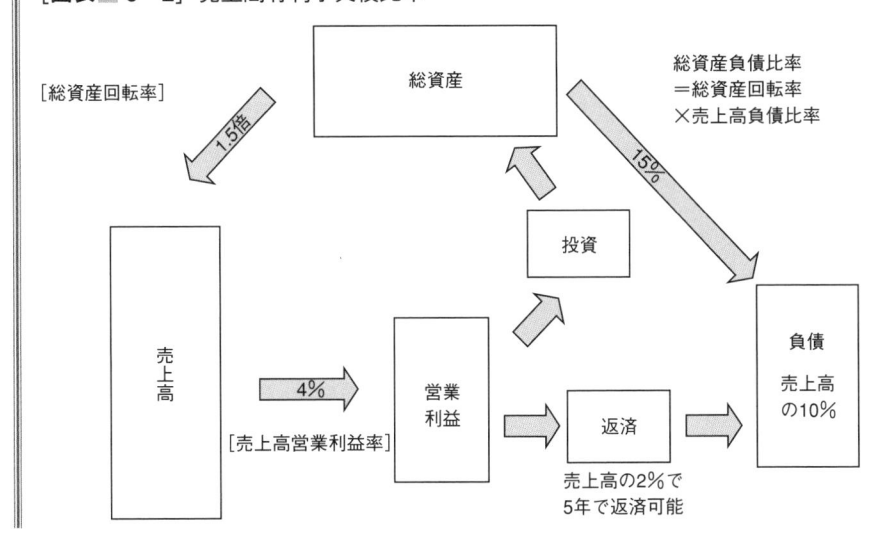

[総資産回転率] 1.5倍

総資産

総資産負債比率
＝総資産回転率
×売上高負債比率

15％

投資

売上高 → 4％ → 営業利益 → 返済 → 負債 売上高の10％

[売上高営業利益率]

売上高の2％で
5年で返済可能

債は売上高の1割ということになります。有利子負債が多かった時期は、売上高の2割まで負債を削減することが目標でした。目標が達成できたので、投資とのバランスを考えて売上高の1割という目標にしています。

　総資産負債比率に換算する際には、売上高負債比率に総資産回転率（売上高÷総資産）をかければよいのです。回転率が1.5であれば、総資産に対する目標負債比率は15％程度ということになります（［図表9－2］参照）」

　企業組織の中で、営業現場は最も攻撃的な部門である。事業活動が生み出したキャッシュフローの使途についても、営業部門の影響は大きい。彼らは、売上高を伸ばすために積極的な投資を求める。積極的な投資は過大投資になりかねない。有利子負債の多い企業が過大投資を繰り返すと、企業経営は危機に陥る。

　財務部や経理部は、リスクを考慮しながら企業全体の資金繰りや資金使途を調整する。財務戦略は全社戦略である。事業活動から生み出されたキャッシュフローは、投資、配当、有利子負債の削減に配分される。伊勢丹では、資金使途として、毎年継続して行う投資と配当が優先されるという[2]。優先順位が劣後する負債の削減は、財務部や経理部が計画するだけでは実現できない。営業部門との協働が必要になる。営業部門の理解を得るためには、有利子負債を削減する理由と目標を分かりやすく説明する必要がある。彼らが日々努力している売上高と利益を用いて説明することは、伊勢丹財務スタッフの工夫であり、知恵であったといえる。

　日経ビジネス（2002年7月15日号）には、次のような記載がある。「二瓶取締役経理部長は、事前にしっかりと準備した社内向け資料を使い、難しい経営指標を噛み砕いて社員に語る。新宿本店と支店において都合9回の社内説明会を行う」。

　経理担当役員やCFOは外部投資家向けにIR説明会をすることが多い。アナリストやファンド・マネージャーとは、会計やファイナンスの専門用語で会話ができる。社員は会計やファイナンスを熟知しているわけではない。自社の財務的な状況をきちんと理解してもらうためには、まさしく噛み砕いた説明が求められる。手間隙がかかる作業にちがいない。財務的なことは専門家に任せてお

---

[2] 百貨店事業では、集客力を高めるために必要な売場の改装費や、顧客ニーズを把握するために必要な情報システム投資は不可欠である。

けということもできる。しかし，現場の理解と協力なしに，財務戦略，とくに負債の削減を実施することはできない。

>>2 企業の社風と負債に対する考え方

　伊勢丹は元来無借金経営を行っていた。1980年代の多角化によって有利子負債が増加して苦労した経験も踏まえ，同社の経理部は次のような考え方をもっている。

> 「当社は元々無借金経営をしていました。多角化により負債が増えたのですが，結果として悪い循環に陥りました。負債が多すぎるため格付けが低下し，調達コストが高くなりました。一方で株価は上がらない。事業がうまくいかなかったことも原因ですが，借金も悪かったのではないかと思っています。最近では，レバレッジを利用してROE（株主資本利益率）を高めるとか，資本コストを下げるとか言われていますが，当社の財務担当としてそのような議論はしません。古典的かもしれませんが，借金は少ないほうがよい。これが当社の社風ですね。お客様に対しても，借金が少ない方がよい印象を持っていただけると考えています。財務の責任者が『私は借金を増やしてROEを高めた』というのは，当社の社風には合いません。長い目で見ると借金は少ないほうがよいと信じています」

　わが国には，無借金経営にこだわったり，無借金経営を目指したりしている企業は少なくない。借金は良くないという考え方をもつ企業もある。伊勢丹も同様である。インタビューでは，負債利用の長所である節税効果について聞いたが，節税のために負債を利用するという考え方は，負債が多かった時期にもなかったということである。

　MMの無関連命題が主張するように，企業が最も重視すべきは実物投資である。価値のある投資機会を見出し実行することが，企業価値を高める。法人税や取引コストを考慮しても，資本構成や配当政策は投資決定ほど重要ではない。低い負債比率を支持する考え方は，デフォルト・コストの回避やファイナンシャル・フレキシビリティである。有利子負債が2,800億円まで積みあがった1994年，伊勢丹の営業利益は91億円であった。有利子負債利子率が3％まで上昇すると，営業利益のすべてが負債利息の支払いに回ることになる。納入業者は取引条件を厳しくし，商品力が失われたかもしれない。立地条件が不利な同社が

商品力を失えば，顧客離れが進み百貨店事業は行き詰まる。運転資本などの資金繰りも悪化したであろう。幸いなことに，1990年代の半ば以降，同社の有利子負債利子率は3％を下回る水準であった（［図表9－1］と後述の［図表9－5］を参照）。

この時期に日本企業を対象に行われたアンケート調査（赤石・馬場・村松〈1998〉）は，金利負担を回避するため負債を削減するという企業の実情を報告している。同社における金利負担も深刻な問題であった。業績が芳しくない場合，金利負担は企業経営に重くのしかかる。インタビューにあるように，伊勢丹の財務担当者も悪い循環を意識していた。最悪の事態が頭をよぎることもあったという。最悪の事態が生じると，従業員は多くのものを失う。取引先も同様である。伊勢丹ファンの顧客にとってもショックは大きい。

ポートフォリオ理論の教えにしたがって分散投資している投資家は，一企業がデフォルトしても大きな損失を被ることはない。ライバル社の株式を保有している投資家は，恩恵を受けるかもしれない。企業がデフォルトすると，顧客がライバル社に流れ，ライバル社の業績向上が見込まれるからである。資本構成が価値向上の本質でない以上，有利子負債増による苦しんだ経験をもつ企業が，財務的なリスクを回避し，保守的なレバレッジを志すことは自然である。

[図表 9－3]「伊勢丹グループ新10年ビジョン」の財務目標

■総投資額（2,000億円）の考え方
　営業利益500億円の安定的確保に向けて必要な水準
　安定的な財務体質の維持―有利子負債の上限値＜連結営業CFの3年分以内

（単位：億円）

セグメント	2005年度営業利益額		現状維持分	営業利益増加分	2015年度営業利益額
国内事業	270	10年後	270	170	440
海外事業	30		30	30	60
合計	300		300	200	500

経常投資（1,000億円）
本支店シーズンリモデル（約300億円）
施設投資（約500億円）
子会社・その他（約200億円）

戦略投資（1,000億円）
新宿本店大規模リモデル（約150億円）
支店・グループ百貨店リモデル（約50億円）
システム・カード関連投資（約100億円）
海外出店（約100億円）
関連会社投資（約30億円）

（出所）同社公表資料（2006年3月）

有益な投資機会を豊富にもつ業界や、競争の激化が予想される業界に属する企業は、ファイナンシャル・フレキシビリティをもつのがよい。2006年2月に発表された「伊勢丹グループ新10年ビジョン」（［図表9−3］参照）によると、同社は2,000億円の投資を計画している。積極的な投資が可能になったのは、有利子負債の削減に成功したからである。負債が多いと、投資をためらうことになる。投資のタイミングを逃さないためには、必要なときに必要な金額を調達できる財務体質が好ましい。そのためには、ファイナンシャル・フレキシビリティを維持することが大切である。『新10年ビジョン』では、安定的な財務体質を維持しながら、投資を進めていくとしている。

　松下電器産業や大阪ガスは、資本コストを意識した経営を浸透させた後、次なる成長ステージに目を向けた。伊勢丹は、負債という足かせをはずした後、成長に向けた積極的な投資を計画したのである。

>>3　裏目に出た財務レバレッジの影響

　以下では、伊勢丹の有利子負債が拡大した理由と、その削減に成功した過程を振り返ってみよう。同社は、1980年代に生活総合産業への転換を目指し、積極的な多角化と海外進出による事業拡大を進めた。実質的に無借金経営であった同社の有利子負債は、事業拡大の過程で増え続け、1994年には2,800億円（連結）まで増加した。同年の売上高は5,500億円、総資産も5,500億円であった。有利子負債の残高は売上高半年分に匹敵し、総資産の2分の1を占めるまでになった[3]。

　事業の多角化は、全社的な収益を安定化させることが期待できる。事業戦略と資本構成の関係でいうと、多角化の進展にともなって負債比率が高まることは理にかなっている。結果論になるが、同社の多角化は成功しなかったといえる。多角化戦略によって脱百貨店を志向したため、伊勢丹の社員が百貨店マンとして守ってきた顧客との関係は薄れ、百貨店事業における同社の強みは失われた。新事業も思ったような成果をあげることができなかった。1994年にオラ

3　業績の低迷に加えて、1990年代初頭の伊勢丹は株式の買占めに見舞われた。流通再編を目論んでいたといわれる秀和が同社の株式を買い集め、発行済み株式数の25％を保有する筆頭株主になった。バブル崩壊で資金繰りが悪化した秀和は、買い集めた株式をイトーヨーカ堂に売却する交渉を進めていた。結局、秀和が保有する伊勢丹の株式は、1993年に主要取引銀行である三菱銀行（当時）や取引先であるアパレル大手などが買い取ることになった。

ンダに設立した金融子会社は為替取引に失敗し，76億円の損失を出した。同年の営業利益は100億円程度であったため影響は大きかった。

多角化戦略の象徴ともいえる米高級衣料専門店バーニーズ社との資本提携（1989年）は，1996年にバーニーズが連邦破産法11条を申請するという結末を迎えた。伊勢丹がバーニーズに融資していた資金の返済は滞り，500億円を超える巨額の特別損失を計上することになった。融資の返済を巡って訴訟合戦になったこの問題は，1999年に再建策が認可されるまで，同社の懸念材料となった。［図表9－4］は，同社の株価の推移と主なイベントである。

この間，売上高営業利益率は低下し続け，1993年には2.0％，94年には1.8％

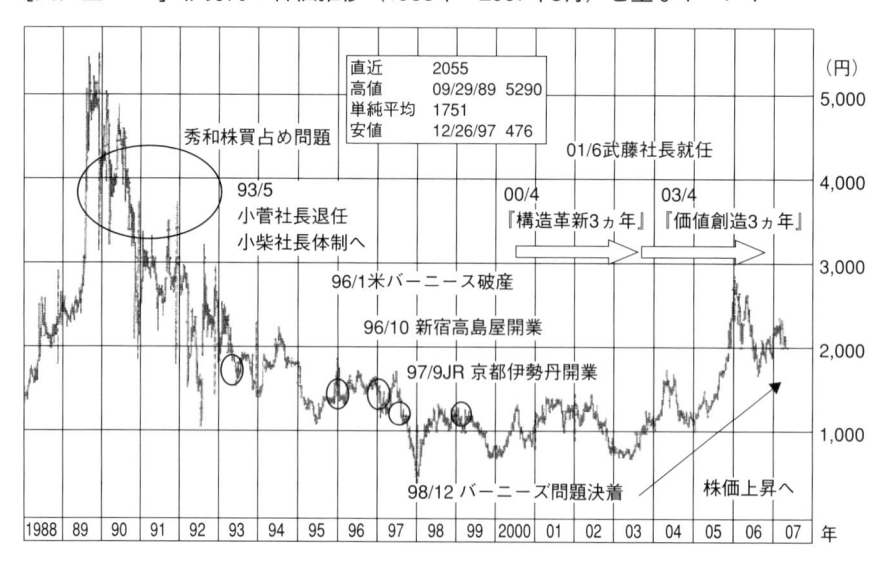

[図表 9－4] 伊勢丹の株価推移（1988年～2007年3月）と主なイベント

直近	2055
高値	09/29/89 5290
単純平均	1751
安値	12/26/97 476

主なイベント：
- 秀和株買占め問題
- 93/5 小菅社長退任 小柴社長体制へ
- 96/1 米バーニーズ破産
- 96/10 新宿高島屋開業
- 97/9 JR京都伊勢丹開業
- 98/12 バーニーズ問題決着
- 00/4『構造革新3ヵ年』
- 01/6 武藤社長就任
- 03/4『価値創造3ヵ年』
- 株価上昇へ

まで落ち込んだ。売上高営業利益率の低迷は2000年まで続く（［図表9－1］も参照）。負債比率が高い企業の利益率が低迷し出すと，負債の利用がネガティブな影響をもたらす。第7章で解説した総資産事業利益率（ROA）と負債利子率と自己資本利益率（ROE）の関係を思い出そう。業績が好調でROAが負債利子率を上回れば，ROEに好影響を与え，ROEがROAを上回る。逆に，業績が悪化したり，負債利子率が上昇したりして，ROAが負債利子率を下回れば，ROEは悪化する。

［図表9-5］は1990年代の伊勢丹のROAとROEの関係である。営業外損益や特別損益，法人税の影響があるため，ROAと有利子負債の大小関係が，単純にROAとROEの大小関係を決めるわけではない。それでも，ある程度の傾向は表れている。業績が好調であった1990年から1991年の期間と，回復基調にあった1997年は，ROAが負債利子率を上回っている。負債の利用がROEに好影響を与えた結果，ROAより高いROEが実現した。逆に，ROAが落ち込んだ1993年から1995年にかけては，ROAが負債利子率を下回った。負債の利用がROEに悪影響を与えたため，ROEはROAを下回る水準となった。

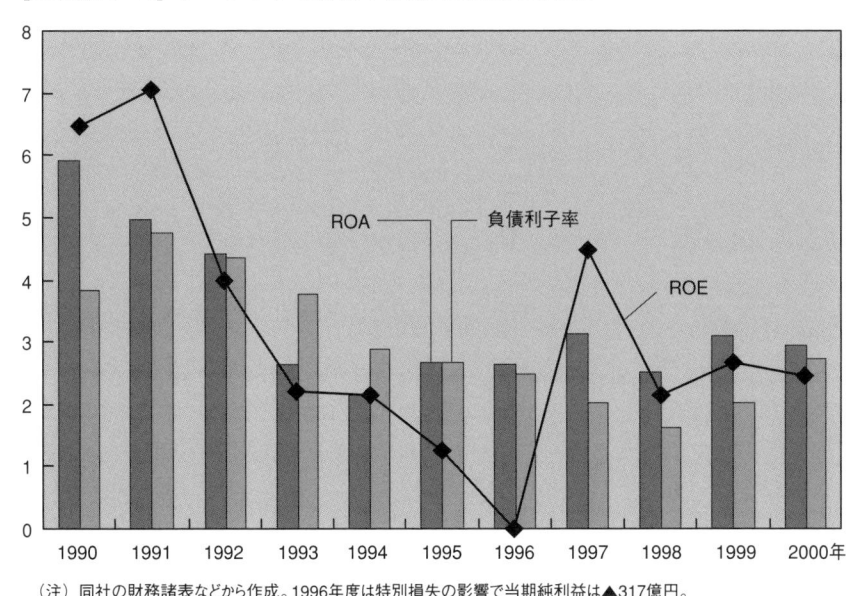

［図表9-5］レバレッジの影響：伊勢丹のROAとROE

(注) 同社の財務諸表などから作成。1996年度は特別損失の影響で当期純利益は▲317億円。

株価も低迷が続いた（［図表9-4］参照）。伊勢丹の積極的な負債の利用は，株式市場で評価されなかった。

>>4 　有利子負債の削減を阻んだ要因

1993年に就任した小柴和正社長の下，伊勢丹は百貨店事業の再構築に取り組んだ。「新生3ヵ年計画」を策定し，百貨店事業への回帰を中長期的なビジョ

ンとして明確に示した。新ブランドの投入により新宿本店の営業力を強化し，ライバル社の新宿進出による新宿百貨店競争を乗り切った。1997年にはJR京都伊勢丹を新規に開業するなど，百貨店事業への回帰は着実に進んだ。

　その一方で，有利子負債の削減は進まなかった。同社の有利子負債は，1998年3月時点で2,700億円と高水準にあった。有利子負債の削減が進まない理由はいくつかあった。まず，利益水準が低いことと赤字を嫌う体質があげられる。売上高が6,000億円にのぼる同社の経常利益は，110億円程度にすぎなかった。負債返済のために不動産などを売却しようとしても，売却損が出ると当期利益が赤字になってしまう。理論的には，利益よりキャッシュフローが重要である。しかし，株式市場も企業も赤字計上を嫌う傾向があることは否定できない。

　資金管理やグループ内のキャッシュ・マネジメントも効率的とはいえなかったようだ。当時の状況は次のようだったという。

> 「経理部では運転資本が問題視されていました。とくに，商品を仕入れて代金を支払ってから売上を回収するまでの期間が22日間ほどかかっていました。他社と比べて長すぎました。金額にすると約200億円の資金が寝ていたことになります[4]」
>
> 「当時は，独立経営を求める声が強かったといえます。グループ内の各企業が，自社の資金繰りは自社で行うという意識がありました。グループ内に資金余剰の会社があっても，資金不足の会社は外部から借入れ調達するという状況でした。グループ内で相互に調整できれば負債を増やす必要はありません。当時は，単体中心の考え方が支配的で，企業グループとしてのキャッシュ・マネジメントという考え方がありませんでした」

　本社及びグループ各社において，金融機関との関係を維持するために借入れの返済が進まなかったという事情もある。財務セクションが現金や現金同等物を保有することで正味の負債（負債と現金の差額）を減らそうとしても，営業現場から「お金があるなら投資に回せ」とばかりに，投資案件があがってくる。百貨店事業の再構築，営業力の回復という中長期的なビジョンを掲げていることもあり，どうしても営業現場の声が強い。百貨店マンとしても誇りと自信を取り戻しつつある社員の意識は，売上増加と顧客との関係を重視することに集

---

[4] 1998年の伊勢丹の売上債権回転日数は45日であった。同時期の高島屋の回転日数は29日である。伊勢丹は資金の回収に日数がかかっていたことが分かる。

中していたといえよう。

>>5 有利子負債削減のタイミング

　コーポレートファイナンスの講義では，営業はアクセルを踏み，財務はブレーキを踏む役割だと例えることがある。ブレーキを踏む財務は，社内で肩身が狭い思いをするかもしれない。営業現場の声が強い企業ではなおさらである。

　高速で走り続けることができるのであれば，ブレーキの役割は小さくてもよい。しかし，高速で走り続けることができる車はない。どこかでブレーキを踏み，エンジンを休ませ，燃料を補給し，走る方向を確認しなければならない。企業も同じである。高い成長を続けている時期は，財務面にそれほど気を使う必要はない。だが，永久に高い成長を継続できる企業などない。最適な経営をしていても増収増益が続くとは限らない。増収増益によって企業価値評価が上がり続けるとも限らない。どこかの時点で，資産構成や財務内容を見直す必要があり，同時に社員の意識を変えることも必要になる。

　小柴社長就任（1993年）以降，1990年代を通して，伊勢丹の社員は営業活動に邁進した。その結果，1995年から1997年にかけて売上高は増加した。営業利益も増益傾向にあった。しかし，1998年には減収減益となった。1999年は減収増益であった（［図表9-1］参照）。

　この時期，伊勢丹の経営陣は，有利子負債の削減に取り組み，将来の成長機会に備えて財務基盤を強化しなければならないと決意した。会計ビッグバンによる連結会計への移行や時価会計の導入も迫っていた。株式持ち合いの解消や銀行の再編により，以前ほど銀行との関係に縛られることもなくなっていた。1999年には，長年の懸念であった米バーニーズとの訴訟問題が解決した。インタビューでは，このタイミングでの負債削減について，次のような話があった。

> 「当時から有利子負債が多いという問題意識はありました。（中略）　当時の経営課題であった米バーニーズとの訴訟問題が解決したため，それまでバーニーズの問題で計上していた損失が，税務上の損金として認められたのです。しばらくの間，法人税を納めなくてすむ。フリー・キャッシュフローが増え，負債の返済原資が大きくなるわけです。負債を返済していくのはこのタイミングしかない。千載一遇のチャンスだというわけで，経営陣の思惑が一致しました。『ここで借金を減らさなければ，いつ減らせるのだ』というわけです」

>>6 有利子負債削減への取組み

　有利子負債削減のプランは経理部が中心となって策定した。投資を抑制し，営業キャッシュフローを負債の削減にあてる。運転資本の管理を効率化し，グループ内のキャッシュ・マネジメント体制を整え，無駄を少なくする。事業に不要な資産を売却して返済原資にあてる。伊勢丹は，2000年4月に「構造改革3ヵ年計画」を打ち出し，収益力の強化，グループ力の強化，新たな成長機会への挑戦を掲げ，21世紀に向けた土台作りに注力することを謳った。この計画は経理部が中心になって作成した。

　経理部が有利子負債の削減に向けて最も注力したのは，営業現場で奮闘する社員への説明と説得であった。経理部長自らが社員に分かりやすく説明した。経理部のスタッフは，企業価値やキャッシュフローの考え方をまとめ，社内の勉強会で説明して回った。過去の苦い経験や自社の現状を繰り返し説明した。西山氏（経理部財務企画担当部長）は当時のことを次のように振り返ってくれた。

> 「経営陣や経理部が有利子負債を削減すると計画しても，社員が意識し協力してくれなければ上手くいくはずがない，ということで意見が一致していました。社員にきちんと説明して，その重要さを理解してもらわなければならない。いま振り返ると，よくあんなことができたなと思うのですが，運転資金やキャッシュフローから始めて，割引現在価値による企業価値評価の算出を説明しました。有利子負債を引いたものが株式時価総額で，発行済み株式数で割ると理論的な株価が計算できる。実際に数字を当てはめると，当時の株価とほとんど同じ値になりました。それがよかったのか，妙に説得力がありました。そこで，株価を上げるためにはどうすればよいかを考えてもらいます。答えは明らかです。キャッシュフローを増やせばよい。キャッシュフローを増やすためには，運転資金を効率化することも大切ですね，という調子で説明し説得しました。
> 　正確さより分かりやすさを強調しました。例えば，企業価値は株式と有利子負債の合計ですから，有利子負債の削減に成功すれば株主価値が高まります，という具合です。売上高や利益に対する負債額や支払利息の割合を示し，危機感を煽りました。真剣に考えてもらうために苦い経験も取り上げました。負債が減らないと株価は上がりません。株価を上げないと買収の標的にされます。皆さん，秀和のことを覚えていますよね，と訴えたのです」

タイミングをとらえ，地道な作業を継続して社員の理解と協力を得た同社は，有利子負債の削減を本格化させた。投資を削減して浮いた資金を負債の返済に回した。経理部と営業現場が一体となって運転資本管理の効率化に取り組み，資金を捻出した。投資の抑制は企業内の話ですむ。運転資本には顧客や仕入先が絡む。運転資本管理の効率化は，営業現場の協力なしには実行できない。投資の抑制ほど大きなキャッシュが捻出できない上に，困難な作業である。それにもかかわらず，営業現場との協働で運転資本管理の効率化に取り組んだのは，経営陣と経理部の強い意思の表れであったと考えられる。「ここで借金を減らさなければ，いつ減らせるのだ」。

>>7 運転資本管理と取引先との関係

　教科書的には，売上債権の回収を早め，在庫を削減し，買入債務の支払いを延ばすことで，運転資本は削減できる。同社では，掛売りをカードでの支払いにすることで売上債権の早期回収を図った。また，美術品などの在庫を削減し資金化した。在庫の削減については品揃えを主張する営業現場からの反発もあったようだ。

　買掛金については，数千社ある取引先に対してバイヤーが支払い条件の調整をお願いすることも試みた。支払い条件の調整については，決して無理をしなかった。

　伊勢丹のバイヤーは，「共存共栄」という理念の下で取引先との良好な関係を構築し維持してきた。取引先にとって，同社は支払い条件のよい納入先であった。そのおかげで良い商品が優先的に納入されてきた。商品力という同社の強みの源泉は，バイヤーと取引先との関係であった。支払い条件が良好な関係をサポートしていた。

　このウェットで良好な関係を教科書通りのドライな関係にすることは，短期的なキャッシュを生んでも，長期的な価値を減じる。取引先にとって，同社はいまでも支払い条件の良い納入先である。「共存共栄」という理念は生きている。

　営業強化の一環として導入した「買い取り方式」と「ユニット化」も運転資本の削減に一役買った。「買い取り方式」とは，百貨店業界で一般的な「商品預かり，売れ残り返品」方式ではなく，まさしく商品を買い取る方式である。売れ残りリスクは自社が負担する。売れ残りを軽減するため，顧客起点のマーケティン

グ意識が先鋭化され，商品力が向上した。商品在庫減少による運転資本の節約に加え，機会損失減少による売上増加，営業利益率の向上，（返品減少による）納入先との関係強化や取引条件の改善がもたらされた[5]。

「ユニット化」とは，各支店の仕入れ，商品展示，売場運営を一体化する試みである。支店単位で行っていた発注を一体化することで，数量増加による仕入れ価格交渉力が強化された。また，支店間で商品補充をし合うことで売れ残りや機会損失を抑制し，運転資本の改善に結びついた。

>>8 成長ステージへ

運転資本管理の効率化は100億円を超える資金を生み出した。期待通りの結果は，それ以上の成果を生み出すことがある。投資の抑制，物流拠点の集約化による不動産売却，持ち合い解消の流れを受けた有価証券の売却により，伊勢丹の有利子負債は，2,700億円（1998年）から1,860億円（2001年）まで一気に減少した。

> 「この時期の有利子負債の削減は，計画通り，いや計画以上にうまくいきました。経営トップが成功事例として，様々な場で取り上げてくれましたので，負債削減に対する社員の意識は益々高まりました。『負債が減って安心した』という声が聞こえ始めました」

同業他社と比較しても，同社の"有利子負債の削減"は劇的であったといえる。［図表9－6］は同業他社比較である。

この機を逃さず，経理部はグループ内のキャッシュ・マネジメントの効率化に取り組んだ。企業グループの財務の再構築に成功し，ファイナンシャル・フレキシビリティを得た同社は，2003年に「価値創造3カ年計画」を掲げ，成長戦略へと舵を切った。2005年と2006年は増収増益となり，利益率も向上した。有利子負債は減り続け，2006年3月期には1,000億円を下回った。連結売上高の1割という水準に近づいている。［図表9－7］は，同社の売上高，有利子負債残高，売上高営業利益率の推移である。

---

5 同時期に，松下電器が事業部制を廃止しマーケティング本部を設置したことも，伊勢丹の買い取り方式と同様の狙いがあったと考えられる（第5章参照）。

[図表 9-6] 伊勢丹の負債削減：同業他社比較

(単位：億円)

	伊勢丹 (8238)		髙島屋 (8233)		大丸 (8234)		丸井 (8252)	
	1998	2002	1998	2002	1998	2002	1998	2002
売上高	5,904	6,157	12,425	11,689	8,773	8,091	5,502	4,433
営業利益	107	223	203	189	71	193	353	329
営業利益率	1.8%	3.6%	1.6%	1.6%	0.8%	2.4%	6.4%	7.4%
総資産	5,263	4,489	8,846	8,947	4,360	3,868	7,272	7,438
自己資本	1,197	1,504	2,147	1,817	710	582	3,950	4,244
有利子負債	2,719	1,472	2,890	2,703	1,848	1,436	2,060	1,901
有利子負債比率（対売上高）	46%	24%	23%	24%	21%	18%	37%	43%
有利子負債比率（対総資産）	52%	33%	33%	31%	42%	37%	28%	26%

[図表 9-7] 伊勢丹の負債削減

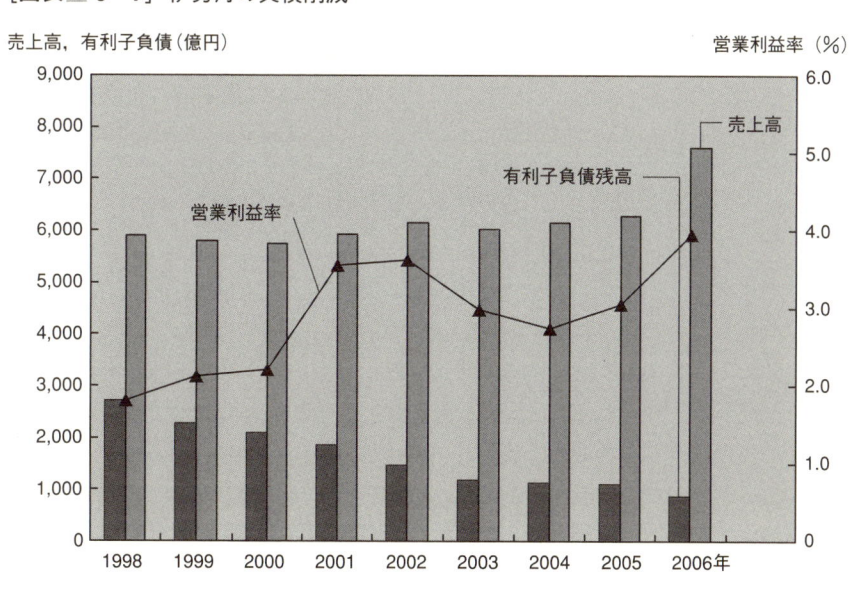

有利子負債の削減が進むと同時に収益力が高まった伊勢丹では，個人株主作りに取り組んでいる。同社では，2001年10月の商法改正を機に，株式の売買単位を100株に引き下げた。伊勢丹で買い物をした顧客に対する広報IR活動などが功を奏し，数年間で個人株主数は4倍になったということである。広報IR室の対応と同社が考える株主との関係について，次のような話があった。

> 「広報IR室にいますと，いろいろな方から問い合わせがあります。ありがたいことに，当社での買い物と株式保有を結び付けて考えてくださる方が非常に多いです。優待の問い合わせがあって，株価（株式購入代金）を聞かれて，『そのくらいだったら買って持っておいてもいいわ』という声を聞いたときはうれしくなります」
> 「株主になっていただいた方と当社の事業の関係がポジティブなものであれば最高です。個人株主の方には当社で買い物をしていただく。買い物をしていただくことは当社にとってよいことですし，株主優待制度を利用していただくことでお客様にもメリットがある。株式持ち合いを検討する場合は，とくにビジネス上の関係を重視します。事業面でお互いにメリットがある相手との資本提携などが望ましいと考えています」

>>9　居心地のよい負債の水準とファイナンシャル・フレキシビリティ

　様々な研究会や学会などで，企業の財務部のミドルクラスの方（30歳代から40歳代）と会う機会がある。その度に，最適な資本構成に話が及ぶ。定量的で理論的な資本構成を模索している一方で，現在の負債比率が「居心地がよい」という話も聞く。居心地がよい負債比率に共通しているのは，同業他社より負債比率が低めであることと，相当額の資金をすぐに調達できる余裕があるということだ。最近では，彼らが考える居心地のよい負債水準こそが，最適な資本構成ではないかと思うこともある。

　彼らは，企業全体の資金の流れを細かく把握している。企業内の誰よりも資本市場の動向に詳しく，リスクに敏感である。リスクをチャンスに変えるためには，ファイナンシャル・フレキシビリティが大切である。投資決定では，リアルオプションが柔軟性を考慮したツールであった。財務戦略では，ファイナンシャル・フレキシビリティが様々な機会への選択肢を広げる柔軟性に他ならない。

　現在，百貨店業界は，阪急百貨店と阪神百貨店の経営統合（2007年10月予定），

大丸と松坂屋ホールディングの経営統合（2007年3月発表）など，業界再編が進んでいる。伊勢丹も東急百貨店との業務提携を発表し，続けて三越との経営統合（2008年4月予定）を発表した。今後は，スーパーマーケットやコンビニエンスストアを巻き込んだ小売業界の再編が予想される。スピーディかつ劇的な有利子負債の削減を果たした同社には，大きな機会を活かすためのファイナンシャル・フレキシビリティがある。

第10章

積極的な負債の利用
―キリンビールの事例―

>>1 負債利用をサポートする考え方

　資本構成（負債比率）に対する考え方は，企業を取り巻く環境によって異なる。現在の日本企業においても，負債の利用に対する考え方は様々である。価値評価や投資決定と異なり，資本構成や配当政策の理論には一般的なものはない。条件付きの理論である。

　前章では，負債の削減に成功した伊勢丹の事例を取り上げた。本章では，積極的に負債を利用している企業の事例を取り上げる。銀行借入れや社債の発行など有利子負債を積極的に利用する上場企業が増えている。日本経済新聞（2006年1月15日付〈朝刊〉）には，「上場企業，借り入れ拡大へ転換」という記事が掲載された。要約すると次のようになる。

　　上場企業の間で，銀行借り入れや社債など負債による資金調達が増えている。住友化学や新日本石油では，2006年3月末の有利負債残高が1,000億円も増える。商船三井は，「積極投資の好機」とみて有利子負債残高を4,400億円まで減少させる予定を変更した。同社の期末の有利子負債残高は5,400億円になる。スクウェア・エニックスやヤマトホールディングスは，無借金経営の看板を下ろし，M&A用の資金を負債調達した。事業投資の資金を有利子負債で調達するのは，低金利の長期化に加え，株式市場を意識している面が大きい。負債を利用して利益を増やせば，株主資本利益率（ROE）が高まる。負債調達した資金は，設備投資や企業買収に充てられることが多く，好業績を背景に日本企業が攻めの経営に転換していることが鮮明になっている。

　経営環境が好転し有益な投資機会が増えると，企業は外部から資金を調達す

る。資金調達の方法を選択する際には，現状の負債比率に対する判断が決め手になることが多い。負債比率が高いと判断すれば，株式発行による資金調達を行い，負債比率を高めたいと考えれば，負債調達に踏み切る。

資金調達の選択については各社の事情がある。共通しているのは，有益な実物投資を行うための資金を調達するということである。価値を生み出す第一の源泉は投資である。このことは常に意識しておく必要がある。企業は投資戦略を立案・策定した後，自社の状況に適した資金調達の方法を選択すればよい。前頁の記事にある各社は，自社の現状や資本市場の環境を鑑みて，実物投資に必要な資金を負債調達した。

負債調達をサポートする考え方は，負債利用の節税効果や企業経営の規律付け，株式発行より安い取引コスト，将来の金利上昇を見越したタイミング戦略などである。欧米企業に比べて相対的に低いROEを高めたいという理由もあるだろう。株式が過小評価されているために，株式発行ができないという可能性もある（［図表8－7］も参照）。

グローバルな資本市場では，わが国以上にコーポレートファイナンスの理論と実務の融合が進んでいる。グローバルな製品市場での事業展開を目指す企業は，グローバルな資本市場と付き合う必要がある。グローバルな資本市場は，企業の財務戦略に敏感である。企業は，価値を生むのは投資であるということを忘れず，財務戦略にも取り組む必要がある。次節では，「国内安定企業」から「グローバル成長企業」への転換を掲げたキリンビールの財務戦略を取り上げる。

>>2 キリンビールの事業展開と有利子負債の利用[1]

豊富な手元資金と安全性に優れた財務内容をもち，"眠れる麒麟"といわれたキリンビール（キリン）が，2000年代に入り，有利子負債を利用した積極的な事業展開を図っている。転換の起点は1998年である。この年，象徴的なことが二つあった。一つは，同社が長年守ってきた国内ビール販売のシェア・トップの座をアサヒビールに明け渡したことである。もう一つは，オーストラリアのライオンネイサン社に資本参加を行ったことである。

---

[1] キリンビールの事例を作成するにあたり，同社常務取締役佐藤一博氏，経理部主幹小林弘武氏，経理部主務家村健一氏（所属・役職は2006年12月当時）には大変お世話になりました。感謝いたします。

ライオンネイサン社への資本参加によって，2000年12月期の連結有利子負債は大幅に増加し，キリンは実質的な無借金経営（現金同等物が有利子負債を上回る状態）から決別した。2001年に国内ビール・発泡酒の合計シェアでもトップの座を明け渡した同社は，経営目標を売上高（シェア）から利益や価値へと変更した。シェア・トップの座を明け渡した同社は，吹っ切れたかのように，グローバル市場での事業展開に目を向けるようになる。

ここでは，公開資料とインタビュー調査により，「国内安定企業」から「グローバル成長企業」へと視線を変えたキリンの財務戦略を議論する。

❶ キリンビールの決断「新キリン宣言」

1948年，業界トップメーカーであった大日本ビールが，日本ビール（現サッポロビール）とアサヒビールに分割された。戦後のビール業界は，キリンビールを含めた三社が，ほぼ横並びのシェアを維持していた。高度経済成長期以降，一般家庭に冷蔵庫が普及し出すと，家庭用ビールの販売に力を入れたキリンの戦略が奏功し，同社がシェア・トップの座を維持するようになる。1976年当時，キリンのシェアは約64％あった。第2位がサッポロビール（サッポロ），その

[図表 10−1] キリンビールの株価動向（1988年〜2006年12月）

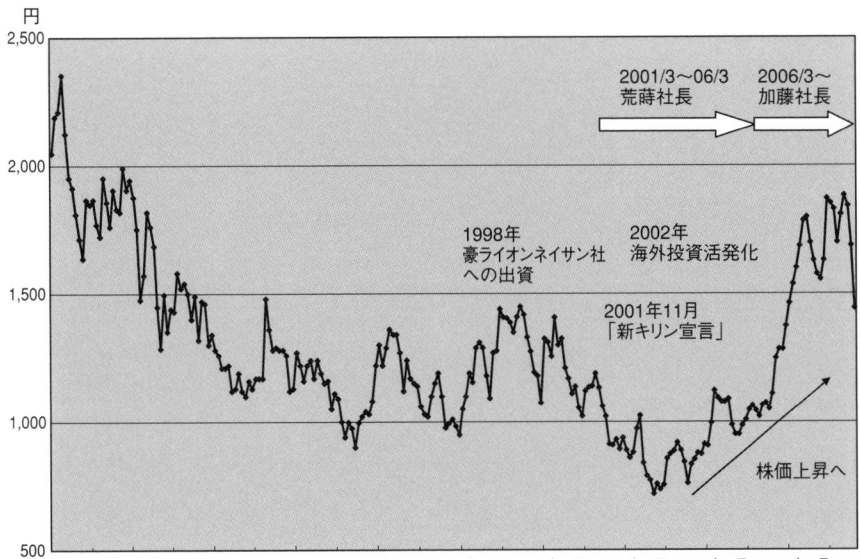

後にアサヒビール（アサヒ）とサントリー（1968年にビール業界に参入）が続いた。

各社のシェアが大きく変動するのは，1987年にアサヒが投入したスーパードライの大ヒットがきっかけである。キリンのシェアは低下し始め，同社の株価も1988年をピークに下落し始めた。[図表10-1]はキリンの株価の推移である。

先に述べたように，キリンは1998年に，長年守り続けた国内ビールのシェア・トップの座をアサヒに明け渡した。2001年には，ビールと発泡酒の合計シェア・トップの座も譲ることになった。この年の後半，キリンは営業方針の転換を明確にした。2001年4月に医薬品部門から就任した荒蒔康一郎社長の下，同社はシェア（売上高）至上主義から，利益率や価値創造を重視する方向に舵を切った。売上高に大きな影響が出ることを覚悟の上で，販売奨励金（リベート）を規制するガイドラインを定め，シェア争いを意識した過剰な販売促進をしないことを明言した。

営業方針転換の背景には，少子高齢化によって国内酒類市場の成熟化が進むという認識があった。成熟化が進む市場では，売上増による単位当たりの固定費軽減が見込めないため，過熱化する価格競争は売上高利益率を押し下げる。売上高利益率の低迷は，投資家の注目が高まっているROE（自己資本利益率）の悪化につながる。

国内市場からグローバルな市場へと目を向けると，売上高利益率とROEの低さが分かる。[図表10-2]は，キリンとアンハイザーブッシュ（バドワイザーを製造・販売），ハイネケンとの比較である。キリンの売上高利益率とROEの低さが際立っている。キリンとアンハイザーブッシュを比較すると，販売費及び一般管理費の相違が主な原因であることが分かる。ハイネケンと比較しても，営業利益率の大きな差があることが分かる。

国内市場において売上高営業利益率が高い部門は，荒蒔社長の出身部門である医薬品事業である。2002年度の売上高営業利益率を比較すると，酒類部門が5％であるのに対し，医薬品部門は23％になっている。キリンは，荒蒔社長の下で利益率を高めることに注力していく。

キリンが2001年11月に発表した「新キリン宣言」には，国内マーケティング費用を前年比10％削減するという項目が明記されている。聖域に踏み込んだ形である。松下電器が営業赤字転落をきっかけに聖域なき経営改革を断行したように，キリンビールはシェア・トップの座からの転落を機に経営方針を転換し

[図表 10-2] キリンビールと海外同業他社の比較

	キリンビール (億円)		アンハイザーブッシュ (百万ドル)		ハイネケン (百万ユーロ)	
	1999.12	2002.12	1999.12	2002.12	1999.12	2002.12
売上高	14,515	15,832	11,704	13,566	7,148	10,293
売上原価	9,776	10,002	7,254	8,131	N.A.	N.A.
販売管理費	3,967	4,933	2,147	2,455	N.A.	N.A.
営業利益	772	898	2,302	2,980	799	1,282
営業利益率	5.3%	5.7%	19.7%	22.0%	11.2%	12.5%
当期純利益	332	325	1,402	1,934	516	795
総資産	14,300	17,441	12,640	14,119	6,017	7,781
有利子負債	383	2,829	4,881	6,603	813	1,928
有利子負債比率 (対総資産)	2.7%	16.2%	37.2%	46.8%	13.5%	24.8%
自己資本	7,259	7,692	3,922	3,052	2,866	2,936
ROE	4.6%	4.2%	35.7%	63.4%	18.0%	27.1%

た。

「新キリン宣言」の小冊子は，グループ企業の従業員27,000人に配布された。真のチャレンジャーへの変革を目指し，グループ総合力を活かして競争力を高めるというのが，基本方針であった。具体的な項目として，マーケティング費用の削減，グローバル化と多角化による事業領域の拡大，EVAの導入による投資採算の重視などが列挙されていた。

❷ 無借金経営からの決別

キリンは，1998年に約1,000億円を投じてライオンネイサン社に資本参加した。初の海外市場への本格的進出であると同時に，キリンが実質的な無借金経営から決別するきっかけとなった。ライオンネイサン社の連結化（2000年12月決算から適用）により，キリンの有利子負債残高は現金同等物を上回った。無借金というこだわりから開放されたという見方もできる。[図表10-3] は同社の要約財務データの推移である。

その後，キリンは積極的なグローバル展開を進めていく。2002年には，約100億円をかけてバーボンウィスキーのフォアローゼズの事業権を買収した。さらに，フィリピンのビール会社サンミゲルに約680億円の資本参加を行った。キリンは，これら投資資金のほとんどを有利子負債で調達した。有利子負債残

[図表 10−3] キリンビールの要約財務データ

(単位：億円)

	1997.12	1998.12	1999.12	2000.12	2001.12	2002.12
売上高	15,051	14,773	14,515	15,808	15,619	15,832
営業利益	569	631	772	944	751	898
営業利益率	3.8%	4.3%	5.3%	6.0%	4.8%	5.7%
当期純利益	254	271	332	329	231	325
総資産	14,520	14,432	14,300	16,274	16,617	17,441
現金同等物	1,522	1,041	611	505	1,435	1,081
有利子負債	277	426	383	1,447	1,880	2,829
ネット有利子負債	0	0	0	942	445	1,748
自己資本	7,549	7,352	7,259	7,685	7,829	7,692
自己資本比率	52.0%	50.9%	50.8%	47.2%	47.1%	44.1%
営業CF	—	—	—	937	711	878
投資CF	—	—	—	▲691	▲121	▲1,754
財務CF	—	—	—	▲437	209	507

(注) ネット有利子負債は，(有利子負債)−(現金同等物)，プラスの場合はゼロとした。

高は増加し，有利子負債比率は上昇した。

グローバルな事業展開と同時に，キリンは収益源の多角化を進めた。総合酒類，清涼飲料，健康・機能性食品，医薬などからなる事業ポートフォリオは，収益の安定化に貢献すると考えられる。多角化という全社戦略と有利子負債の利用という財務戦略は，整合性がとれている。

インタビュー調査によると，負債利用の際に議論されたリスク要因は，格下げの可能性である。キリンの経理部では，様々なシミュレーションを行い，格付けと将来の資金調達の可能性を分析したという。負債利用の長所として強く意識したのは，投資家の要望が強かったROEの改善期待である。借金をして成長を目指すという経営トップの意気込みを伝えることも意識したという。負債利用の節税効果は，ほとんど議論されなかったという。

❸ 海外への事業展開とROEを意識した財務戦略

伝統的に，日本企業のROE（自己資本利益率）は，アメリカ企業のROEと比較して低い（[図表10−4]を参照）。キリンのROEも，アンハイザーブッシュやハイネケンと比べるとかなり低い（[図表10−2]を参照）。

理論的には，ROEが低い企業の価値が低いとは限らない。レバレッジ（負債

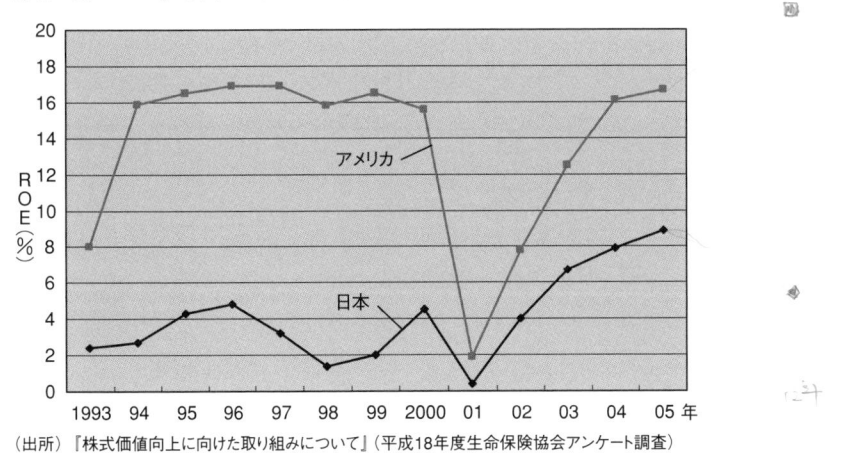

[図表 10-4] 日米企業のROE比較

（出所）『株式価値向上に向けた取り組みについて』（平成18年度生命保険協会アンケート調査）

比率）の影響がある。ROEのベンチマークである資本コストも考慮しなければならない。

　現場では理論ばかり議論しても仕方がない。株主や投資家の意向も大切である。グローバルな事業展開を目指す以上，投資家はキリンビールをアンハイザーブッシュやハイネケンと比較する。グローバルな成長企業を目指す企業は，ROEの国際比較にさらされる。［図表10-2］で見たように，海外二社のROEが高い水準にあるのに対し，キリンのROEは5％程度である。これでは比較の対象にもならない。海外投資家の比率が高まり，海外投資家向けのIR活動を行う機会が増えるにつれ，同社の経営陣や財務スタッフはROEに対する意識が強くなってきたという。

　キリンは，ROEを改善するために様々な手を打った。営業戦略を見直し，売上高営業利益率やROAを高めることは，最も本質的な方向である。ただし，実現には時間がかかる。財務的な戦略であれば，ある程度コントロールできる。同社は，手元流動性やペイアウト政策の見直しなどを積極的に行った。

　例えば，1998年から2000年にかけて実施した870億円の自社株買い入れ消却は，手元流動性と自己資本を圧縮し，資本利益率の改善を目指した財務戦略であった。同時に，バブル期の1989年11月に実施した公募増資900億円の株主への返済を意図していたともいう。2002年に実施された自社株買いは，事業活動の成果を積極的に株主に還元する目的で行われた。従来の安定配当を中心とする株主還元策から一歩踏み出す施策であった。

インタビューでは次のような話を聞いた。

> 「海外投資家や機関投資家の方を中心に，ROEやROAの改善に対する要望は強いものがあります。ただし，ROAは企業経営の根幹の部分ですから，その改善には時間がかかります。弊社も営業戦略を転換した結果が出てきたとはいえ，やはり数年かかりました。ROEであれば，我々の判断である程度コントロールできます。負債比率を高めたり，株主還元を増やしたりして，ROEを高めることができます。株主の方の要望に応えやすいといえます。財務的なシミュレーションを行い，安全性などを確認した上で，株主の皆さんが望まれている方向を目指すというのが，2000年以降の基本的な財務方針です」

　無借金経営は従業員や債権者に安心感を与える。毎日の生活の糧を製造・販売する食品企業の安定した財務内容は，消費者にとっても安心感がある。一方，投資家にとって，保守的な財務内容をもつ企業は，退屈でつまらない投資対象に思えるときがある。財務的なリスクを負担してでも，高いリターンを追求できる企業が，魅力的な投資対象に映ることがある。

　キリンは，ライオンネイサン社のIR部門と協働することで，海外の投資家の考え方を学んでいった。同時に，投資家に対する自社の見せ方も研究したことであろう。同社をフォローしているアナリストによると，財務的な方針が理路整然と明確に伝わってくるようになったという。

❹ 有利子負債活用のメッセージ

　経営者は様々な手段で企業内容や経営方針に関するメッセージを伝える。コーポレートファイナンスでは，財務戦略のシグナリング仮説といわれる。シグナリング仮説によると，企業が投資家にメッセージを伝えるのは，評価を高めることが目的である。

　企業の現場では，財務戦略が，投資家だけでなく，企業内部に対するメッセージとして機能することもある。この場合，財務的な目標と方針だけでなく，経営戦略や価値創造と関係づけることが大切である。財務的な目標の達成に向けた社員のエネルギーを利用し，企業を良い方向に変えていくこともできる。伊勢丹の場合，有利子負債を削減するプロセスを利用して，キャッシュフロー経営とグループ力の強化を実現し，稼ぐ力に結びついたといえる。

　キリンの場合，有利子負債を活用するというメッセージは，社内にどのよう

な影響を与えたのだろうか。同社の経営陣が有利子負債活用にこめた社内向けメッセージは，"眠れる麒麟"とまでいわれた保守的な企業文化からの決別である。

　従来通り，あまり冒険をしない安定路線という選択肢もあったはずである。多くの時間をかけて議論した結果，グローバル展開や関連領域への多角化によって，グループ力の強化による成長戦略が選択された。歩調を合わせるように，「成長のために借金をする」という財務的な方針を打ち出した。無借金経営に慣れていた社員の意識は変わり，経営陣の意気込みも伝わったという。

　キリンビールでは，管理職以上の社員がEVAについて理解しているという。彼らは，財務戦略の意味を理論的かつ実践的に汲み取るであろう。経営トップが「保守的な企業文化を脱してグローバル市場で総合飲料企業として戦う」というメッセージを出す。積極的な事業展開と有利子負債の活用が，メッセージに信憑性を与える。言うだけならば誰でもできる。裏づけがあってこそメッセージは活きてくる。

　保守的な企業文化からの決別とグローバル展開という方向性がはっきりしたキリンの社内では，営業利益の増加と売上高利益率に対する貪欲さが芽生えたという。従来は壁が厚かった製造部門と販売部門が協力関係をもつようになった。両部門の協働が第三のビール「のどごし」のヒットにつながる「チームキ

[図表 10-5] 2007-2009 キリングループ中期経営計画財務戦略

財務戦略　～企業価値の最大化に向けた基本フレーム～

ポイント：	①収益性の向上による安定的かつ十分なCF創出 ②バランスシートの改革，充実した財務基盤の積極活用 ③必要に応じて有利子負債により調達 ④飛躍的な成長実現に向けた事業投資 ⑤株主還元の充実

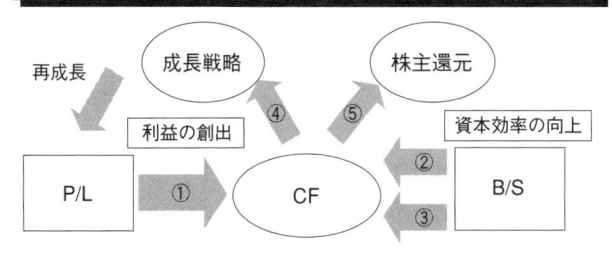

再成長 → 成長戦略 ← 株主還元
利益の創出　④　⑤　資本効率の向上
P/L → ① → CF ← ② ← B/S
　　　　　　　← ③ ←

ROE：2009年までに7％以上を達成（2015年に10％を目指す）

（出所）同社公表資料（2006年12月）

リン」の精神につながったといえよう。

　有利子負債を活用して事業投資を拡大するという方針は，2006年に発表された長期経営構想「キリングループビジョン2015」に引き継がれていく。長期構想を具体化した中期経営計画（2007－2009年）には，企業価値最大に向けた財務戦略の基本フレームが記されている（[図表10－5]参照）。ポイントの一つとして，事業投資資金は必要に応じて有利子負債（借入金または社債の発行）で調達するという項目がある。ROEの目標についても示されている。同計画の事業投資基準には，EVAを主要な指標とすることと，WACC（加重平均資本コスト）は5％であることが明示されている。海外事業の展開においては，国ごとにリスクプレミアムを変えている。教科書通りである。

❺ ファイナンシャル・フレキシビリティと同業他社比較

　リスクのある成長戦略を支えていくために必要なのは，ファイナンシャル・フレキシビリティである。キリンが，有利子負債を利用して積極的に事業を展開できたのは，同社のファイナンシャル・フレキシビリティが高いからだという見方もできる。[図表10－6]は，国内ビール大手三社の要約財務データである。1999年から2002年にかけて，キリンのみが有利子負債を増加させている。

[図表 10－6] キリンビールの有利子負債利用：国内同業他社比較

（単位：億円）

	キリンビール			アサヒビール			サッポロビール		
	1999.12	2002.12	2006.12	1999.12	2002.12	2006.12	1999.12	2002.12	2006.12
売上高	14,515	15,832	16,659	13,969	13,753	14,464	5,729	5,117	4,351
営業利益	772	898	1,164	801	693	887	169	110	86
営業利益率	5.3%	5.7%	7.0%	5.7%	5.0%	6.1%	2.9%	2.1%	2.0%
総資産	14,300	17,441	19,636	14,055	12,947	12,885	8,081	7,175	5,896
現金同等物	611	1,081	895	296	185	237	149	100	82
有利子負債	383	2,829	2,410	5,023	4,022	2,901	4,223	3,763	2,360
ネット有利子負債	0	1,748	1,515	4,727	3,837	2,664	4,074	3,663	2,278
有利子負債比率（対総資産）	2.7%	16.2%	12.3%	35.7%	31.1%	22.5%	52.3%	52.4%	40.0%
ネット有利子負債比率（対総資産）	0%	10.0%	7.7%	33.6%	29.6%	20.7%	50.4%	51.1%	38.6%
自己資本比率	50.8%	44.1%	50.6%	27.3%	29.9%	37.0%	12.8%	14.8%	19.2%

（注）ネット有利子負債は，（有利子負債）－（現金同等物），プラスの場合はゼロとした。

それでも，キリンの有利子負債比率は，他の二社に比べると低い水準にある。キリンは，非常に高いファイナンシャル・フレキシビリティを維持していることが分かる。

　［図表10－7］は2002年以降のキリンの要約財務データである。売上高営業利益率は，少しずつではあるが着実に改善している。現金同等物が増え，自己資本比率が高くなっているのは，2002年の大型投資が順調にキャッシュを生み出した証である。投資成果の推移を見極め，次の成長投資に向けて再びフレキシビリティを高めているのであろう。同社のネット有利子負債は，2005年にゼロに近づいたが，2006年には再び増加に転じている。キリンビバレッジの完全子会社化とメルシャンの株式取得に，約1,000億円の手元資金を投下したためである。

　最適な負債利用を分析する際，国内同業他社との比較は参考になる。ただし,各企業の歴史的な背景や非財務的な事情についても考慮する必要がある。アサヒは，1990年前後に借入金を増加させ，有価証券投資に傾倒した時期がある。高い負債比率と重い金利負担が改善に向かうのは，スーパードライのヒットで収益力が飛躍的に伸びた1990年代後半である。スーパードライのヒットが

［図表■10－7］キリンビールの要約財務データ：2002年以降

(単位：億円)

	2002.12	2003.12	2004.12	2005.12	2006.12
売上高	15,832	15,975	16,549	16,322	16,659
営業利益	898	1,016	1,094	1,117	1,164
営業利益率	5.7%	6.4%	6.6%	6.8%	7.0%
当期純利益	325	324	491	513	535
総資産	17,441	17,879	18,238	19,379	19,636
現金同等物	1,081	1,331	1,835	1,693	895
有利子負債	2,829	2,779	2,636	1,787	2,410
ネット有利子負債	1,748	1,448	801	94	1,515
自己資本	7,692	8,039	8,586	9,726	9,940
自己資本比率	44.1%	45.0%	47.1%	50.2%	50.6%
営業CF	878	1,184	1,280	1,047	1,237
投資CF	▲1,754	▲629	▲443	▲667	▲1,532
財務CF	507	▲300	▲359	▲520	▲500

(注) ネット有利子負債は，（有利子負債）－（現金同等物）。

なければ，同社は過剰な債務に苦しんでいたかもしれない。

サッポロは，財務諸表上の負債比率は非常に高い。しかし，土地価格の上昇により，恵比寿のビール工場跡地であるガーデンヒルズの評価が上昇している。土地の評価を考慮した実質的な有利子負債比率は，それほど高くないと考えられる。

>>3 財務戦略と企業経営

負債の削減を目指す企業がある一方で，積極的に負債を利用する企業もある。わが国のコーポレートファイナンスの現場では，最適な資本構成（負債比率）を模索する動きが急である。現状の負債比率が最適な水準から乖離している場合，そのギャップを埋めていこうとする試みが観察される。投資資金の調達と無関係なリキャピタリゼーション（資本構成の再構築）は，最も積極的な負債比率の調整である。投資資金の調達に合わせて負債比率を調整するのは，緩やかな調整方法といえる。MMの無関連命題や借金は悪という信念に基づき，最

[図表 10-8] 資本構成（負債比率）に関するフローチャート

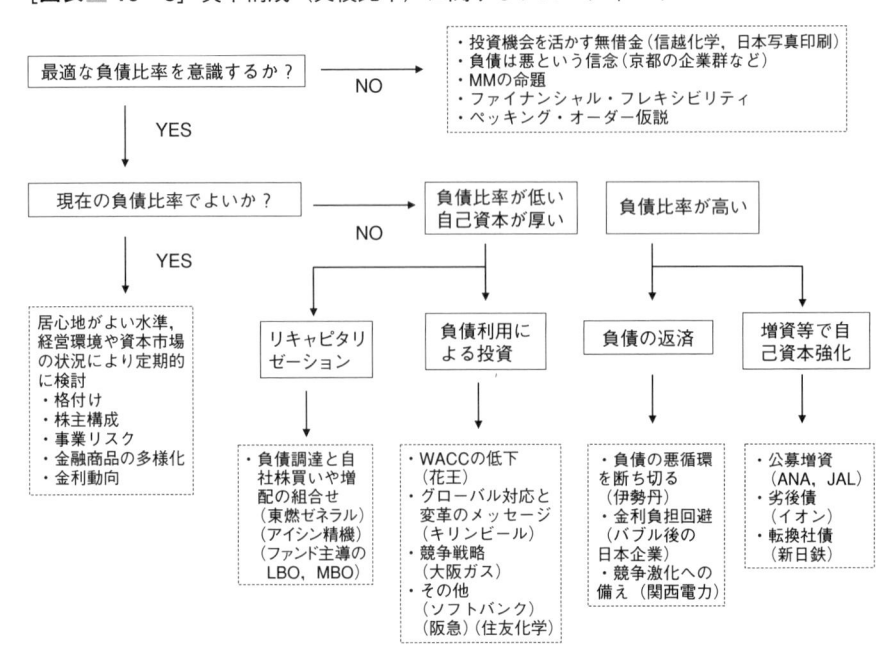

```
最適な負債比率を意識するか？ ──NO──→ ・投資機会を活かす無借金（信越化学，日本写真印刷）
        │                              ・負債は悪という信念（京都の企業群など）
       YES                             ・MMの命題
        ↓                              ・ファイナンシャル・フレキシビリティ
                                       ・ペッキング・オーダー仮説

現在の負債比率でよいか？ ──NO──→ 負債比率が低い        負債比率が高い
        │                         自己資本が厚い
       YES                            │                    │
        ↓                    ┌───────┴───────┐      ┌─────┴─────┐
                            ↓               ↓      ↓           ↓
居心地がよい水準，       リキャピタリ    負債利用に    負債の返済   増資等で自
経営環境や資本市場      ゼーション      よる投資                 己資本強化
の状況により定期的
に検討                  ・負債調達と自   ・WACCの低下  ・負債の悪循環  ・公募増資
・格付け                  社株買いや増    （花王）      を断ち切る    （ANA, JAL）
・株主構成                配の組合せ     ・グローバル対応と  （伊勢丹）    ・劣後債
・事業リスク              （東燃ゼネラル） 変革のメッセージ ・金利負担回避   （イオン）
・金融商品の多様化        （アイシン精機） （キリンビール） （バブル後の  ・転換社債
・金利動向                ・ファンド主導の ・競争戦略      日本企業）    （新日鉄）
                          LBO, MBO      （大阪ガス）   ・競争激化への
                                        ・その他        備え（関西電力）
                                        （ソフトバンク）
                                        （阪急）（住友化学）
```

適な資本構成を模索しないという選択もある。

　［図表10－8］は，負債比率の調整とその背景をフローチャートとして表したものである。現実に観察される負債利用の背景には，条件付きの理論がある（図表中の公募増資や劣後債，転換社債の事例は，次の章で取り上げる）。

　リキャピタリゼーションに積極的な企業として，東燃ゼネラルがある。同社の2000年の有価証券報告書には，対処すべき課題の一つとして財務上の課題が次のように掲げられていた。

> 「適切な資本構成および今後の予想キャッシュフローから見て，当社の株主資本に対する有利子負債は相対的に少額である。そこで自己株式の取得を通じ，資本構成の適正化と1株当たり利益及び株主資本利益率（ROE）の向上を図ることとした。総額600億円，株数1億2,000万株を上限として，2002年3月までに取得を行う予定である」

　東燃ゼネラルは，上記の財務上の課題を解決すべく，2001年から2002年にかけて，親会社のエクソンモービルから借り入れた1,000億円の資金を用いて自社株買いを行った。その結果，有利子負債比率（D/Eレシオ）は上昇した（［図表10－9］参照）。一方，2003年度のROEは12.5％と著しく改善した。

　アイシン精機も2003年度に負債調達した400億円を自社株買いに充当した。

［図表 10－9］ 東燃ゼネラル石油2002年度事業報告書

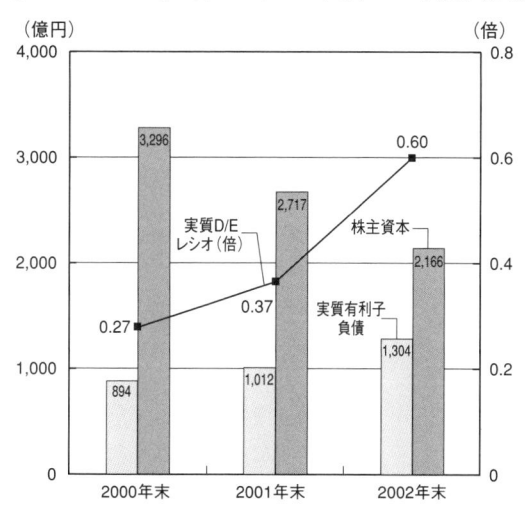

（出所）同社2002年度事業報告書

東燃ゼネラルとアイシン精機は，それぞれの事業特性に適合した目標負債比率をもち，過剰な自己資本を財務戦略によって圧縮した事例である。

買収後に負債比率が大きく上昇するLBOは，リキャピタリゼーションの一種である。最近では，2005年12月に米投資ファンドのカーライルが，GMからレンタカー事業ハーツを買い取った直後のリキャピタリゼーションがよく知られている。総額140億ドルの大規模な買収成立後，ハーツは借入れ資金を原資として10億ドルの特別配当を実施した。その結果，ハーツの負債比率は高まった。株主になったばかりのカーライルは，特別配当を受け取ることで，短期間のうちに多額の資金を回収した。

前章で取り上げた伊勢丹と本章で取り上げたキリンビールも，負債比率を見直した事例である。伊勢丹は有利子負債を削減し，キリンは有利子負債を活用する方針に転換した。現象的には相反する二つの事例であるが，負債利用に関する明確な目標を掲げ，それを推進していくことが，企業経営に好影響を与えたという共通点もある。財務戦略が全社戦略といわれる所以である。

伊勢丹の事例では，有利子負債を削減する努力が，様々な工夫に結びついた。財務的な意識を社員に浸透させ，営業現場と協力し合うことで，有利子負債の削減と同時に，キャッシュフロー経営を実践する基盤が整った。一時的に有利子負債が減少しただけでなく，キャッシュフローを意識することで，将来の競争や業界再編に備えた体制が整ったように見える。

キリンビールでは，「有利子負債を利用する選択肢がある」という考え方が，積極的な成長投資を支えているように見える。シェア争いという意識を遠ざけながら，2006年には再びシェア・トップに肉薄した。松下電器の事例でも述べたが，キャッシュフローや価値創造に重点を移した企業の売上高の増加は，価値創造に直結する。国内安定企業からグローバルな成長企業を目指したとき，同社は保守的な有利子負債比率と決別することができた。経営戦略が財務的な方針を変え，財務的な方針がグローバル成長を目指すという経営戦略を支えている。

わが国の投資家も動き始めている。企業年金連合会は，2007年6月の株主総会を前に，取締役再任反対の基準として「3期連続ROE8％以下」という項目を示した。現状では，この基準をクリアできない企業は500社以上あるといわれている。繰り返しになるが，ROEはある程度財務的なコントロールができる数値である。ROEの目標値は，企業が工夫をすることで高めることができる。

例えば，松下電器産業は2010年のROE目標値を10％としているが，これは事業努力に加えて，財務的な工夫を行うことで達成できる数字だと考えられる。本業に力を注ぐことは当然である。投資家は，それに加えて財務的な工夫を求めている。その工夫が経営に好影響を与えることもある。伊勢丹やキリンビールは代表的な事例である。

第11章
エクイティ・ファイナンスと資金調達の新潮流

>>1 エクイティとメザニン

　本章では，エクイティ・ファイナンスを取り上げる。事業活動がもたらすキャッシュフローと手元資金（内部資金）で投資資金が賄えない場合，企業は外部から資金を調達する。外部資金調達の手段は様々であるが，社債や銀行ローンなどの負債調達と株式発行をともなうエクイティ・ファイナンスに大別できる。エクイティ・ファイナンスの代表は，普通株式を不特定多数の投資家に販売する公募増資である。後に株式転換される可能性がある転換社債型新株予約権付社債（転換社債）による資金調達も，エクイティ・ファイナンスに含まれる。

　最近では，資金調達手段の多様化を反映して，企業の資金調達を，負債，エクイティ，メザニンと三分類することがある。企業の負債である社債や銀行ローンは，投資家にとってローリスク・ローリターンの投資対象である。エクイティに分類される普通株式は，ハイリスク・ハイリターンの投資対象である。

　相対的にミドルリスク・ミドルリターンの投資対象がメザニンとよばれる。メザニンは中二階という意味である。純資産（自己資本）である普通株式を一階，負債を二階とみなすとき，両者の中間的な性質をもつ証券が中二階（メザニン）に位置するとされる。負債と株式の性格を兼ね備えているため，ハイブリッドとよばれることもある。劣後債，新株予約権付社債（転換社債），優先株などがメザニンに含まれる。

　劣後債の例としては，2006年9月に発行されたイオンの50年債がよく知られている。劣後債は，貸借対照表では負債の部に計上されるが，格付け会社は一定の条件の下に自己資本としての性質を認める。主な条件は，満期が永久的か超長期であること，デフォルト時の弁済が他の債権者に劣後していること，利

払いの繰り延べ可能性などである。格付け機関R&Iは，イオンの劣後債の資本性を50％と判断した。格付けの際には，発行額の2分の1を負債，2分の1を自己資本として負債比率等を算出するというのである。

転換社債型新株予約件付き社債は，エクイティという場合もあれば，メザニンとよばれる場合もある。学術的には，メザニンに対する明確な定義がない。

[図表 11-1] エクイティと負債とメザニン

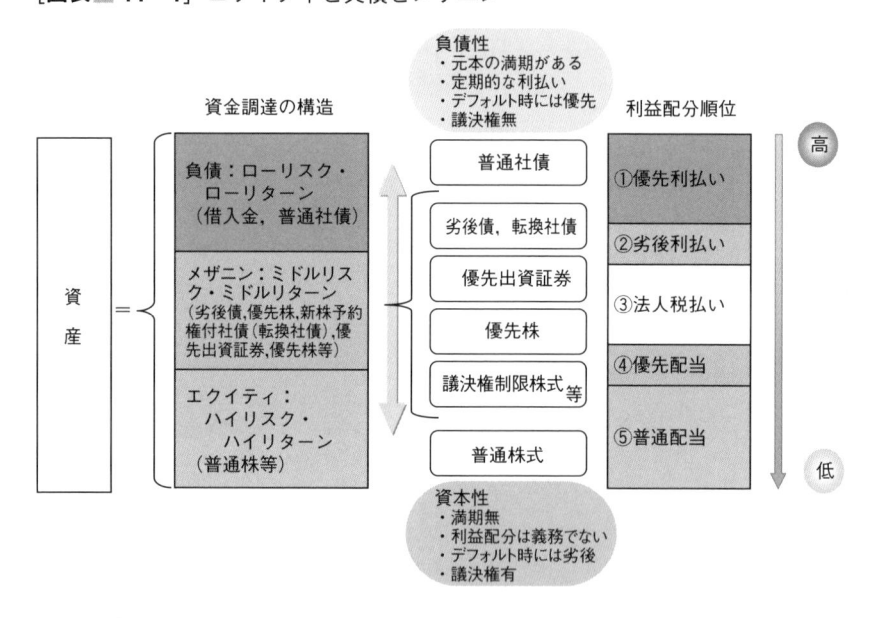

資産 = {
- 負債：ローリスク・ローリターン（借入金，普通社債）
- メザニン：ミドルリスク・ミドルリターン（劣後債，優先，新株予約権付社債（転換社債），優先出資証券，優先株等）
- エクイティ：ハイリスク・ハイリターン（普通株等）
}

資金調達の構造：
- 普通社債
- 劣後債，転換社債
- 優先出資証券
- 優先株
- 議決権制限株式 等
- 普通株式

負債性
・元本の満期がある
・定期的な利払い
・デフォルト時には優先
・議決権無

資本性
・満期無
・利益配分は義務でない
・デフォルト時には劣後
・議決権有

利益配分順位（高→低）
① 優先利払い
② 劣後利払い
③ 法人税払い
④ 優先配当
⑤ 普通配当

日経金融新聞（2006年8月3日付）の記事「メザニン動き出す」には，実務的なメザニン市場の動向がまとめられている。それによると，買収資金の調達に劣後債や優先株など「借り入れと資本の中二階」の「メザニン」を利用するケースが増えているという。多額の資金を集めたい企業に対し，「融資より高リターンで普通株よりリスクが小さい投資をしたい」という金融機関などが資金の出し手になっている。日本では，メザニンが資金調達に占める割合は2～3％だが，欧米では3割程度を占めるということである。

メザニンによる大規模な資金調達の事例としてワールドのMBOがある。銀行融資と経営陣などの出資だけでは，買収資金2,000億円を調達できなかった。メザニンを利用することで資金調達ができたという。資金調達の方法が，資金調達の金額に影響を与えたというのである。東芝セラミックスのMBOにもメ

ザニンが用いられた。通常，LBOやMBOは多額の負債に依存するため，キャッシュフローの安定した企業が対象になる。ところが，東芝セラミックスは収益が不安定な半導体業界に属している。事業リスクの高い同社のMBOは，メザニンなしでは難しかったといわれている。

理論的には，資金調達の方法が資金調達額や調達の成否を決めるとは考えにくい。企業価値や事業価値は，将来のフリー・キャッシュフロー（FCF）の現在価値である。資金調達の方法はFCFの分け方を決めている。FCFの大きさを決めるのは，資金をどう使うかであって，資金をどう調達するかではない。MMの無関連命題が成り立つ世界では，負債調達をしようがエクイティ・ファイナンスをしようが，企業価値には影響しない。メザニンも同様である。

現実の世界では，負債調達が好まれたり，エクイティ・ファイナンスが隆盛したり，メザニンの人気が高まったりする。投資銀行は，投資家の動向を俊敏に感じ取り，条件付きの理論武装を行って，企業の資金調達ニーズに応えるべく様々な提案をする。理論武装を行うためには，それぞれの資金調達の長所と短所を理解しておく必要がある。

負債調達については第8章で取り上げた。エクイティ・ファイナンスの長所と短所は，負債調達と対をなすことが多い。エクイティ・ファイナンスを行うと節税効果は享受できないが，デフォルトを心配する必要もない。エクイティ・ファイナンスが格付けにネガティブな影響を与えることはない。ファイナンシャル・フレキシビリティは維持できるが，余裕がありすぎると経営の緊張感が緩むかもしれない。負債とエクイティの中間になるメザニンは，それぞれの長所と短所が混在している。

>>2 一株当たり利益（EPS）の希薄化と投資の長期的効果

［図表11－2］は，アメリカ企業のCFOが公募増資を検討する際に重視している要因である。公募増資の決定要因として最も重視されるのは，一株当たり利益（EPS，当期純利益÷発行済み株式数）への影響である。自社株式の過大評価（ミス・プライシング），直近の株価上昇，目標負債比率への調整などが続いている。

公募増資を実施した直後は発行済み株式数が増える。一方，公募増資によって調達した資金を有益な投資プロジェクトに投入しても，その成果がすぐに現れるわけではない。来期や再来期の利益はそれほど増加しないであろう。利益

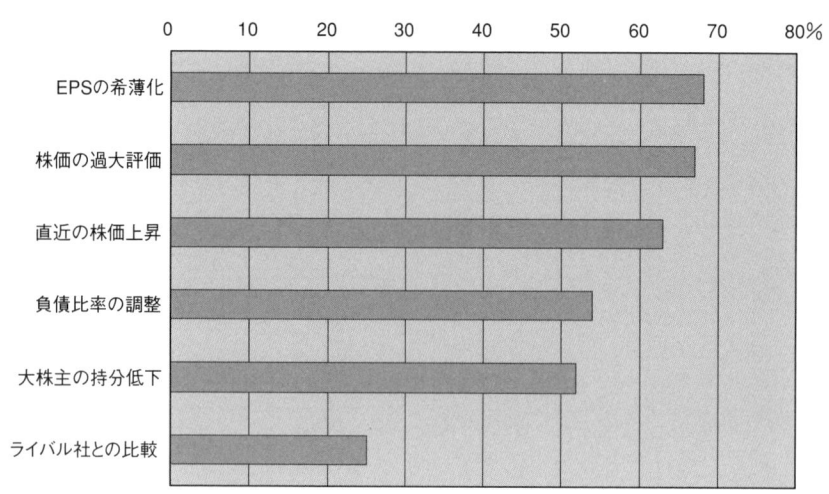

[図表 11-2] エクイティ・ファイナンスに影響する要因

（横軸: 0〜80%）
- EPSの希薄化
- 株価の過大評価
- 直近の株価上昇
- 負債比率の調整
- 大株主の持分低下
- ライバル社との比較

（注）Graham, J., Campbell, R., R. Harvey (2001) "The theory and practice of corporate finance: evidence from the field" より抜粋。彼らは、4,000社余のアメリカとカナダの企業にアンケートを送付し、回答があった392社を調査サンプルとしている。

が変わらないのに発行済み株式数が増えると、一株当たり利益（EPS）は低下する。これをEPSの希薄化ということがある。新聞紙上などでは、EPSの希薄化を嫌って株価が下落するという記事を見かける。一時的な希薄化を招く公募増資が酷評されることもある。このようなリスクを避けるため、企業の経営陣は、公募増資がEPSに与える影響を慎重に検討する。しかし、短期的なEPSを気にしすぎると、長期的に有望な投資を見送ってしまう可能性がある。

簡単な数値例を用いて、EPSの希薄化と価値評価の関係について見ておこう。［図表11-3］は、公募増資とEPS、株価の関係を示している。企業は負債をもたず、発行済み株式数は1億株である。簡単化のため、フリー・キャッシュフロー（FCF）と利益が一致すると仮定しよう。パネルAは現状である。現状では毎期100億円の利益が実現する。EPSは100円、割引率は10%とする。定額CFモデルを用いると、株式価値（一株当たり理論価格）は1,000円になる。

パネルBは、企業が1億株の公募増資を行い、投資プロジェクトを実施した場合のFCFとEPSである。発行済み株式数は2億株に増加する。発行済み株式数が2倍になるという例は非現実的かもしれないが、議論のエッセンスは株式数に依存しない。パネルAとパネルBのFCFの差額が、投資プロジェクトの成果である。1年目はゼロ、2年目は40億円、3年目は80億円、4年目は100億

[図表 11-3] 一株当たり利益の希薄化と投資の価値

A：現状（発行済株数1億株），割引率10%					
	$t=1$	$t=2$	$t=3$	$t=4$	$t=5$以降
FCF（億円）	100	100	100	100	100（毎期）
EPS（円）	100	100	100	100	100（毎期）
株式価値（円）	1,000円				
B：公募増資1億株（発行済株数2億株），長期的な投資，割引率10%					
	$t=1$	$t=2$	$t=3$	$t=4$	$t=5$以降
FCF（億円）	100	140	180	200	240（毎期）
EPS（円）	50	70	90	100	120（毎期）
EPSの現在価値（円）	45.5	53.7	52.6	68.3	819.6
株式価値（円）	1,040円				
C：公募増資2千万株（発行済株数1.2億株），近視眼的な投資，割引率10%					
	$t=1$	$t=2$	$t=3$	$t=4$	$t=5$以降
FCF（億円）	130	130	120	100	100（毎期）
EPS（円）	108	108	100	83	83（毎期）
EPSの現在価値（円）	98.5	89.5	75.1	56.9	569.2
株式価値（円）	890円				

（注）パネルBの$t=5$以降のEPSの現在価値は$(120÷0.1)÷(1.1)^4$，パネルCは$(83÷0.1)÷(1.1)^5$で算出。

円，5年目以降は毎期140億円の成果が見込める。公募増資を行うと3年間はEPSが100円を下回る。EPSが100円まで回復するのは4年目である。割引率10%を用いて評価すると，株式の価値評価額は1,040円になる。

　実際の株式市場では，1,040円の株価がつくとは限らない。1年後や2年後の予想EPSの大幅な低下が嫌気され，株価が下落するかもしれない。EPSの希薄化により株価が下落した事例が身近にあれば，株価下落のシナリオは現実味を帯びる。企業の経営陣は，長期的には有望な投資案件であることを認識しつつも，短期的なEPSの悪化を懸念する。アナリストや投資家を説得できないと思えば，公募増資を見送るかもしれない。

　パネルCは，企業が2,000万株の公募増資を行い，成果が早期に表れる投資プロジェクトを実施した場合のFCFとEPSの計画である。長期的な視点で見ると，株式の評価額は890円となるので，公募増資は好ましくない。4年目以降はEPSも低下する。一方，短期的にはEPSの増加が見込まれる。株式市場が長期的な視点で企業を評価せず，1年後や2年後のEPSばかりを気にすれば，企業がその流れに押されてしまうかもしれない。

　企業が資金調達を行うのは，価値を付加すると判断した投資プロジェクトを

実施するためである。価値の創造は一朝一夕にはいかない。いま投資して，すぐに投資を上回る成果が出るプロジェクトなどない。大きな価値を生むためには，会計数値やEPSが一時的に落ち込むことがあってもよい。リスク・マネーを提供する株式市場の役割は，企業が長期的な価値創造に取り組むための資金を提供することである。目先の増収増益を達成することも大切だが，数年後を見据えた大胆な企業戦略や業態変革の方が重要である。企業の価値評価は，何年連続で増収増益を続けてきたかで決まるのではない。将来，継続して安定的なキャッシュフローを生み出す力で決まる。

>>3 マーケット・タイミング

　タイミングよく株式を発行したり買い入れたりすることを，マーケット・タイミング戦略という。株価が割高なときにエクイティ・ファイナンスを行い，割安なときに自社株買いを行う。マーケット・タイミング仮説は，企業が株式市場のミス・プライシングを利用してタイミング戦略をとるという考え方である。［図表11－2］では，公募増資を決定する第二の要因（株価の過大評価）と第三の要因（直近の株価上昇）が，タイミング戦略に相当する。

　満期と元利が確定している社債やローンに比べて，満期がなく，受取額も約束されていない株式の評価は困難である。実際の値動きを見ても，株価の変動は社債の変動よりはるかに大きい。日々の株価には，投資家心理や需給関係など企業業績以外の要因も絡んでくる。近年脚光を浴びている行動ファイナンスは，投資家の行動心理や限定合理性などが，一時的な株価のミス・プライシングを誘導するメカニズムを研究している。マーケット・タイミング仮説は，行動ファイナンスの考え方をコーポレートファイナンスに取り入れた説といえる[1]。

　マーケット・タイミング仮説をサポートする実証結果も報告されている。例えば，公募増資を行った企業の株価は，長期的に下落傾向が続く。新規公開株は，公開後の長期的なパフォーマンスが悪い。自社株買いを行った企業の株価は，長期的に良好なパフォーマンスを示す。企業が株式を売ると株価は下落し続け，自社株を買うと株価は上昇トレンドを示すのである。企業は高く売り，安く買っていることになる。

---

[1] 企業の資金調達におけるマーケット・タイミング仮説についてはBaker and Wurgler（2002）が詳しい。

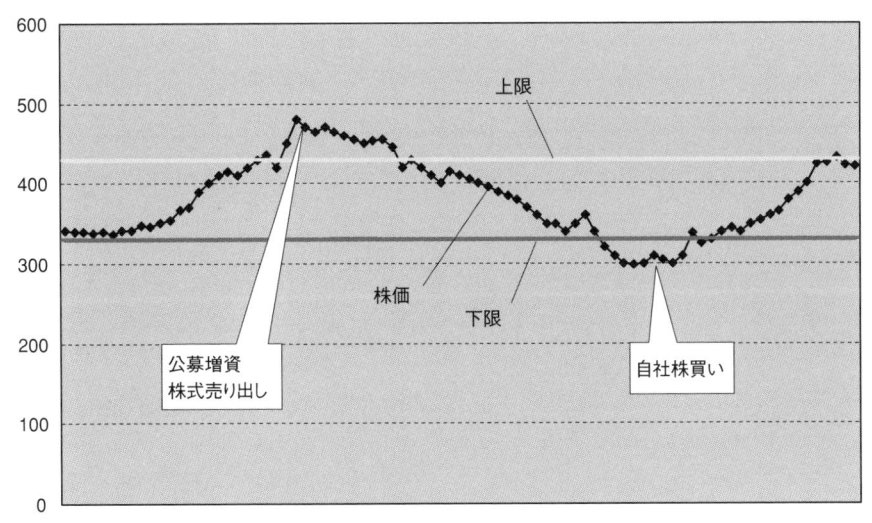

[図表 11-4] マーケット・タイミング戦略のイメージ

（注）自社で行った株式の価値評価が上限と下限のレンジに入ると想定。
上限を上回る株価は割高，下限を下回る株価は割安と判断。

　有益な投資機会はいつまでも待ってくれない。迅速に決定し，実行することが求められる。一方，株式市場から常に必要な資金が調達できるかというとそうではない。株式の流通市場が冷え込んでいる時期は，有益な投資プロジェクトを担保にしたエクイティ・ファイナンスでも資金調達が困難になる。資金が必要な時期に，不利にならない条件で資金が調達できるとは限らない。現実の世界では，資金調達がしやすいタイミングがある[2]。将来の有益な投資案件に備えて，タイミングよく資金調達しておくのも一つの財務戦略である。

>>4 資金調達のコストと序列

　企業は投資家より多くの情報をもっており，自社株について精緻な価値評価が可能であると考えられる。マーケット・タイミング仮説によると，株価が割高だと判断した企業はエクイティ・ファイナンスに前向きである。この二つの理由から，株式市場はエクイティ・ファイナンスを割高な株価のシグナルとみ

---

2 この傾向は新規公開において顕著である。新規公開の市場には，公開しやすい時期（Windows of Opportunity）があるといわれている。

なす。公募増資を発表した企業の株価は下落するだろう。後に紹介するANAの公募増資では，増資発表の翌日に株価は4％近く下落した。JALの公募増資では，増資の発表から発行価格決定までの3週間程度の間に株価は20％以上も下落した。

株式市場の反応が過剰で，株価が割安な水準まで下がる可能性もある。その場合，企業は不利な条件で資金調達をすることになる[3]。原価割れの価格で商品を売るようなものである。割安な価格で公募増資を行うと，必要な資金を調達するために，多くの株式を発行しなければならない。EPSが希薄化する程度も大きくなる。これは，株式市場のミス・プライシングに起因するコストであり，価値評価が困難な株式をともなう資金調達に特有のものである。元本と利息を約束する負債調達では起こりにくい。

外部資金調達には，証券会社に支払う手数料などのコストも必要である。負債調達とエクイティ・ファイナンスを比較すると，後者の方が高くつく。公募増資の場合，引受手数料などを含むコストは4％を超える。［図表11－5］は，2006年3月に行われたANAとJALの公募増資の目論見書からの抜粋である。発行価格は投資家が株式1株を購入する価格，発行価額はANAの受取額である。両者の差額は証券会社が受け取る手数料収入である。この事例では約4.1％にのぼっている。その他の諸費用を加えると，総額で調達資金の約4.5％のコストが必要になる。JALの場合は，より多額のコストがかかったことが分かる。

負債調達の場合，手数料などのコストはかなり小さい。例えば2007年6月に発行された東京電力の社債は，発行額500億円に対して手数料が1,000万円＋0.275％であった。現状では，投資適格の格付けをもつ社債の発行コストは0.4％程度である。

外部資金調達にはコストがかかる。内部資金でことが足りる場合，企業は外部からの資金調達を行わない。内部資金が不足すると，負債調達とエクイティ・ファイナンスの比較になる。コスト面の有利さを考えると，企業はまず負債調達を選ぶだろう。エクイティ・ファイナンスは最後の手段である。メザニンはその中間である。資金調達におけるこの序列をペッキングオーダーということがある[4]。ペッキングオーダー仮説には，引受手数料など直接的なコスト

---

[3] 厳密にいうと，既存株主と新株主の間で価値の移転が生じている。株価が割安なときに公募増資を行うと，割安な株式を購入した新株主が得をする。昔から株式を保有している株主が損をする。

[図表 11-5] ANAとJALの公募増資のコスト

	ANA （2006年3月）	JAL （2006年7月）
基準株価	412円	220円
発行価格 （市場価格に対する割引率）	403円 (2.18%)	211円 (4.09%)
発行価額（引受手数料率）	386.52円 (4.09%)	198円 (6.16%)
発行株式数	23,050万株	70,000万株
発行価格総額	9,289,150万円	14,770,000万円
発行価額総額	8,909,286万円	13,860,000万円
発行諸費用（概算）	35,000万円	56,000万円
実際の調達額 （発行価格総額に対する割合）	8,874,286万円 (95.53%)	13,804,000万円 (93.46%)

（注）発行価格は投資家が証券会社に支払う一株当たりの対価。企業は，1株につき，発行価格から引受手数料を控除した金額である発行価額を受け取る。
（出所）ANAとJALの新株発行の目論見書

に加えて，公募増資後の株価の下落を回避したいという企業側の思いも反映されている。

収益力が高い優良企業の負債比率は低いことを紹介した（第8章）。トレードオフ理論では，この現象を説明することが困難であった。資金調達コストなどに注目するペッキングオーダー仮説によると説明がつく。収益力が高い優良企業は内部資金が豊富であり，コストが高く株価の下落を招くかもしれない外部資金を調達する必要がないのである。

>>5 エクイティ・ファイナンスと利害対立問題

❶ 所有と経営の分離

企業の議決権をもつ株主が日々の企業経営を行わないことを，所有と経営の分離という。創業直後の企業では，大株主である創業者が経営を行うことが多

---
4 ペッキングオーダー理論は，Myers and Majluf（1984）とMyers（1984）によって提唱された。

いため，所有と経営が一致している。企業が順調に成長し株式公開をすると，経営者の持ち株比率が低下し，日々の企業経営に関わらない外部投資家の持ち株比率が高まる。エクイティ・ファイナンスを行う度に，外部投資家の保有比率が高くなる。株主イコール経営者という関係が希薄化し，所有と経営の分離が進む。所有と経営の分離は，株主と経営者の利害関係を難しくするといわれる[5]。

　経営者の株主保有比率が高い場合，経営努力が実って企業価値や株式価値が高まると，経営者自身の資産価値も高くなる。努力すればするほど自分の資産が増えるため，経営者は企業経営に精を出す。

　経営者が自社の株式をほとんど保有しない場合，経営努力の成果によって株価が上昇すると，外部投資家の資産価値が高まる。株式をもたない経営者は，株価上昇の恩恵を受けることができない。経営者の報酬が固定的で，業績や株価に連動しない場合はなおさらである。努力しても，努力しなくても，同じ金額がもらえるならば，努力するインセンティブは低くなる。多くの経営者は，報酬だけを目当てに働くのではない。企業への愛着や従業員とその家族への思い，社会への貢献，そして株主のことを気にしながら業務を遂行している。それでも，所有と経営の分離が経営者のインセンティブを低下させているという議論は後を絶たない。

　ストック・オプションや業績連動型報酬の導入が進んでいるアメリカ企業でも，経営者の報酬が株価に連動する程度は小さいといわれている。株価との連動性を高めるため，多額のストック・オプションを導入すると，経営者が株価の動向を気にしすぎるという弊害が生じる。長期的な視点から地道に利益を追求することを怠り，株式市場で一時的に注目をあびる派手なイベントに力を入れてしまいがちになる。一時的で派手なイベントは，リスクをともなうことが多い。ハイリターンが実現するうちはよいが，ハイリスクが顕在化すると，リスクを抑えるために本来のビジネスまで萎縮してしまう懸念がある。所有と経営の分離は悩ましい問題を引き起こす。

　経営陣が市場から株式を買い入れて大株主になり，株式を非公開化するMBOは，この問題を解決する一つの手段である。MBOでは，経営陣が相当程度の株式を保有する。経営努力が自分自身の資産価値に直結するため，インセンティブの問題は起こらない。外部投資家の声を気にせず，長期的な視点から

---

[5] 所有と経営の分離を形式的に分析した論文としてJensen and Meckling（1976）が有名である。

企業経営に取り組めるという長所もある。MBOを成功させたワールドは，5,000人のパート社員を正規社員にするという人事戦略を行った。人件費は増えるが，モチベーションの高い人材を確保することを優先した。株式を公開していれば，一時的に利益が低下する可能性を嫌がる株主から反対の声が上がったかもしれない。

　MBOに参加して自社の株式を購入した経営陣は，自らの経営努力が給与と株式価値に反映される。労力も資産も自社に集中投資することになる。リスク分散という考え方には反しているが，企業へのコミットメントが生み出すパワーがそれを上回るという判断であろう。株主である経営陣は相当の覚悟をもって挑んでいる。

❷ 株主と債権者のリスク選好の相違

　株主と債権者の利害対立問題は，収益配分の優先順位が異なるために生じる。元本と利息を優先的に受け取ることができる債権者は，早期に安全なキャッシュフローを生み出す事業を好む。債務を返済した後の残余利益を受け取る株主は，少々リスクがあっても，大きなキャッシュフローを生み出す可能性をもつ事業を好む。株主がリスクを許容できる理由は，有限責任制である。リスクがある事業に失敗しても，株主は追加的な負担をする必要がない。投資資金を失うだけである。逆に成功すると，債務を返済した残りの利益をすべて手に入れることができる。

　債権者に比べてリスクのある事業を好むという意味で，株主はリスク・インセンティブをもつ。現実妥当性について議論の余地はあるが，リスク・インセンティブに焦点を当てた理論的な研究は多い[6]。コーポレートファイナンスのテキストでも取り上げられている。ここでは，株主のリスク・インセンティブについて，簡単な数値例を用いて解説する。

　[図表11-6]は，企業が直面している二つの投資プロジェクトのCFを表している。プロジェクトSは，1期後に確実な80をもたらす。プロジェクトRが生み出すCFはリスキーである。成功すれば100だが，失敗すればゼロになる。成功する確率は2分の1，失敗する確率も2分の1である。分析を簡単にするため，金利とリスク・プレミアムは考慮しない。法人税やデフォルト・コストも考慮しない。この種の議論によく用いられる仮定である。

6　Jensen and Meckling（1976）やKalay（1982）などを参照。

[図表 11-6] 株主のリスク・インセンティブ

企業が二つのプロジェクトに直面

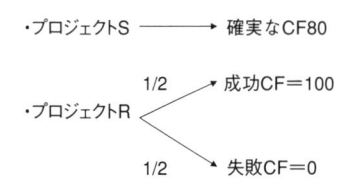

- プロジェクトS ──→ 確実なCF80
- プロジェクトR
  - 1/2 → 成功CF=100
  - 1/2 → 失敗CF=0

（表A）負債がゼロの場合

プロジェクト	株主	債権者	価値
S	80	0	80
R	50	0	50

（表B）負債が80の場合

プロジェクト	株主	債権者	価値
S	0	80	80
R	10	40	50

　企業に負債がなければ、どちらのプロジェクトを選択するかは明らかである。プロジェクトSの価値は80、プロジェクトRの価値は50（＝0.5×100＋0.5×0）である。価値の高いプロジェクトSを選択すれば、企業価値と株主価値を同時に高めることになる。［図表11-6］の右上の（表A）はこの結果をまとめてある。

　多額の負債があると話は違ってくる。企業が返済額80の社債を発行しているとしよう。企業がプロジェクトSを選択すると、80のCFがすべて債権者への返済にあてられる。株主の受取額はゼロである。プロジェクトRを選択して成功すると、100のCFのうち80が債権者に返済される。株主は残り20を受け取る。プロジェクトが失敗すると、債権者と株主の受取額はゼロである。成功時の受取額と失敗時の受取額を平均すると、債権者は40、株主は10となる。［図表11-6］の右下の（表B）はこの結果をまとめたものである。

　企業が多額の負債を抱えているとき、株主と債権者のリスク選好の相違が問題になる。株主にとって好ましいのは、リスキーなプロジェクトRである。債権者にとって好ましいのは、リスクのないプロジェクトSである。株主がプロジェクトRを好むのは、有限責任制によるところが大きい。株主は、プロジェクトが失敗しても、企業の債務80を負担する必要がない。株主に返済義務があれば、プロジェクトが失敗したとき、株主には80の追加負担が要求される。このとき、株主にとって好ましいのはプロジェクトSになる。

❸ 負債の資本拘束条項と債務免除の合理性

株主のリスク・インセンティブは，債権者の価値を毀損する可能性がある。債権者は株主の行動を抑制するため，社債やローン契約に様々な条項をつける。サッポロホールディングス（サッポロ）が2007年6月末に発行した普通社債には，資本拘束条項が付されている。同条項の内容は，50％を超える議決権をもつ株主（買収者）が現れたり，合併や完全子会社化の対象になったりすると，社債権者が満期前に社債の償還を請求できるというものである。社債発行時点におけるサッポロの大株主は投資ファンドである。そのため，資本拘束条項は買収防衛だという意見がある。

コーポレートファイナンスの理論を用いると，資本拘束条項は，株主のリスク・インセンティブを回避する手段であるという説明ができる。大株主が，企業内に留保された資金を用いて，過度なリスクをとる可能性を事前に防ぐという考え方である。[図表11-6]の数値例のように，リスキーな投資戦略が企業価値を低下させる場合，資本拘束条項は経営資源の効率的な利用を担保することになる。このシナリオでは，債権者が積極的に株主のリスク・インセンティブを防止する。

リスク・インセンティブ問題を解消する消極的な手段には，債務免除がある。[図表11-6]の例において，債権者が負債を80から50まで下げることに合意したとしよう。[図表11-7]は，債務免除が合意された場合の株主と債権者の受取額を示している。株主にとって好ましいのは，社会的に有益なプロジェクトSであることが分かる。

債務免除後の企業はプロジェクトSを選択する。このとき，債権者は債務免除に合意する。債務免除に合意しなければ，企業はプロジェクトRを選ぶので，債権者の受取額は40である。債務免除に合意すれば，企業はプロジェクトSを

[図表 11-7] 債務免除の合理性

プロジェクト	債務免除（負債80→50）が合意された場合		
	株主	債権者	価値
S	30	50	80
R	25	25	50

選び，債権者の受取額は50になる。債権者は，債務免除によって回収額の期待値（受取額）を高めることができる。債権者が債務免除に合意する行為は合理的である。

債務免除は，債権者の回収額を高めると同時に，社会的に有益なプロジェクトSの実行を保証する。このとき，債務免除は社会的にも好ましいといえる。

実際には，多数の債権者間の利害対立問題や交渉のコストなどが原因で，債務免除が合意されないことも多い。債権者が少数であったり，主要な債権者がある程度のコストを負担したりすることで，問題の解決が図れることもある。メインバンク・システムは，債務免除等の交渉が合意しやすいシステムである。

❹ 格付けと株価

コーポレートファイナンスの理論をうまく適用すると，様々な現象を説明することができる。例えば，株主と債権者のリスクに対する選好の相違を用いると，社債の格下げがあっても株価は下がらないという現象が説明できる。

［図表11－6］の数値例を用いると分かりやすい。企業がプロジェクトSを選択すれば，社債がデフォルトすることはない。企業がプロジェクトRを選択すると，デフォルトの可能性がある。格付け機関は，デフォルトの可能性を重視して社債を格下げする。

株価は逆である。企業がプロジェクトSを選択すると株価（株主価値）はゼロ，プロジェクトRを選択すると株価は10になる。プロジェクトRが実施されると，社債の格下げと株価の上昇が同時に起こる。同じ理由で，社債の格付けは上がっても，株価が反応しなかったり，下がったりすることもある。

現実の世界では，格付けが低いのに株価は高い企業がある。将来性がある産業に属する企業のビジネスは，ハイリスク・ハイリターンであることが多い。株式市場はハイリターンの可能性を高く評価する。債権者や格付け機関はハイリスクを嫌う。

❺ リスク・インセンティブと資源配分の効率性

有限責任制の下では，負債が多い企業の株主はリスク・インセンティブをもつ可能性がある。経済学的にリスク・インセンティブが問題になるのは，安全なプロジェクトの方がリスキーなプロジェクトより価値が高い場合である。数値例でいうと，社会的に有益であるのはプロジェクトSである。株主がコントロール権をもっていると，プロジェクトRを実施し，稀少な経営資源を無駄に

することになる。リスク・インセンティブは，効率的な資源配分を歪める可能性がある。

現実的には，リスクを好む株主からのプレッシャーが，リスクに対する企業の姿勢を甘くするかもしれない。株主の声が強くなると，企業は，ハイリスク・ハイリターンの投資を行う。投資が成功してハイリターンが実現すると，リスクに対する意識が低くなり，リターンの追求を優先しがちになる。企業内でもハイリターンが狙える成長分野に位置する事業部門の声が大きくなる。やがて，企業全体のリスクが高くなる。ハイリターンを目指す精神は良いことだが，折にふれ，リスクを思い出すべきである。

企業がハイリスク・ハイリターンを目指すと，リスク・プレミアムが高まるはずである。リスク・プレミアムの高まりは，割引率を通じて価値評価に影響する。高い成長が期待できるうちは，リスク・プレミアムの上昇を成長期待が打ち消すことになる。しかし，成長期待を下方修正せざるを得ないようなネガティブなショックが起こると，高まったリスク・プレミアムの影響が表れる。

［図表11－8］は，企業が安定路線を選択する場合と成長路線を選択する場合の数値例である。安定路線を選択する場合，価値評価には定額CFモデルが適している。パネル（A）は，安定路線のシナリオである。"安定"を反映して，リスク・プレミアムは相対的に低くなる。例では4％としてある。定額CFモデルを用いた価値評価は200である。

[図表 11-8] リスク・プレミアムと成長率

(A) 安定路線（定額CFモデル）：金利1％，リスク・プレミアム4％，資本コスト5％				
資本コスト（ρ）	CF成長率（g）	割引率（$\rho-g$）	来期のCF	価値評価
5％	0％	5％	10	200（＝10÷0.05）
(B) 成長路線（定率成長モデル）：金利1％，リスク・プレミアム6％，資本コスト7％				
資本コスト（ρ）	CF成長率（g）	割引率（$\rho-g$）	来期のCF	価値評価
7％	3％	4％	10	250（＝10÷0.04）
7％	2％	5％	10	200（＝10÷0.05）
7％	1％	6％	10	167（＝10÷0.06）
7％	0％	7％	10	143（＝10÷0.07）

パネル（B）は，企業がリスクをとって成長路線を目指す場合のシナリオである。"リスク"を反映して，リスク・プレミアムは相対的に高い6％としてある。価値評価には定率成長モデルが適している。高い成長率3％が期待できるとき，成長路線は投資家の期待を集め，価値評価を250まで高めることになる。高い成長が見込めなくなると，相対的に高いリスク・プレミアムの影響が出始める。数値例では，成長率2％で安定成長路線と同じ評価額となる。成長率が2％を下回ると価値評価は低くなる。

>>6 転換社債と証券化

❶ 転換社債とオプション

　転換社債（転換社債型新株引受権付社債）は，一定期間内に株式に転換できる権利をもつ社債である。転換社債は社債として発行される。投資家から請求があれば，企業は社債を株式に転換する。株式発行の可能性をともなうため，転換社債による資金調達は，エクイティ・ファイナンスに分類される。社債と株式の中間的な存在である転換社債は，ハイブリッド証券とよばれ，メザニンに分類されることもある。

　転換社債の保有者は，転換権を行使することもできるし，権利の行使を見送ることもできる。権利を行使すると，あらかじめ決められた転換価格に基づいて，株式が発行される。転換価格が500円の場合，額面100万円の社債は株式2,000株（＝100万円÷500円）に転換される。1株500円で100万円分の株式が買えることになる。転換価格は，発行時の株価よりやや高く設定されることが多い。後に紹介する事例のように，非常に高い転換価格が設定されることもある。

　株価が転換価格を上回れば，転換社債の保有者は，転換権を行使して利益を出すことができる。株価が600円になったとしよう。社債を2,000株の株式に転換して1株600円で売れば120万円になる。投資額は100万円であるから，20万円の利益が出る。

　逆に，株価が転換価格を下回っていれば，権利を行使せず，社債のまま保有し，株価の値上がりを待てばよい。［図表11－9］はこの様子を示している。

　転換権は投資家のオプションである。オプションは価値をもつため，転換社債は普通社債より低い金利で発行される。低い金利と転換オプションの合計が，普通社債の高い金利に見合っている。2006年10月から11月にかけて，シャープ，リコーなどが相次いで転換社債を発行した。シャープとリコーの転換社債は利

[図表 11−9] 転換社債のオプション

額面100万円，転換価格500円の転換社債，転換すると2,000株

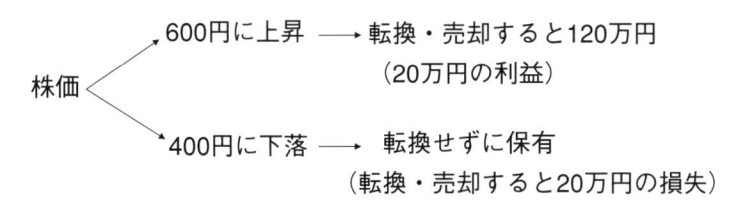

株価 ─┬─ 600円に上昇 ─→ 転換・売却すると120万円
      │   （20万円の利益）
      └─ 400円に下落 ─→ 転換せずに保有
                       （転換・売却すると20万円の損失）

率がゼロである。投資家は，転換権という甘味と利率ゼロという苦味を判断して，両社の転換社債を購入したと考えてよい。

　企業が満期前に社債を償還できるコール条項が付けられた転換社債もある。企業が社債をコールすると（満期前償還を決めると），転換社債の保有者は，社債償還に応じるか転換するかの決定を迫られる。株式転換を促進したい企業は，株価が転換価格を上回った時点でコールすればよい。このタイミングだと，転換社債の保有者は，社債の償還に応じるより，株式転換した方が得になる。コール条項による強制的な転換がなければ，転換社債が社債のまま残ってしまうことがある。負債比率を下げたい企業にとっては懸念が残る。実務的には，株価が転換価格を3割上回る期間が一定以上続くとコールするという条項が多い。コール条項は発行企業側のオプションである。

❷ 負債と株式の問題を解消する転換社債

　MMの無関連命題が成り立つ世界では，転換社債の利用が企業価値を高めることはない。現実的には，次のような場合に転換社債が有益だと考えられる。

　ビジネスには不確実性がつきものである。リスクとリターンの関係もふたを開けてみなければ分からない。ハイリスク・ハイリターンのビジネスは，収益が下振れする可能性が大きい。格下げやデフォルトのリスクを避けるため，ハイリスクのビジネスは低い負債比率の下で行うのがよい。ビジネスがローリスク・ローリターンであれば，節税効果等を享受するために，高い負債比率を保つのが理にかなっている。

　ハイリスク・ハイリターンなのか，ローリスク・ローリターンなのか，はっきりしない段階でビジネスを始めなければならないことがある。普通社債による資金調達を選択すると格下げやデフォルトの懸念が残る。株式発行による資金調達を選択すると，節税効果の恩恵を受けることができない。負債による経

営の規律付けも期待できない。このトレードオフ問題を解決する手段として，転換社債の利用が考えられる。

[図表 11-10] 転換社債の役割：負債と株式のトレードオフの解消

転換社債
├ ハイリスク・ハイリターン→株式転換→デフォルト・リスク消滅
│ ［負債の場合デフォルトや格下げのリスクが残る］
└ ローリスク・ローリターン→社債保有→節税効果
　　［株式の場合節税効果などを享受できない］

	ハイリスク・ハイリターン	ローリスク・ローリターン
普通社債	×	○
株式	○	×
転換社債	○	○

　債権者はローリスク・ローリターンを好み，株主はハイリスク・ハイリターンを好む。ローリスクの状態では転換されず，ハイリスク・ハイリターンが明らかになると株式に転換される転換社債を発行する。社債と株式のハイブリッドである転換社債を利用することで，トレードオフ問題が解決できる[7]。［図表11-10］にはこの様子が描かれている。

　転換社債を利用することで，リスク・インセンティブの問題が解消できることも知られている。考え方は債務免除と同様である。企業がプロジェクトを選択する前に転換が進み負債が減少すると，安全で価値が高いプロジェクトSが実行される（［図表11-6］を参照）。

❸ 転換社債のシグナリング機能と新しい可能性

　転換社債にはシグナリング機能もある。負債を利用する企業はローリスクを強調し，株式発行する企業はハイリスク・ハイリターンを強調している可能性がある。ハイリスクでもローリスクでもない企業は，負債と株式のハイブリッドである転換社債を発行することで，投資家にミドルリスク・ミドルリターンをアピールできる（［図表11-1］を参照）。

7　株式と負債を用いてトレードオフ理論の問題を解消することもできる。当初，普通社債による資金調達を行う。ローリスク・ローリターンの状態では何もしない。ハイリスク・ハイリターンが明らかになると，株式を発行して社債を償還する。転換社債の発行と同じ結果が得られる。

現場では，将来の業績や株価にかなりの自信をもつ企業が，時価よりはるかに高い転換価格を設定して，転換社債を発行することがある。新日本製鐵が2006年11月に発行した3,000億円の転換社債の事例を紹介しよう。転換社債の発行当時，同社の株価は490円であった。転換価格は5割高い740円に設定された。転換社債の保有者は，新日鉄の株価が740円を上回らない限り，株式転換権というオプションを行使できない。一見すると，その可能性は非常に低いように思える。転換権はそれほど甘味がなさそうである。転換権に甘味がなければ，投資家は社債の条件に甘味を求める。ほぼ同じ時期に発行したシャープやリコーの社債利率がゼロであったのに対し，新日鉄の利率は2.2％であった。

[図表 11－11] 新日鉄の転換社債発行と株価の推移

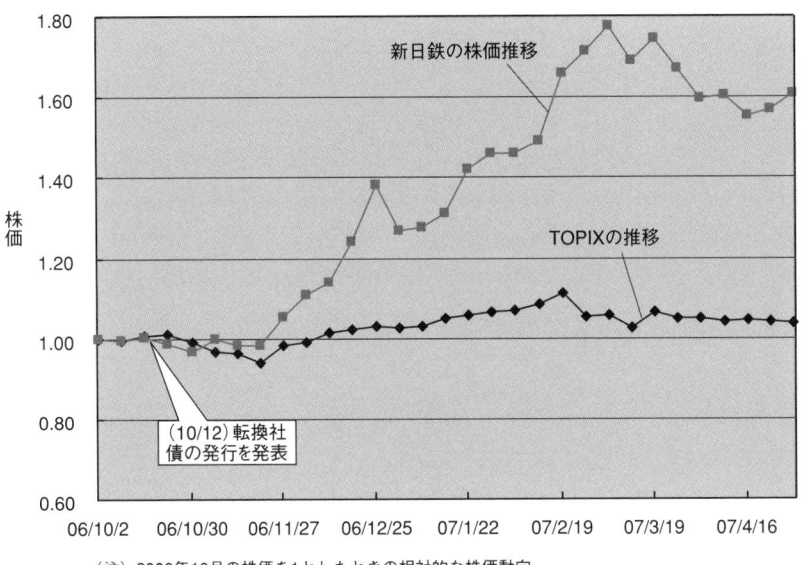

(注) 2006年10月の株価を1としたときの相対的な株価動向。

　新日鉄がこのような転換社債を発行した理由の一つは，株価が割安であるという強いメッセージを伝えることにあったと考えられる。[図表11－11]は，同社が転換社債の発行を発表した2006年10月以降の株価の推移である。TOPIXと比較するため，2006年10月の株価を1としてある。転換社債を発行した11月以降，新日鉄の株価は大きく上昇した。上昇率は6割を超える。同時期のJFEホールディングスの株価上昇率は，4割程度であった。転換社債の発

行以外の要因もあるだろうが，高い転換価格をもつ転換社債の発行が，株価上昇のきっかけになったという説は否定しがたい。

新日鉄の転換社債は，実質的な引受先がメガバンクであることから，転換社債を利用した安定株主作りという見方もある。鉄鋼業界は世界的な再編が進んでいる。再編の中心は，買収を繰り返して規模を追求しているミタル・スチールである。新日鉄といえども，再編の流れに巻き込まれる可能性は否定できない。新日鉄に対する買収提案があった場合，株価は一時的に急騰することが考えられる。株価が急騰すると，転換社債を保有するメガバンクが社債を転換して，それぞれ5％弱の株式を保有する株主になる。企業を取り巻く状態に応じて，負債と株式の間を行き来できるハイブリッド証券には，負債や株式にはない柔軟性がある。

❹ 証券化

投資家は，自身のリスク許容度やポートフォリオの状態に加え，自身の選好や価格の割安感などを考慮して最適な金融商品に投資する。企業は，経営状態，現時点の資本構成，資本市場の状態に応じて，最適だと考えられる方法で資金調達を行う。メザニンに代表されるように，最近では多様な金融商品が開発され，企業の資金調達に貢献している。また，証券化の手法も企業と投資家の選択肢を増やしている。

証券化とは金融に関する仕組みである。証券化では，まず資金調達のニーズをもつ企業が存在する（企業に特定されないが以下では企業とする）。企業は，証券化にあたりSPE（Special Purpose Entity）という器を設け，証券化の対象となる資産をSPEに譲渡する。資産の譲渡により，証券化の対象となる「資産の特定」が行われる。SPEは特定された資産が生み出すキャッシュフロー（資産からの収益や売却代金など）を受け取る権利を付与した証券を発行する。投資家はSPEが発行した証券に投資する。

証券化では，投資収益を生み出す資産が企業から分離されるため，企業の全社的な経営の優劣はそれほど関係しない。企業ではなく，資産が生み出すキャッシュとリスクのみを分析すればよいという点で，証券化商品は分かりやすい投資対象といえる。

証券化の対象であるキャッシュフローの配分方法を工夫することもできる。証券化を行う際に，元利が優先的に配分される証券と，その後の残余収益を受け取れる証券に分けて販売するという具合である。専門的には，「トランシェ

分けをする」という。企業の利益を負債と株式に分配することも一種のトランシェ分けである。通常，証券化は多くのトランシェで構成される。投資家と企業のニーズに合わせてトランシェを分け，より販売しやすい証券のパッケージを発行する。売りやすい時期に売りやすい証券を販売するという行為は，エクイティ・ファイナンスにおけるタイミング戦略と似ている。

事業もキャッシュフローを生み出す資産である。ソフトバンクは，携帯電話事業に参入する際に，事業の証券化によって資金を調達した。日本の信託法が大改正されたこともあり，今後とも事業の証券化からは目が離せないという現場の声がある。

>>7 ANAとJALの公募増資[8]

このセクションでは，全日本空輸（ANA）と日本航空（JAL）の公募増資の事例を取り上げる。わが国空輸業界の二大企業であるANAとJALは，2006年の春から初夏にかけて相次いで大規模な公募増資を実施した。公募増資は，エクイティ・ファイナンスの代表である。

❶ 近年のANAとJALの動向

2002年4月，公正取引委員会はJALとJASが示した経営統合計画（修正案）に対して，独占禁止法に抵触する恐れはないという見解を示した。ライバル社であるANAは，この見解に対して意義ありという意見書を提出したが，受け入れられなかった。新生JALの経営統合効果は，年間500億円以上の利益を生み出すと期待された。

わが国の空輸業界において，JALが勝ち組，ANAが負け組になると考えたのは，アナリストたちだけではなかった。実際，JALとJASの経営統合によって，国内線の競争ポジションは大きく変わった。国内線で4分の1のシェアをもつJASとの経営統合により，新生JALは国際線と国内線の双方でトップシェアを獲得した。ANAは，同社の強みである国内線でトップシェアの座を明け渡した。

国内線トップの座から転落したANAであったが，その後の対応は迅速だっ

---

[8] ANAの事例を作成するにあたり，同社IR推進室主席部員浅井道浩氏（所属・役職は2006年8月現在）には，大変お世話になりました。感謝いたします。

た。2002年には「新創業宣言」で「新しい全日空をつくろう」と従業員によびかけ，向こう3ヵ年で3,000億円のコスト削減計画を立てた。経営目標についても，シェアの獲得から利益や経営効率を重視する方向に舵を切った。赤字が続いていた国際線部門でも，とにかくJALを追撃するという姿勢から，採算を重視する方針へと変更した。

[図表 11-12] ANAの財務データ要約

連結BS（百万円）	2002.3	2003.3	2004.3	2005.3	2006.3
流動資産	407,833	355,996	463,392	421,170	530,374
固定資産	1,101,623	1,085,905	1,100,848	1,184,838	1,135,463
資産合計	1,510,982	1,442,573	1,565,106	1,606,613	1,666,843
流動負債	444,863	317,938	441,657	506,474	480,848
固定負債	915,189	992,375	964,453	875,638	832,554
負債合計	1,360,052	1,310,313	1,406,110	1,382,112	1,313,402
少数株主持分	12,289	10,306	8,910	10,217	7,132
資本合計	138,641	121,954	150,086	214,284	346,309
負債・資本合計	1,510,982	1,442,573	1,565,106	1,606,613	1,666,843
連結PL（百万円）	2002.3	2003.3	2004.3	2005.3	2006.3
売上高	1,204,514	1,215,909	1,217,596	1,292,813	1,368,792
売上原価	923,361	957,167	939,538	957,923	1,017,117
売上総利益	281,153	258,742	278,058	334,890	351,675
販売費・一般管理費	258,185	261,339	243,704	257,116	262,873
営業利益	22,968	▲2,597	34,354	77,774	88,802
経常利益	1,400	▲17,236	33,443	65,224	66,755
当期純利益	▲9,456	▲28,256	24,756	26,970	26,722

　迅速な対応と徹底した経営目標の変更が功を奏し，ANAは着実に利益をあげる体質になった。［図表11-12］は，近年のANAの財務データの要約である。同社の2003年（平成15年3月）と2004年の業績を比較すると，売上原価や販売費及び一般管理費のコスト削減効果は明らかである。その後，同社は営業利益ベースで増益基調が続いている。国内線トップシェアの座を明け渡したことがよかったのではないか，とさえ思えてくる。

　ANAは，投資家に対しても積極的に自社をアピールしている。同社は日本語版のアニュアルレポートを作成しており，その内容は非常に充実している。将来の業績見通しなどを含めて，一般の投資家がANAについて知りたいと思

うことは，ほとんど網羅されている。IR体制も非常に整っており，IR協議会などでの活動にも積極的である。"きっかけ"と"正しい方向への転換"が大切なことは，ANAの事例でも同様である。ライバル社にトップシェアの座を明け渡したことをきっかけに，ANAはシェアから利益に目標を転換した。

ANAとは対照的に，勝ち組と思われたJALの業績が悪化したことは皮肉である。JALの強みである国際線が新型肺炎（SARS）や鳥インフルエンザによって打撃を受け，2004年3月期には経常損失が過去最大の赤字（719億円の赤字）になった。［図表11-13］は，JALの財務データの要約である。私見になるが，JALが方向転換すべきは，この時期だったのではないだろうか。

JALは，2005年3月期に業績が回復したものの，2006年3月期には再び赤字に転落した。機材の老朽化や整備ミスによるトラブルが続き，経営の内紛も表面化した。安全面に対する不安から，国内線を中心に顧客離れが続いた。2005

［図表 11-13］ JALの財務データ要約

連結BS（百万円）	2003.3	2004.3	2005.3	2006.3
流動資産	530,322	519,076	683,174	687,319
固定資産	1,641,962	1,594,219	1,479,403	1,473,913
資産合計	2,172,284	2,113,418	2,162,654	2,161,240
流動負債	615,346	560,559	569,140	644,844
固定負債	1,279,158	1,369,446	1,372,993	1,340,879
負債合計	1,894,505	1,930,005	1,942,133	1,985,724
少数株主持分	23,522	24,139	25,774	27,449
資本合計	254,256	159,273	194,746	148,066
負債・資本合計	2,172,284	2,113,418	2,162,654	2,161,240
連結PL（百万円）	2003.3	2004.3	2005.3	2006.3
売上高	2,083,480	1,931,742	2,129,876	2,199,385
売上原価	1,661,421	1,605,917	1,685,675	1,839,190
売上総利益	422,059	325,824	444,201	360,195
販売費・一般管理費	411,469	393,470	388,051	387,029
営業利益	10,589	▲67,645	56,149	▲26,834
経常利益	15,840	▲71,938	69,805	▲41,608
当期純利益	11,645	▲88,619	30,096	▲47,243

年度の国内旅客数では，3年ぶりにANAがJALを逆転した。

❷ ANAの事業戦略と財務戦略

　ANAの2006年3月期の決算は，増収増益（営業利益ベース）であった。コスト削減と利益重視の経営を徹底した結果が，売上高の増加にも貢献してきたようである。国内線旅客事業，国際線旅客事業，貨物郵便事業の主要三事業は，すべて増収であった。

　好調な業績を反映して，ANAの総資産事業利益率（ROA）は，前年の5.2%から5.7%に改善した。一方，同社の自己資本当期純利益率（ROE）は，前年の14.8%から9.5%に下落した。負債比率を低下させたためである。同社は，レバレッジ効果によるROEの向上より，財務の安全性を重視していることがうかがえる。負債利息の支払い能力を判断するICレシオは上昇傾向にある。

　ANAは新生JALの誕生やスカイマークの参入という空輸業界の第一次再編を乗り越えて，収益基盤の安定化を達成したようである。次のステップとして，同社が中期経営戦略（2006-2009年）で強調しているメッセージは，「航空ビッグバンに向けての競争力の向上」と「変動に強い企業体質の確立」である。同社の事業戦略と財務戦略の方向性は，このメッセージと整合的である。

　業界内の競争要因はいくつかある。とくに，2009年度の羽田再拡張とその後に予想される航空ビッグバンは，ライバル社との競争を激化させる要因になるだろう。ANAは自社の強みである国内線旅客事業でキャッシュを稼ぎ，将来の成長分野と位置づけている国際旅客事業や貨物郵便事業に資源を集中投入することで，収益性の向上と成長分野での事業拡大を図ることを計画している。

　航空業界の業績や競争状況は，様々な外部環境要因の影響を受ける。ANAの決算短信には，事業等のリスクとして，原油価格変動リスク，為替変動リスク，国際情勢リスク，法的規制リスク，環境規制リスク，災害リスクなどが掲載されている。現状，最も深刻な要因は燃料費の高騰（原油価格リスク）であろう。外部環境の変化に対する抵抗力を強める事業戦略として，同社はコスト構造改革やフリート戦略を計画している。フリート戦略とは，機種統合効果による生産性の向上を享受できるフリート構成（航空機の機種の編成）への転換推進である。

　事業戦略をサポートする財務の方向性は，有利子負債の削減である。ANAは，中期的に，有利子負債を2,000億円削減し，自己資本に対する比率（D/Eレシオ）を3倍にすることを目標にしている。［図表11-14］は，2006年2月1

日に発表された同社の中期経営戦略説明会資料からの抜粋である。同社は，事業利益を用いたROAを重視していることが分かる。

[図表 11-14] ANAの財務目標：中期経営計画

Ⅰ．経営目標数値

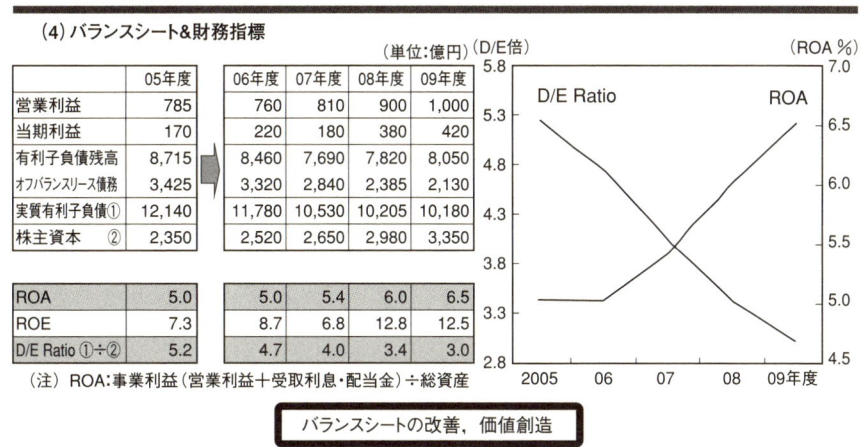

(4) バランスシート&財務指標　　　　　(単位：億円)

	05年度	06年度	07年度	08年度	09年度
営業利益	785	760	810	900	1,000
当期利益	170	220	180	380	420
有利子負債残高	8,715	8,460	7,690	7,820	8,050
オフバランスリース債務	3,425	3,320	2,840	2,385	2,130
実質有利子負債①	12,140	11,780	10,530	10,205	10,180
株主資本　②	2,350	2,520	2,650	2,980	3,350
ROA	5.0	5.0	5.4	6.0	6.5
ROE	7.3	8.7	6.8	12.8	12.5
D/E Ratio ①÷②	5.2	4.7	4.0	3.4	3.0

(注) ROA：事業利益（営業利益＋受取利息・配当金）÷総資産

バランスシートの改善，価値創造

(出所) 2006年2月1日発表ANA資料

❸ ANAの公募増資

　ANAは，フリート戦略における航空機材に約1兆円の資金投下を予定している。内部資金で不足する分は，外部資金調達を行う必要がある。同社が選択した資金調達方法は，公募増資であった。

　中期経営計画の発表から2週間後，ANAは22年ぶりの大型公募増資を決定した。発行済み株式数の15％に相当する2億5,000万株を国内外で発行した（国内で1億5,000万株，海外で1億株）。発行価格は403円，発行価額（ANAの一株当たり受取金額）は386.5円である。公募増資による資金調達額は約966億円になる。

　ANAが資金調達の方法として公募増資を選択した最大の理由は，競争激化と環境の不確実性に備えて，ファイナンシャル・フレキシビリティを維持するためであったと考えられる。過大な負債は競争の足かせになる。格付けに対する意識も強かったと思える。格付けを高めることで，将来の資金調達が行いやすくなる。格付けが著しく低下すると，相応の金利をつけても資金調達できないことがある。同社の財務内容や経営環境を考えると，公募増資は条件付き理

論から導かれる結果と整合的であった。

　公募増資が実施された後，格付け機関はANAの格付けを引き上げた。2006年5月末には，ムーディーズ社が同社の無担保長期債務格付けをBa3からBa1へと格上げした。ムーディーズ社のコメントは次のようであった。「ANAの格上げは，事業運営の合理化と継続的なコスト削減により，収益の安定性と堅固な財務構成が引き続き改善していくとの見方を反映した。最近における営業キャッシュフローの改善，ならびに2006年3月における約966億円の増資によるバランスのとれた財務方針により，同社の財務体力は大幅に強化されてきている。有利子負債比率も2005年3月末に比べて改善された」。

　6月初めには，フィッチがANAの発行体デフォルト格付けと無担保社債の格付けをBBからBB$^+$に引き上げた。フィッチは，コメントの中で公募増資の影響について次のように述べている。「2006年3月の増資により，財務の柔軟性が高まり，多額の設備投資に必要な資金の一部を調達できた。その結果，2006年3月末の負債比率は大幅に改善した。今後，危機的な事象が発生しなければ，経営努力と日本の航空旅客市場の回復傾向により，同社の信用力がさらに安定する可能性が高い」。

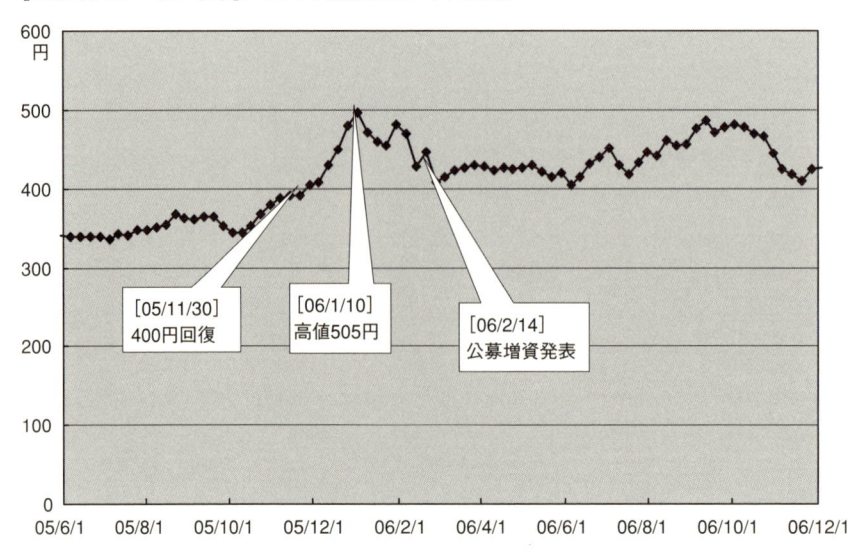

[図表■11-15（A）] ANAの株価推移（中長期）

[図表■11−15（B）] ANAの株価動向（短期）

月日	ANA株価
2006年1月10日	505円
…	…
2月10日	469円
2月13日	458円
2月14日 （増資発表）	465円
2月15日	441円
2月16日	435円
2月17日	428円
…	…
3月1日	412円

　[図表11−15(A)][図表11−15(B)]は，公募増資前後のANAの株価である。株価の推移を見ると，ANAの公募増資はタイミングがよかったといえる。同社の株価は，2005年11月に約3年半ぶりに400円台を回復した。2006年1月には一時500円を上回る高値をつけた。株価が回復し，中期的な上昇トレンドにある時期に，タイミングよく公募増資を決定し実施したといえる。

　公募増資の発表が，短期的な株価下落をもたらすことはよく知られている。ANAも例外ではなかった。公募増資を発表した翌日（2月15日），同社の株価は前日比20円安の445円に下落した。図表には載せていないが，売買高も前日を大きく上回った。株式ニュースなどでは，公募増資によるEPS（一株当たり利益）の希薄化や需給悪化懸念による売り先行と解説された。[図表11−15]から判断すると，株価の下落は一時的であった。同社の株価はその後400円台で推移した。

　この時期，公募増資に対する市場関係者の見方として，日経金融新聞（2006年3月2日付）に次のようなコメントが掲載された。「企業経営者が資本コストを意識するようになったため，公募増資に対する企業側の考え方もバブル期のような甘いものではなくなってきた」「これまでバランスシートを小さくする経営であった企業が拡大路線に転じたことは，今後の業績向上に期待感を抱かせる」。企業経営の中に資本コストの意識が浸透したいま，事業投資は価値を付加することが期待できる。短期的なEPSの希薄化や需給悪化懸念より，事業投資が生み出す価値に期待しようということであろう。

❹ **JALの公募増資**

業績が順調なANAと対照的に，JALは資本市場での信認が低下していた。先に見たように，同社の2006年3月期の営業利益と当期純利益は赤字であった。同社の普通社債利回りと国債利回りを比較した信用スプレッドは，2006年2月15日に2.4％まで拡大した。同時期，ANAの社債の信用スプレッドは0.4％程度であった。JALは負債比率も高かった。このような状態では，負債による資金調達は難しい。

ライバル社のANAが将来に向けた準備を着々と整えているのを，黙って見ているわけにはいかない。JALは事業投資の資金が必要であった。加えて，同社は2007年3月に満期となる転換社債を発行していた。株価が低迷していたため，転換社債は社債のまま償還を迎えると予想された。資金調達の必要性は強かった。

営業利益の赤字という現実を考えると内部資金調達の可能性は低い。外部資金を調達する必要がある。しかし負債調達は難しい。JALに残された方法は，エクイティ・ファイナンスのみであった。エクイティ・ファイナンスができなければ，最悪の事態に陥る可能性が高まる。同社と幹事証券は公募増資に踏み

[図表 11-16（A）] JALの株価推移（中長期）

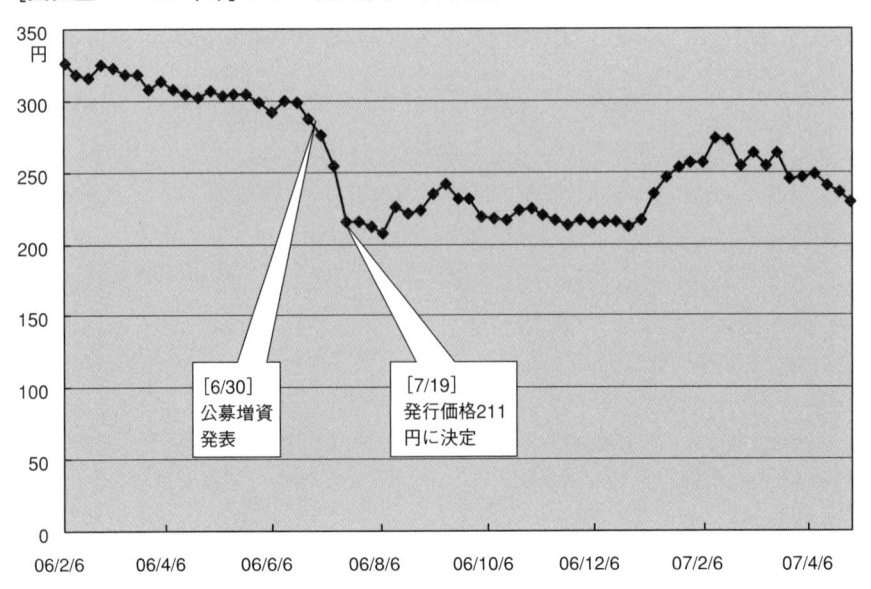

[6/30] 公募増資発表
[7/19] 発行価格211円に決定

[図表 11-16（B）] JALの株価動向（短期）

月日	JAL株価
2006年6月1日	298円
…	…
6月29日	287円
6月30日 （増資発表）	287円
7月3日	273円
7月4日	277円
…	…
7月18日	236円
7月19日 （発行価格決定）	220円
7月20日	235円

切った。株主総会の2日後（2006年6月30日），JALは公募増資の計画を発表した。

　［図表11-16(A)］［図表11-16(B)］は，JALの株価動向を示している。業績悪化や相次ぐ運航トラブルを嫌気して，株価は中期的な下落トレンドにあった。ANAが株価の上昇トレンドの中で公募増資を行ったのとは対照的である。株価が下落トレンドにある場合，短期的なEPSの希薄化や需給悪化への懸念が，投資家のセンチメントを悪化させる。公募増資の発表を受けて株価は大きく下落した。株価の下落は発行価格の低下につながる。JALが発行価格を決定した7月19日の株価は220円であり，発行価格は211円になった。公募増資の決定から価格決定までの期間，JALの株価は23％も下落した。同期間のTOPIXの下落率は7％であった。

❺ 公募増資と利害関係

　JALの公募増資を利害関係者の立場から検討しよう。既存株主の立場からすると，公募増資が株価下落を招いたように思える。株価の動向，新聞などの解説記事を見ても，公募増資が既存株主の価値を毀損したという見方は否定しがたい。現場では，すでに過去のことかもしれないが，既存株主の価値が損なわれた原因について再考しよう。

　既存株主の価値が損なわれたのは，企業全体の価値が低下したからだという意見があるかもしれない。しかし，企業価値が低下する主な原因は，投資決定

の誤りである。資金調達とはあまり関係がない。資金調達によってデフォルトの懸念が小さくなった分，企業全体の価値は増加したかもしれない。

　JALの既存株主の価値が損なわれたのは，利害関係者間で価値の移転が起こったためであろう。既存株主から新規株主に価値が移転したか，既存株主から債権者に価値が移転したことが考えられる。

　企業が本来の価値より安い価格で株式を売ると新規株主が得をする。損をするのは既存株主である。新規株主は211円で株式を買った。JALの株価だけを見ると，その後の株価は発行価格を上回って推移している。新規株主はキャピタルゲインを得る機会があった。一方，公募増資の発表前からJALの株式を保有している既存株主には，キャピタルゲインを得る機会がなかった。2007年4月までの期間，株価は公募増資発表前の290円を上回ることはなかった。

　株主から債権者に価値が移転したことも考えられる。資金調達によってデフォルトの可能性は小さくなった。財務的な安全性も高まった。JALの西松遥社長は，公募増資後の取材で次のように述べている。「エクイティ・ファイナンスは自己資本比率の上昇など財務強化につながり，社債市場（での信用度）にも良い影響を与える」（日本経済新聞2006年7月31日付）。わずかではあるが，JALの信用スプレッドは縮小し，社債の評価は改善された。公募増資が債権者に与えた影響は悪くはなかった。ただし，格上げには至らなかった。一時的に財務の安全性は高まるが，業績の改善を期待するには時期尚早だというのが理由であった。

　返済義務がない公募増資は時間稼ぎにもなる。時間稼ぎは一つの戦略である。時間を稼いでいるうちに，原油価格など外部環境が変化するかもしれない。ライバル社に何かトラブルが発生するかもしれない。時間を稼げばハイリターンの可能性が高まる。株主にとって悪いことばかりではない。

　経営体制の改革にも時間が必要である。2007年2月，西松遥社長は給与を大幅に引き下げると宣言した。年収1,000万円を下回るという。退路を断ち全力を尽くす気構えを社内外に示したといえる。

第12章

配当政策

　第12章と第13章では，企業のペイアウト（Payout）政策の理論について解説する。ペイアウトとは，企業が株主に現金を配分することで，利益還元ともいわれる。ペイアウトの方法には，現金配当（配当）と自社株買いがある。以前は，ペイアウトといえば配当であった。いまでは，自社株買いが配当に肩を並べるペイアウトの手段になっている。配当に自社株買いを加えたペイアウトは，総還元や株主配分と訳される。第12章では配当を，第13章では自社株買いを取り上げる[1]。

　配当に関する基本的な方針を配当政策という。基本的な方針に沿って，企業は毎年いくらを（金額）どのように（方法）配分するか意思決定する。配当政策が企業価値にどのような影響を与えるかは，投資家にとっても，企業にとっても，興味深いテーマである。配当は企業の価値（ファンダメンタル）に影響するのだろうか，あるいは市場での評価に影響するのだろうか。

>>1　近年のペイアウトの動向

　かつて，わが国企業の配当政策といえば安定配当であった。安定配当政策の下では，業績がよほど悪化しない限り，毎年一定の配当が支払われる。

　［図表12－1］は，わが国で最多の株主数（2006年3月期で約125万人）を誇

---

[1] わが国で広く普及している株主優待もペイアウトの一部と考えることができる。株主優待は，メーカーが自社製品を株主に配布したり，ホテルや外食産業が自社サービスの割引券などを株主に配布したりする制度である。例えば，オリエンタルランドの株式を100株保有すると，年2回（決算期と中間決算期）東京ディズニーランドやディズニーシーに入場できるパスポートが配布される。パスポートの料金は，5,800円であるから，年間11,600円がペイアウトされる計算になる。同社の2007年3月期の現金配当は100株当たり5,500円であるから，株主優待が現金配当を上回っている。また，現金による企業買収において，買収者が被買収企業の株主に支払うキャッシュもペイアウトと考えることができる。

るNTTの一株当たり利益と配当の推移である。1999年の配当には，その年限りの記念配当が含まれている。NTTの配当政策は安定配当である。増益であっても，減益であっても，一株当たり5,000円の配当をペイアウトしてきた。2000年と2002年は，当期利益が赤字になったにもかかわらず，一株当たり5,000円の配当を維持した。2005年と2006年は増配し，一株当たり6,000円の配当を実施している。

[図表　12−1] NTTの一株当たり利益と配当

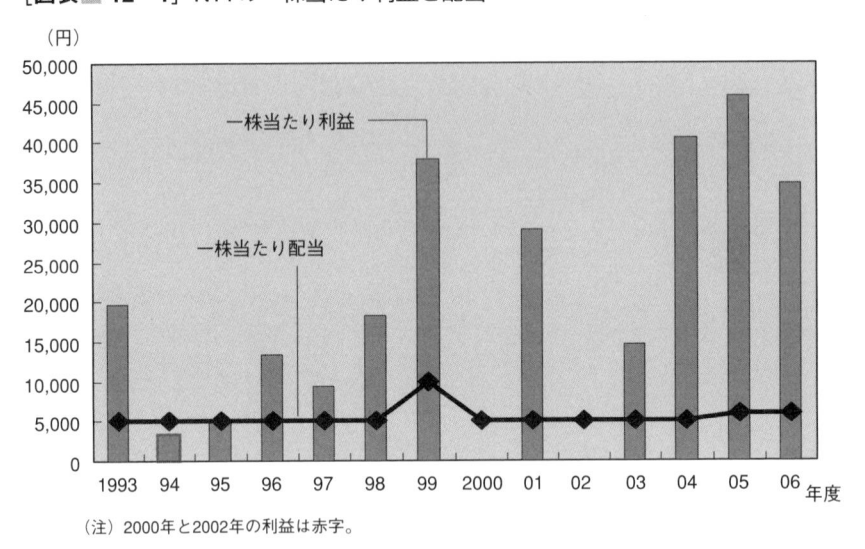

(注) 2000年と2002年の利益は赤字。

　最近では，安定配当政策から決別し，業績に連動したペイアウト政策を打ち出す企業が増えている。この背景には機関投資家の要請もあるようだ。例えば，生命保険協会が継続的に実施しているアンケート調査『株式価値向上に向けた取り組みについて』によると，安定配当から業績連動型配当への転換を求める機関投資家が増加している。

　資生堂は，わが国でいち早く総還元性向（配当と自社株買いを合計したペイアウト総額÷当期純利益）に注目したペイアウト政策を打ち出した。中期的に連結純利益の6割を目安に現金配当と自社株買いによる株主配分を行うという。第一三共は，2008年3月期から3年間，総還元性向を100％にするという方針を打ち出している。

　新日本製鐵は，配当性向（配当÷当期純利益）の目標を20％にするペイアウ

ト政策を掲げている。同社のホームページには，配当政策に関して次のメッセージが公開されている。有価証券報告書にも配当政策が記載されている。

> 「2005年3月期より，配当方針をこれまでの長期安定配当から，業績に応じた配当に変更しました。具体的には，連結配当性向20％程度，単独配当性向30％程度を基準とします。当面は，財務体質改善が最優先課題であることから，基準に比べやや抑えた水準（連結配当性向15〜20％，単独配当性向20〜30％）を目安といたします」
> （新日鐵ホームページより抜粋〈2006年8月当時〉）

資生堂や第一三共，新日鉄などのペイアウト政策は，利益に対するペイアウトの割合を目標にしているため，ペイアウトが業績に応じて変動しやすくなる。2006年3月期に大幅な増益となった新日鉄は，一株当たり配当を前年度の5円から9円に増やした。新日鉄の配当が1年間で約2倍になったのである。一昔前には考えられなかったことであろう。逆もありうる。業績が落ち込むと，配当が少なくなるかもしれない。

マブチモーターは，1999年度から安定配当と業績連動型を組み合わせた独自のペイアウト政策を採用している。とくに2003年度からは，一株当たり50円という安定的な金額（フロア）に加えて，当期利益の20％に相当する金額を配当するという方針をとっている。同社は，50円を上回る部分については，業績が悪化すれば減配するという姿勢を明確にしている。2003年度に167億円であった同社の利益は，2005年度には74億円まで落ち込んだ。業績の悪化に連動して，2003年度に1株128円であった配当が，2005年度には92円まで低下している。［図表12-2］はマブチモーターの業績連動配当の推移である。ヤクルト本社も安定配当部分に業績連動を組み合わせた配当政策を採用している。最近では，地方銀行の一部にも同様の配当政策を導入する動きが出ている。

[図表 12-2] マブチモーターの業績連動配当

	2003年	2004年	2005年
純利益（億円）	167	133	74
1株配当（円）	128	115	92
自己資本（億円）	2,128	2,015	2,119
自社株買い（億円）	―	180	70

マブチモーターが先駆的に導入した「フロア（安定部分）＋業績連動」の配当は，平成18年度の『株式価値向上に向けた取り組みについて』（生命保険協会）において，投資家に人気がある配当政策になっている。
　それほど規模が大きくない成長企業の中にも，投資家の動向を機敏にとらえた配当政策を打ち出している企業が少なくない。空気圧縮機と塗装機器の総合メーカーであるアネスト岩田は，増収増益を続けている連結売上高300億円規模の会社である。同社の会社説明会資料（2006年6月2日）には，「フロア＋業績連動」を意識した次のような配当政策が掲載されている。

> 「当社は，株主の皆様に対する利益還元に努めることを重要な使命としております。具体的には，配当性向30％を基準とし，最低でも一株当たり年間3円の配当は堅持してまいります」

　製薬事業を営むエーザイやアステラス製薬，田辺製薬は，株主資本（自己資本）に対する配当の割合である株主資本配当率（DOE：Dividends on Equity）を重視したペイアウト政策を掲げている。例えば，エーザイは次のようなペイアウト政策を公表している。

> 「当社の配当政策は，安定的な配当をベースに考えています。その上で着実な増配実績を積み上げて，株主の皆様にインカムゲインでも報いていきたいと考えています。一方，キャピタルゲインでも株主のみなさまに報いるべく，投下資本収益率を高めていきたいと考えています。具体的には，剰余利益を有益な案件に再投資し，株主資本利益率（ROE）を高めることを考えています。総括して言えば，配当性向を高め，投資効率をあげてROEを向上させることで，株主資本配当率（DOE）を高めることが当社の重要な使命と考えています。また，当社は配当政策の目標数値として，2011年度のDOEを約8％にすることをめざしています」
> （エーザイのホームページより抜粋〈2006年8月〉）

　DOEはROE（当期純利益÷自己資本）と配当性向（配当÷当期純利益）を掛けたものである。外国人株主比率が高くなっている製薬会社は，資本効率と業績連動型の利益還元の双方を重視している姿勢をアピールするため，DOEを目標に掲げるようになったのであろう。マブチモーターの例で見たように，業績連動型配当を厳格に適用すると，減益は減配につながる。一方，DOEは

減益でも減配になりにくい。DOEを厳格に適用すると，自己資本が減少しない限り減配にならない。減益でも黒字を確保している限り，自己資本の減少は生じにくいからである。

　投資家の要望に応じて企業がペイアウトを工夫している，というのが最近の特徴である。しかし，投資家も迷っている。配当性向の公表を望んでいる一方で，フロア付きの業績連動配当やDOEが人気化したりする。現場の迷いを断ち切るような理論はあるのだろうか。以下では，ある程度合意されている理論や，実証的に確認されている仮説を解説していく。

>>2　ペイアウトの考え方

　企業がペイアウトする相手は株主である。ペイアウトは株主の視線で考えるのが分かりやすい。

　企業の株式を1株保有する株主の資産価値を株主価値としよう。第7章や第8章で紹介したMMの無関連命題が成り立つ世界では，ペイアウトは株主価値に影響しない。例えば，現金配当をすると，配当の分だけ株価が下がる。一株当たり50円の現金配当は，50円の株価下落をもたらすだけであり，株主価値には影響しない。同様に，一株当たり100円の配当は100円の株価下落をもたらす。この場合，50円の配当を100円に増配しても株主価値は変わらない。増配分だけ株価が下落する。現実の世界は，MMの無関連命題の前提を満たさないことが多い。そのため，ペイアウトが株主価値に影響することがある。

　企業の事業活動から生み出されたキャッシュは，設備投資，債務の返済，株主へのペイアウト，内部留保のいずれかに向けられる。内部留保された資金は，将来の投資機会や債務の返済にあてられたり，いざというときの備えになったりする。

　［図表12－3］は，2005年3月期と2006年3月期の松下電器産業の連結キャッシュフロー計算書の要約である。2005年3月期の松下電器は，営業活動によって4,784億円のキャッシュを生み出し，投資に1,783億円，財務活動に4,194億円のキャッシュを使った。為替変動の影響を調整すると，キャッシュの減少（現金・現金同等物の純減）は1,053億円であった。

　財務活動に関するキャッシュの増減に注目しよう。松下電器は，2005年3月期に短期借入金を80億円，長期債務を2,516億円返済し，新たに1,194億円の長期資金を借り入れている。現金配当により352億円，自社株買いにより929億円

のキャッシュを株主に配分している。配当と自社株買いを合わせたペイアウト総額は1,280億円になる。

[図表 12-3] 松下電器のキャッシュフローとペイアウト

	2005年	2006年
営業活動に関するCF	4,646	5,754
投資活動に関するCF	(1,783)	4,071
財務活動に関するCF	(4,056)	(5,245)
短期借入金の増加(返済)	(80)	150
従業員預り金の減少	(1,252)	(1,048)
長期債務の増加	1,194	307
長期債務の返済	(2,516)	(3,282)
配当金	(352)	(391)
少数株主への配当金	(148)	(163)
自己株式の取得	(929)	(872)
自己株式の売却	13	2
その他	14	5,128
為替変動の影響	141	397
現金・現金同等物の純増(純減)	(1,053)	4,976

(注) ( )内はキャッシュの減少を示す。

　ペイアウトに関する問題の一つは，いくらを投資資金として使い，いくらをペイアウトするかである。この問題に対する教科書的な答えは明確である。まず価値を高める有益な投資に資金を投下し，資金が余ればペイアウトを考えなさいというのである。
　企業価値や株主価値を高めることを企業の経営目標とするとき，この優先順位は理にかなっている。企業から投資家への資金移転であるペイアウトが，価値を生み出すことはないからである。
　投資資金が確保できると，余った資金をペイアウトするか手元保有するかが次の問題になる。理論的にはさほど明らかでないが，ペイアウト政策において企業が優先するのは，まず減配しないことである。企業の経営者は減配を回避したいという意識が非常に強い。おそらく，減配によって株価が急激に下落し

たり，減配後の株主総会で責任を追及されたりすることを懸念するのであろう。われわれのインタビュー調査でも，減配という選択肢はまず考えないという企業の担当者がほとんどであった。

　企業は減配を選択できる。極端に言うと，配当を支払わない無配政策を選択することもできる。ただし，現場では減配しないことが優先される。投資資金と現状維持の配当を確保し，さらに資金が余ったとしよう。最後の問題は，配当の増額（増配）や自社株買いによって追加的なペイアウトを行うか，キャッシュ・ポジションを積み増すかである。この段階におけるペイアウト政策は，現金保有の問題と表裏一体の関係にある[2]。

>>3　配当無関連命題

　配当というと，株主に現金を支払う現金配当を指す。配当は一株当たり配当金で表示されるのが一般的である。わが国では，年1回期末配当を行うか，あるいは中間配当と期末配当に分けて年2回配当を行う企業がほとんどである。例えば，3月を会計年度末とする企業の場合，期末配当は3月末の権利付き最終日の株主に対して支払われる。中間配当は，中間決算期である9月末の権利付き最終日の株主に対して支払われる。通常，権利付き最終日は，月末の5営業日前である。権利付き最終日の翌日を配当落ち日という。配当落ち日は配当を受け取る権利が失われる日である。実際の配当は株主総会の直後に支払われる。配当落ち日に株式を購入する投資家は，その期の配当を受け取る権利がない。理論的には，配当落ち日の株価は配当分だけ安くなると考えられる。数値例を用いてこのことを確認しよう。

　配当と株主価値の関係に焦点を当てるため，負債がゼロの企業を考えよう。[図表12-4(a)]は，配当直前の企業の資産・資本内容である。企業は130億円の現金と有形・無形の営業資産を保有している。現金の内訳は，前期からの保有分が100億円，今期のフリー・キャッシュフロー（FCF）が30億円である。企業の営業資産は，毎期30億円のFCFを生み出すと期待されている。FCFは，株主に配分可能な資金である。

　発行済み株式数は1億株である。法人税や取引コストは考慮しない。ペイアウト政策が一株当たり利益やROEに与える影響について議論するため，便宜的

2　企業の現金保有に関する最近の研究動向は，砂川・畠田・山口（2006）を参照。

[図表 12-4] 一株30円配当

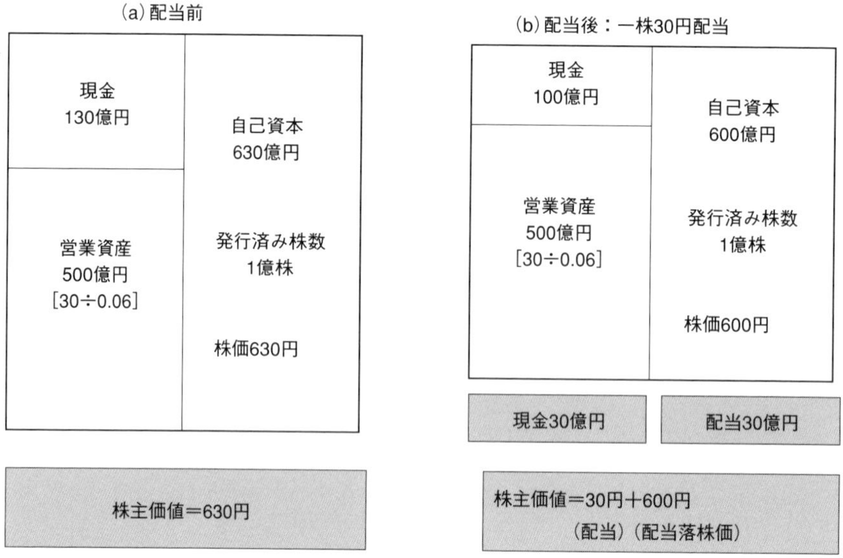

(a) 配当前

| 現金 130億円 | 自己資本 630億円 |
| 営業資産 500億円 [30÷0.06] | 発行済み株数 1億株

株価630円 |

株主価値＝630円

(b) 配当後：一株30円配当

| 現金 100億円 | 自己資本 600億円 |
| 営業資産 500億円 [30÷0.06] | 発行済み株数 1億株

株価600円 |

現金30億円　　配当30億円

株主価値＝30円＋600円
　　　　　（配当）（配当落株価）

にFCFと当期利益が等しいとしよう[3]。

　ゼロ金利を仮定して無リスク利子率はゼロとする。株式市場のデータを用いて営業資産の資本コストを推定したところ6％であった。定額CFモデルを用いると、営業資産の現在価値は500億円（＝30億円÷0.06）と算出できる。企業は、現金130億円と営業資産500億円を保有していることになる。企業価値は630億円である。

　この企業の株式を1株保有する株主の資産価値（株主価値）と配当の関係を調べよう。企業が配当を支払わなければ、株価は630円（630億円÷1億株）であり、これが株主価値となる。企業が一株当たり30円の配当を支払うとしよう。[図表12-4(b)]は、配当支払い直後の企業の資産・資本内容である。配当総額は30億円（＝30円×1億株）であるから、配当支払い後の企業の資産価値は、現金100億円と営業資産500億円を合わせた600億円になる。したがって、配当落ち日の株価は600円である。企業の株式を1株保有する株主は、30円の配当を受け取り、600円相当の株式を保有するから、株主価値は630円になる。

3　例えば、営業外損益や特別損益がなく、設備投資と減価償却費が一致し、運転資本の増減がない場合を考えるとよい。

[図表 12-5] 一株130円配当

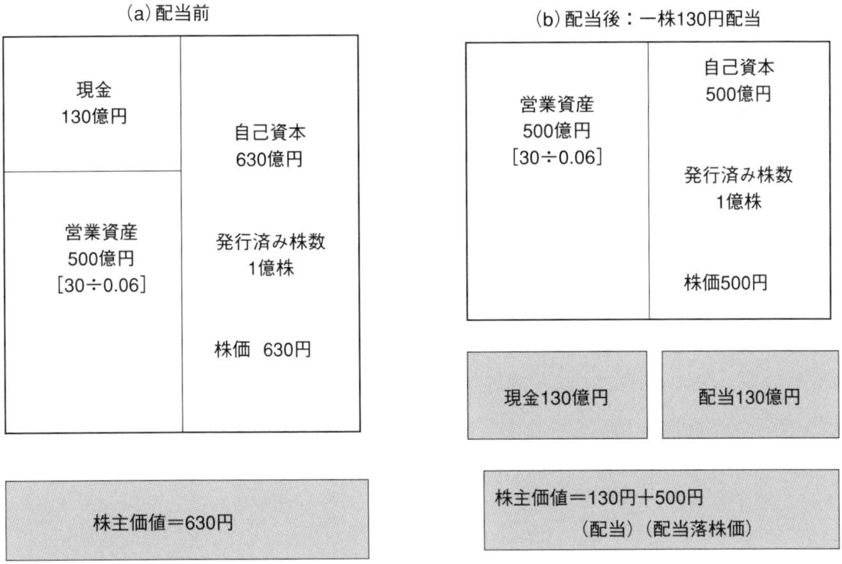

(a) 配当前

現金 130億円	自己資本 630億円
営業資産 500億円 [30÷0.06]	発行済み株数 1億株 株価 630円

株主価値＝630円

(b) 配当後：一株130円配当

営業資産 500億円 [30÷0.06]	自己資本 500億円
	発行済み株数 1億株 株価500円

現金130億円	配当130億円

株主価値＝130円＋500円
　　　　　（配当）（配当落株価）

　企業が一株当たり30円の配当に加えて100円の特別配当を支払うとしよう。配当支払い後の企業の資産・資本内容は，[図表12-5(b)] に示されている。配当落ち日の株価は500円になる。株主は一株当たり130円の配当を受け取り，時価500円の株式を保有するから，株主価値はやはり630円である。

　[図表12-6] は，3種類の配当政策についてまとめたものである。ゼロ配当，30円配当，130円配当，いずれの場合も株主価値は等しいという結論が得られた。配当落ち日には，配当に相当する分だけ株価の下落が生じる。「株主価値は配当政策と無関連である」という説を最初に提示したのは，Miller and Modgliani（1961）である。MMの配当無関連命題ともいわれる。

　配当無関連命題によると，配当の変更は株主価値に影響を与えない。前期の配当が一株当たり30円であったとしよう。今期の配当をゼロにすると減配，30円にすると現状維持，130円にすると大幅な増配である。いずれを選択しても株主の資産価値には影響しない。

　この考え方が命題とよばれるのは，いくつかの前提条件の下で論理的な証明ができるからである。主な前提条件は次の通りである。①ペイアウト政策が追加的な情報をもたらすことはない②企業の経営者は株主価値を損なう行動をしない③株式市場は完全競争の状態にある（税金や取引コストはない）。

[図表 12-6] 配当と株主価値

	配当前	30円配当	130円配当
資産価値（自己資本）	630億円	600億円	500億円
期待利益	30億円	30億円	30億円
期待ROE（利益÷自己資本）	4.8%	5.0%	6.0%
リスク	小	中	大
株価	630円	600円	500円
一株当たり配当	0円	30円	130円
株主価値	630円	630円	630円

>>4 配当とリスク・リターン関係

　[図表12-6]の期待ROEとリスクに注目しよう。配当をしない場合，自己資本630億円に対して来期の期待利益は30億円であるから，ROEは4.8%（30億円÷630億円）になる。一株当たり30円配当の場合，配当後の自己資本は600億円であるから，ROEは5%（30億円÷600億円）になる。一株当たり130円配当の場合，ROEは6%（30億円÷500億円）になる。
　一見したところ，130円配当によってROEを高める方がよさそうに思える。しかし，先に見たように，どの配当を選択しても株主価値は同じである。このパズルを解く鍵は，ファイナンス理論の真髄であるリスクとリターンの関係にある。
　配当支払い後の資産内容の違いに注目しよう（[図表12-4][図表12-5]を参照）。配当をしない場合，企業は現金を130億円保有している。一株当たり30円配当の場合は，100億円の現金を保有している。一株当たり130円配当の場合，企業は現金を保有しない。営業資産と異なり，現金はリスクのない資産である。現金が豊富であれば，企業全体のリスクは小さいといえる。現金が少なければ，企業のリスクは大きいといえる。ハイリスク・ハイリターンの原則より，現金が少ない企業に期待されるリターンは高い。逆に，現金が豊富でリスクが小さい企業に期待されるリターンは低い。一株130円配当の場合，期待ROEが高いのはハイリスク・ハイリターンの結果である。
　現金の配分によって高い資本利益率を追求することは，企業のリスクを高め，

ハイリスク・ハイリターンを目指す行為であるということも理解しておく必要がある。

>>5 配当シグナル仮説

配当無関連命題が成り立つ場合，増配や減配のニュースによって株価が変動する現象を説明することは難しい。配当政策が追加的な情報を伝える役割をもつことが，考慮されていないからである。

［図表12－4］から［図表12－6］にかけての数値例を用いて考えてみよう。現在の株価は630円である。前期の配当は一株当たり30円だったとしよう。企業が今期の配当を一株当たり130円にすることを決めた，というニュースが流れた。増配である。株価は上がるだろうか。

株式市場が企業の資産を正しく評価していれば，配当落ち日以前の株価は630円のはずである（［図表12－5］を参照）。増配のニュースが流れても株価は変動しない。営業資産が生み出す期待FCFと割引率に関する見方が変わらない限り，増配や減配のニュースは株価に影響しないといえる。

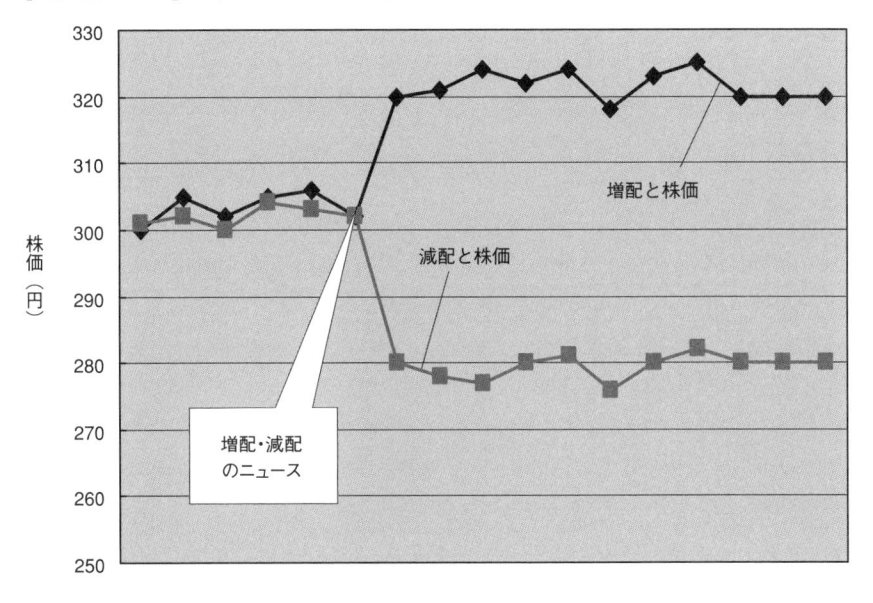

［図表 12－7］ 増配・減配と株価動向

現実の世界では、増配のニュースによって株価が上昇したり、減配のニュースによって株価が下落したりする。［図表12－7］に示すような株価の動向が観察されている。

個別企業の事例も見ておこう。2007年3月16日、総合電機メーカーの東芝は、前期6.5円であった一株当たり年間配当を11円に増配した。対照的に、日立製作所（日立）は、前期11円であった一株当たり配当を6円に減配した。［図表12－8］は、配当変更を発表した後の両企業の株価動向である。増配を発表した東芝の株価が、相対的に上昇トレンドにあることが分かる。配当変更が発表された3月16日の株価の終値は、日立が863円、東芝が769円であった。3ヵ月あまりが経過した6月末の株価は、日立が875円、東芝が1,075円である。両社の株価は逆転している。

このような株価の反応に関する一つの解釈は、配当の変更が株式市場に新しい情報を伝えるというものである[4]。

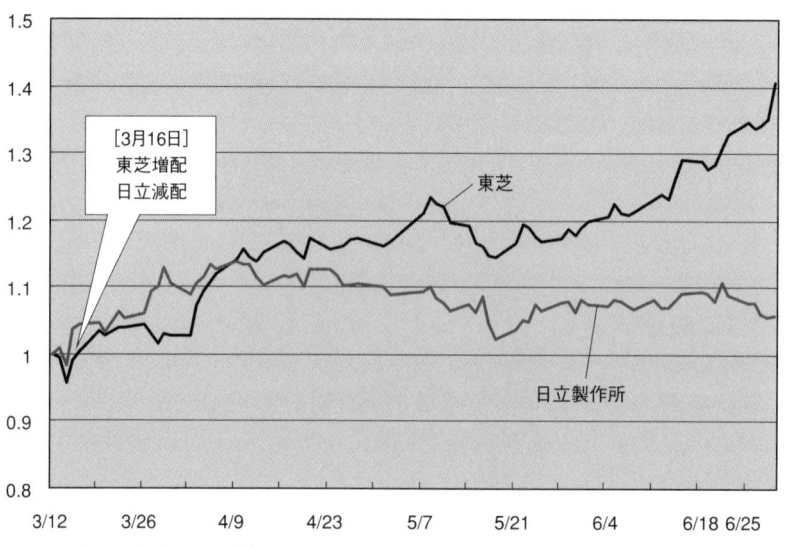

［図表 12－8］ 日立製作所と東芝の配当と株価（2007年3月－6月）

（注）2007年3月12日の株価を1としたときの相対的な株価の動向。2007年3月16日に東芝は増配（1株6.5円を11円に増配）、日立製作所は減配（1株11円を6円に減配）を発表した。

---

[4] 増配の発表により、株価が一時的に上昇した後、元の水準に戻ることもある。東京電力は、2007年2月28日に期末配当を一株当たり30円から40円に増配すると発表した。その前後の株価の動向は、4,160円（2月26日）、4,260円（2月27日）、4,130円（2月28日）、4,100円（3月1日）、4,050円（3月2日）であった。増配発表をやや先取りする形で株価は上昇し、発表直後に株価は下落した。

❶ 増配とFCF（利益）の増加

再び，［図表12-4］の数値例を用いて説明しよう。配当に関する企業の基本的な方針は，減配を極力避けることと，中期的に100億円程度の現金ポジションを維持することである。現金は，M＆Aを含む将来の成長戦略への投資資金として，また予期せぬリスクに対する備えとして保有する。この方針の下，企業は一株当たり30円，総額30億円の配当を続けている。今期も一株当たり30円の配当を支払ったところである。配当支払い直後の資産内容は［図表12-9］の左側になる。企業は現金100億円と500億円相当の営業資産を保有している。

企業が来期の配当を一株当たり33円に増やすことを発表した。増配の発表は何を意味するのだろうか。

伝統的な配当シグナル仮説によると，増配は将来の好業績に対する自信の表れである。いまの場合，来期以降のFCF（利益）が3億円増加するという自信をもった経営者が，一株当たり3円，総額3億円の増配を決めたと考える。企業の基本方針を知っている株式市場は，来期以降のFCF（利益）の予想を30億

［図表 12-9］ 配当シグナル仮説：配当はFCFのシグナル

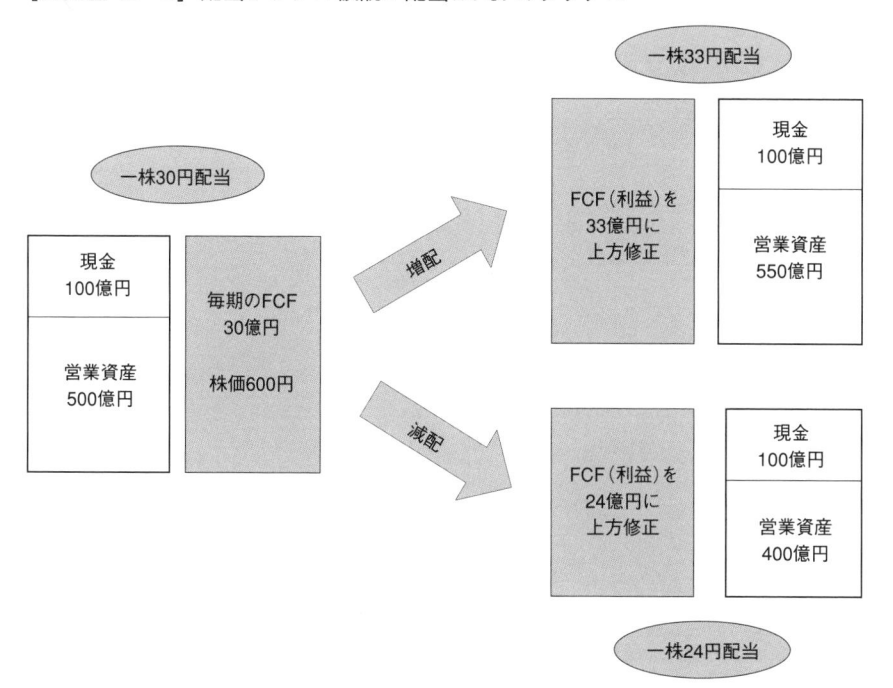

円から33億円に上方修正するであろう。

　FCFの増加は，一時的なものではなく恒常的なものである。来期のFCFが一時的な要因で増加し，その後再び30億円に戻る場合，増配は企業の基本方針に合わない。FCFが30億円であるのに33億円の配当を支払い続けると，現金が減少していくからである。現金ポジションを維持しようとすれば，一株33円に増やした配当を30円に戻すしかない。これは減配であり，もう一つの基本的な方針に反する。

　FCFの増加が恒常的であればこのような懸念は生じない。企業が基本的な方針を守ることを前提にすれば，増配は恒常的にFCFが増加するシグナルであると考えられる。FCFに対する割引率は6％であるから，営業資産の評価額は550億円（＝33億円÷0.06）に上昇する。現金100億円と合わせた企業価値は650億円に評価し直され，株価は650円まで上昇する。［図表12－9］の右上の状態である。

　配当シグナル仮説では，配当の変更を通じて株式市場が新しい情報を得る。仮説の背景には，企業が株式市場より多くの情報をもっているという現実的な前提がある。

❷ 苦渋の選択である減配

　企業にとって減配は苦渋の選択である。増配に比べて減配の件数が著しく少ないという事実は，企業がいかに減配を回避したがっているかを示している。わが国企業の財務担当者に聞いても，業績の低迷が続くなどよほどのことがない限り，減配は選択肢にないという。アメリカの企業も同様である。いまから50年ほど前に行われたインタビュー調査でも，1999年に行われた大規模なアンケート調査でも，アメリカ企業の経営陣は減配を嫌がることが報告されている[5]。配当性向の目標を掲げている企業でも，利益が落ち込んだからといって，減配するわけではない。先に紹介したマブチモーターのように，減益になると減配する企業の方が珍しいようである[6]。

　配当シグナル仮説によると，減配は将来の業績に対する悲観的な情報である。企業の経営環境が著しく悪化し，将来の業績に暗雲が立ち込めたとしよう。来期以降のFCFが24億円に低下することが避けられなくなった。企業は，配当に

---

[5] Lintner（1956）とBrav et al.（2005）を参照。
[6] マブチモーターの増配や減配は，あらかじめ定められたルールにしたがって実施されるため，配当の変更そのものはシグナルにならないと考えられる。

ついて難しい選択に直面する。

　減配を回避するという方針を優先すると，来期以降も一株当たり30円，総額30億円の配当を継続することになる。この場合，現金を取り崩さなければならない。一方，現金ポジションを維持するという方針を優先すると，減配が避けられなくなる。

　苦渋の決断で，企業が減配を選択したとしよう。減配の発表を受けた株式市場は，企業の業績を下方修正する。いまの場合，期待FCFが24億円であるから，営業資産の評価は400億円（＝24億円÷0.06）となる。現金を合わせた企業価値は500億円に評価し直され，株価は500円まで低下する。[図表12－9]の右下は，減配発表後の状態を示している。

　業績の落ち込みが一時的であれば，現金を取り崩して配当に回し，減配を避けることもできよう。しかし，業績低迷が長期化する可能性がある場合，減配しないことを優先すると，現金ポジションが徐々に減少する。現状の配当を維持して株式市場の評価を保つように努めても，業績の悪化はいずれ分かることである。現金が少なくなってから減配するよりは，早めに減配しておく方がよい。減配することで株主や従業員と危機意識を共有し，難局を乗り切ることができるという考え方もある。

❸ 増配とビジネス・リスクの低下

　FCFや利益などの見通しに変化がなくても，DCF法の割引率が低下すれば，企業や株式の評価は高まる。割引率は投資家の期待収益率である。ハイリスク・ハイリターンの原則により，ビジネス・リスクが大きいと投資家の期待収益率が高まり，割引率も高くなる。割引率が高くなると企業価値は低下する。逆に，事業のリスクが小さくなると割引率が低くなり，企業価値は上昇する[7]。

　配当と割引率の関係を示すため，少し設定を変更しよう。先と同様に，企業は現金100億円と毎期30億円のFCFが期待できる営業資産をもつ。FCFの割引率は6％である。営業資産の価値は500億円（＝30億円÷0.06），現金100億円を合わせた企業価値は600億円，株価は600円になる。

　割引率6％はFCFのリスクに応じて決まる。企業はFCFのレンジを20億〜40億円と想定している。株式市場も同様の見方をしている。割引率6％は，FCF

7　Grullon, Michaly, and Swaminathan（2002）は，アメリカの増配企業の推定資本コストが低下していることを確認している。増配企業は資本支出も減少している。彼らは，増配は成熟化のシグナルであると解釈している。

がこのレンジ内で変動するリスクを反映している。

　配当に関する企業の基本的な方針は，減配をしないことと，配当はその期のFCF（利益）の範囲内に収めることである。この方針の下，企業は一株当たり20円，総額20億円の配当を継続している。余剰資金は，将来の成長戦略を実施するための投資資金として蓄積してきた。［図12-10］の左側には，FCFのレンジを含む企業の現状が示されている。

　企業が来期の配当を一株当たり25円に増配すると発表し，株価が700円に上昇した。伝統的な配当シグナル仮説によると，増配は企業の業績（FCFや利益）が上向くシグナルである。ところが，業績の修正はなく，来期以降の期待FCFと利益は30億円のままだという。

　配当に関する企業の基本方針に注目すると，総額25億円の配当は来期のFCFで支払えるはずである。企業は，FCFの下限が25億円になることを確信したのであろう。FCFの確実性が高まり，レンジが25億〜35億円になったと考えられる。FCFのリスクが小さくなったのである。このことを理解した株式市場は，ローリスク・ローリターンの原則にしたがい，FCFの割引率を6％から5％に引き下げた。定額CFモデルによると，営業資産の価値は600億円（＝30億円÷0.05），現金を合わせた企業価値は700億円になる。株価は700円に上昇する。こ

［図表■12-10］　配当シグナル仮説：増配は割引率低下（成熟化）のシグナル

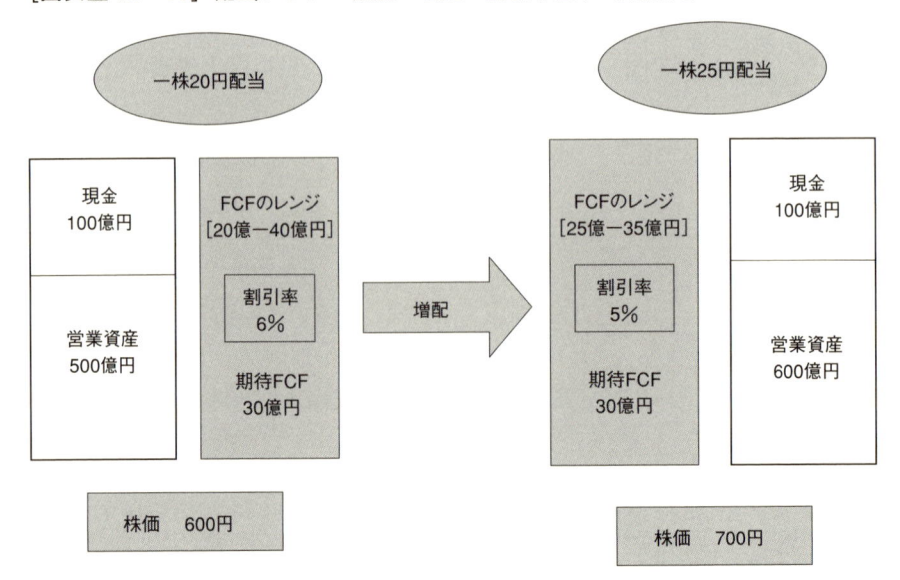

れでつじつまが合う。［図表12-10］の右側には，増配後のFCFのレンジと企業の状況が示されている。

　一般的に，成長段階にある企業に比べて，成熟企業の事業は安定した利益やFCFをもたらす。このため，増配がリスク低下のシグナルであるという仮説は，配当の成熟企業仮説ともいわれる。成熟期にさしかかると，安定的にキャッシュが入ってくるのに対し，有益な投資機会は減少する。現金を積み増す理由も弱くなるだろう。企業は増配することでリスクの低下を伝え，自社の評価を高めようとする。

　DCF法の分子であるキャッシュフローに関する情報は，アナリスト・レポートや企業の業績発表によって入手できる。一方，分母の割引率やリスクに関する情報は，入手が困難である。そのため，増配による割引率低下のシグナルは，投資家にとって貴重な情報になる。企業にとってもシグナルを送るインセンティブは強いといえよう。

>>6　配当のフリー・キャッシュフロー仮説

　毎期のFCFが30億円ある企業が数年にわたり無配を続けているとしよう。成熟期に入りつつあるこの企業は，しばしば本業と異なる分野への進出を図っては撤退を繰り返してきた。現在，企業の現金ポジションは600億円まで積み増されている。株主資本に占める利益剰余金の割合も非常に大きい。FCFの割引率は5％，営業資産の評価は600億円である。［図表12-11］には，現金の評価が示されている。

　株式市場は，この企業をどのように評価するであろうか。現金と営業資産をそれぞれ600億円と評価すれば，企業価値は1,200億円，株価は1,200円になる。現金が600億円の評価を受けるのは，600億円がいずれ株主に配分されることを前提にしている。

　ところが，過去の経営を見る限り，この企業は資金を有効に使用してきたとは思えない。企業価値を高める投資ではなく，価値を損なう投資を繰り返しているようである。本業が成熟期にさしかかったいま，有益な投資案件がそれほど豊富にあるとも思えない。株式市場が抱くこのような懸念は，価値評価に表れる。積み増された現金は，価値が毀損される可能性を考慮して，600億円より低く評価されるであろう。例えば400億円にしか評価されない。1円が1円に評価されないのである。その結果，株価は1,200円より低位の1,000円に放置

[図表 12-11] 現金の評価

現金の評価額600億円→株価1200円 （1円を1円に評価）	現金の評価額400億円→株価1000円 （1円を0.8円に評価）
現金 600億円 ／ 自己資本 1,200億円 営業資産 600億円 [30÷0.05] ／ 発行済み株数 1億株	現金 600億円 ／ 自己資本 1,200億円 営業資産 600億円 [30÷0.05] ／ 発行済み株数 1億株

される。

　配当無関連命題では，企業の経営者は価値を損なう投資を行わないと仮定される。株式市場は，内部留保された現金やFCFの使途に対する懸念をもたない。一方，現実の世界では，株式市場が企業経営を信用できなくなることがある。不正経理やずさんな品質管理，資金の私的流用などの問題が表出すると，株主は企業経営のモラル低下を憂い，企業内に蓄えられた現金が心配になる。この問題は，株主価値の向上を求める株主の意向にそった企業経営が行われていないという意味で，株主と経営者の利害対立問題といわれる。現金やFCFの使途は，代表的な利害対立問題である。

　コーポレート・ガバナンスを目的とする企業買収や議決権行使が生じるのは，利害対立が深刻な場合である。資金力をもつ大株主が，企業の株式を買い集めて，経営に対する影響力を強め，配当を要求するなどして現金やFCFの使途に目を光らせる。いくつかの研究によると，コーポレート・ガバナンスが機能している企業が保有する1円は，そうでない企業が保有する1円より評価が高いという[8]。

8　Dittmar and Mahrt-Smith (2005) はアメリカ企業を対象に，Pinkowitz, Stulz, and Williamson (2005) は国際的なデータを用いて，企業が保有する現金の評価とコーポレート・ガバナンスの関係を調べている。いずれも，コーポレート・ガバナンスが優れている企業は，そうでない企業に比べて，現金保有の価値が高い（保有現金が高く評価されている）という検証結果を報告している。諏訪部 (2006) は，わが国でも同様の関係が観察されることを確認している。

M&Aコンサルタント（通称，村上ファンド）が東京スタイルに行った株主提案は，フリー・キャッシュフローを巡る経営者と株主の利害対立問題が顕在化した事例である。当時，東京スタイルは総資産の7割に及ぶ現預金や有価証券を保有していた。加えて，同社株式のPBRは1を下回っていた。村上ファンドは，投資家を代表して，同社にフリー・キャッシュフローのペイアウトを要求したと考えられる。

経営者自身が市場の懸念を払拭し株価を高めるためには，積み増された現金や将来のFCFを株主に配分する姿勢を示せばよい。自発的な配当（増配）は一つの策である。配当（増配）が発表されると，市場の懸念が除去される。過小評価は修正され，1円の現金が1円の評価を受けるようになる。株価は高まるであろう。これが，配当のフリー・キャッシュフロー仮説である。フリー・キャッシュフロー仮説によると，増配後に株価が上昇する理由は，企業経営に対する懸念の払拭である。株式市場における信頼回復といってもよい。

>>7 配当のライフサイクル仮説

成熟企業仮説やフリー・キャッシュフロー仮説は，ライフサイクルでいう成熟段階にある企業に適用される考え方である。成熟段階にある企業は，事業から生み出される豊富なキャッシュフローを全て再投資するほどの投資機会をもたない。配当を低く抑えると現金が積み増されていく。ある企業は，事業の安定性を主張し，割引率の低下を促すために増配するであろう。別の企業は，積み上がったフリー・キャッシュフローの使途に対する株式市場の懸念を払拭するために増配するであろう。成熟企業は，高い配当を継続したり，増配をしたりするインセンティブが強い。

一方，ライフサイクル初期の成長段階にある企業は，豊富な投資機会をもつが資金源に乏しい。成長企業は，事業活動から生み出されるキャッシュフローのほとんどすべてを有益な投資機会に投下する。それでも投資資金が不足することが多い。株主への配当は行わない。配当するより，再投資した方が高いリターンをもたらすからである。神戸に本社を置き，ファッション関係を中心とした通信販売事業を営むフェリシモは，「当社はまだ成長途上の企業である。必要な費用（投資）は惜しまず投入する」という姿勢を明確にしている。

アメリカのマイクロソフト社は，かつて無配成長企業の代表であった。同社は，2003年度から配当支払いを開始した。事業活動が生み出すキャッシュフロ

ーが多額になり，有益な投資機会に投下しても，キャッシュが余る時期がきたと判断したのであろう。当時，同社の手元資金は，600億ドル（約7兆円）もあったという。2004年，同社は今後4年間で総額8兆円という桁違いの株主配分を実施するという計画を発表した。成長期待がなくなったためであろうか，株価は上昇しなかった。

わが国における高成長企業の代表格であったヤフーも，2005年3月期から配当支払いを開始した。個人株主から配当支払いを催促する声が高まってきたことも一因だという。同社の配当性向は，10％程度に抑えられている。経営陣は，資金需要と成長機会に自信をもちながら，投資家の要求にも配慮したといえよう。同社の成長機会に対する企業と投資家の見方には，ズレがあるのかもしれない。

ライフサイクル仮説は，無配の成長企業と有配の成熟企業がはっきり分かれるという配当の二極化を示唆する。アメリカ企業を見ると，確かに二極化が進んでいる。[図表12-12]は，上場企業の中で配当を支払っている企業（有配企業）の割合である。有配企業の割合は低下し続けている。2004年度の有配企業の割合は，わずか2割程度である。有配企業の割合が低下した理由は，この期間中に多数のベンチャー企業が新規公開を果たしたためである。新規公開企業は，成長ステージにあり，配当より投資を優先する。

配当と利益の集約度も高い。上位数十社が支払う配当の総額は，産業全体の2分の1に達するという。利益についても同様である。上位25社が稼ぎ出す利

[図表 12-12] アメリカ企業の有配企業比率

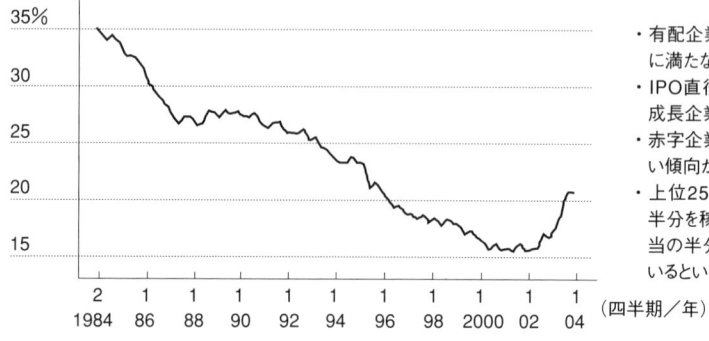

- 有配企業比率は3割に満たない。
- IPO直後の小規模，成長企業は無配。
- 赤字企業は配当しない傾向が強い。
- 上位25社で利益の半分を稼ぎ出し，配当の半分を支払っているという二極化。

（出所）Julio, B., and D. Ikenberry(2004), "Reappearing dividends", *Journal of Applied Corporate Finance*16のFigure 1

益総額は，産業全体の2分の1を占めるという。M&Aを繰り返して大規模化した成熟企業が，利益のほとんどを稼ぎ出し，それを配当として支払っているのが，アメリカの現状である[9]。

　企業がライフサイクルのどのステージに位置するかを判断する指標として，総資産の成長率や自己資本に占める利益留保の割合が考えられる。実際のデータを用いた検証によると，総資産の成長率が高い企業は，無配政策をとる傾向がある。逆に，総資産の成長率が低い企業は，多くの配当を支払っている[10]。自己資本に占める利益留保の割合が低い企業は，歴史が浅く，成長ステージにあると考えられる。長年の利益が十分蓄積された結果，利益留保の割合が高くなっている企業は，成熟化した企業である。実際のデータを用いた検証によると，有配企業の利益留保率は無配企業より高いという予想通りの結果が得られている。

　ライフサイクル仮説によると，企業の配当が産業界に好ましい資金の流れをもたらす可能性がある。[図表12-13]は，ライフサイクルと資金の過不足，投資機会により企業を四分類したものである。安定成長企業は，自社の生み出すキャッシュで投資をまかなうことができる。

　確立された成熟企業は，大幅な資金余剰の状態にあると考えられる。このカテゴリーに属する企業は，自ら次の成長事業を模索する。同時に，多額の資金を配当することで，資金不足という問題を抱える成長産業の育成に貢献している。両者を結びつけるのは，資本市場である。投資家は，成熟企業から配当として受け取った資金を，成長企業や次世代の成長企業に投資する。もちろん，資金が流れるためには，花形企業や次世代の花形企業が，資本コストを意識した投資計画を示し，投資家の合意を得ることが必要である。

　同様の資金の流れは，企業内部でも観察できるだろう。事業戦略におけるPPM（プロダクト・ポートフォリオ・マネジメント）は，成熟事業が生み出す資金を用いて，花形事業をさらに伸ばしたり，問題児を育てたりすることをすすめている。

9　アメリカ企業の配当の二極化については，Fama and French（2001），Julio and Ikenberry（2004）を参照。利益の二極化については，DeAngelo, DeAngelo, and Skinner（2004）を参照。Dittmar and Mahrt-Smith（2005）によると，2003年度のアメリカ企業の現金保有比率（現金同等物÷(総資産－現金同等物)）は，1990年の2倍まで増加している。現金保有比率が上昇したのは，この期間に成長機会が豊富な新規公開企業が増えたからであろう。配当と現金保有は密接な関係にある。

10　DeAngelo, DeAngelo, and Stulz（2006）やDenis and Osobov（2006）を参照。

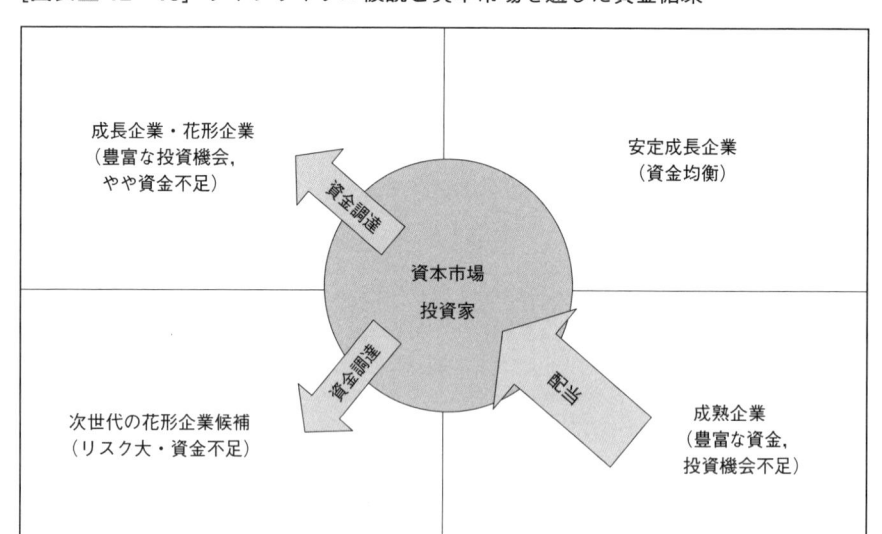

[図表 12-13] ライフサイクル仮説と資本市場を通じた資金循環

成長企業・花形企業
（豊富な投資機会、やや資金不足）

安定成長企業
（資金均衡）

資本市場
投資家

資金調達

配当

次世代の花形企業候補
（リスク大・資金不足）

成熟企業
（豊富な資金、投資機会不足）

>>8 市場のセンチメントとケータリング仮説

　［図表12-14］は，東証1部上場企業を有配企業と無配企業に分類し，それぞれの時価簿価比率（株式時価総額÷自己資本簿価）の推移を示したものである（対数表示）。時価簿価比率は，過去の投下資本（簿価）に対する市場の評価（時価）を表している。両社の差の推移（配当プレミアム）をとったのが，［図表12-15］である。配当プレミアムが正であれば，株式市場は有配企業を相対的に高く評価していると考えられる。配当プレミアムが負であれば，無配企業に対する評価が高いといえる。わが国では，1990年前後と1995年前後，そして2003年頃に，無配企業に対する評価が高くなっている。

　配当プレミアムが正のとき，株式市場は配当に熱をあげている。このとき，増配や復配をした企業は高く評価されるであろう。ある企業が増配をして株価が大きく上昇すると，わが社も続けという雰囲気が醸し出される。逆に，配当プレミアムが負のときは，配当に対する熱が冷めている時期である。配当が評価されないため，企業は増配や復配を目指さなくなる。

　配当に対する株式市場の熱気に応じて企業が配当を調整するという考え方

[図表 12-14] 有配企業と無配企業の時価簿価比率の推移

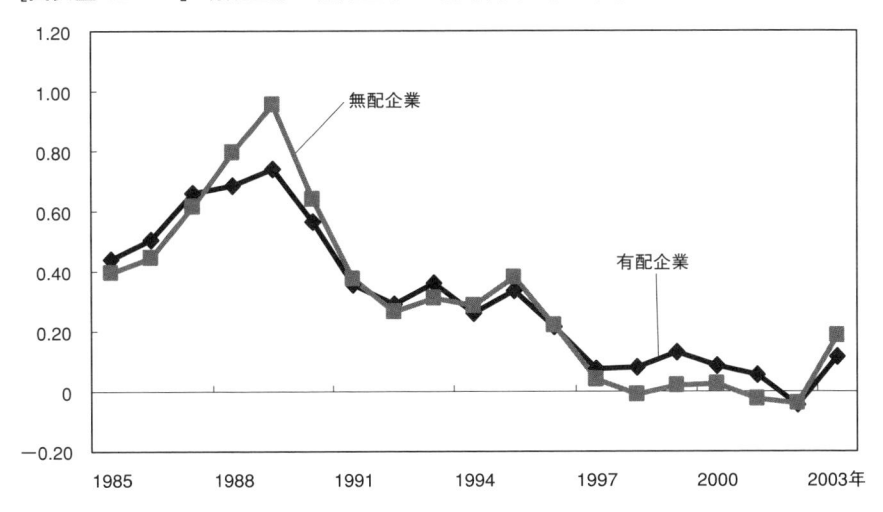

無配企業

有配企業

[図表 12-15] 配当プレミアムの推移

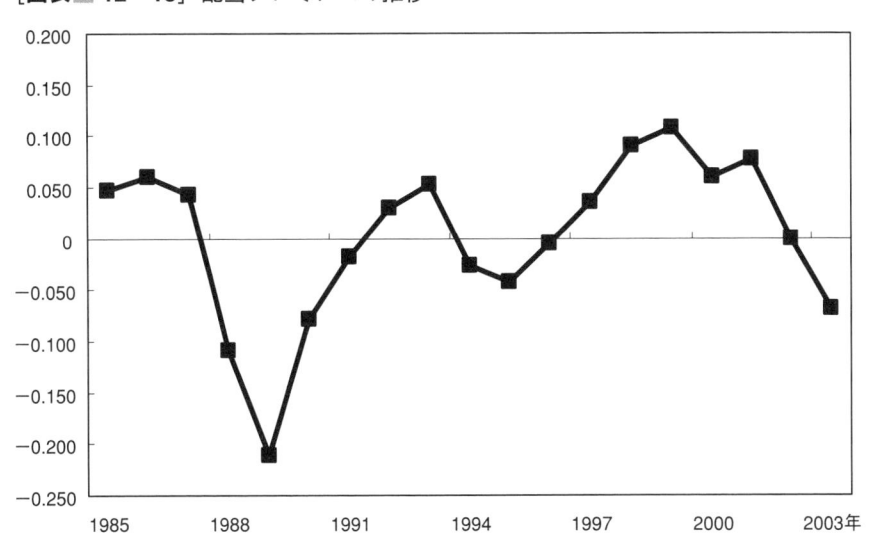

は，配当ケータリング仮説とよばれている。ケータリングとは，顧客の要求に合わせて商品やサービスを提供することである。企業は，配当に対する株式市場のニーズを読み取り，配当をケーター（Cater）したり，しなかったりする。配当ケータリング仮説は，2000年代以降に提唱された新しい説である[11]。

証券会社のアナリストが営業現場の声を吸い上げ「いま個人投資家は高配当銘柄を買う傾向がある」ということがある。「高配当ファンドの設定は，投資家が高い配当を求めている証である」といわれることもある。いまの株式市場では高配当銘柄が狙いであるという期間限定の説明は，短期的なケータリング仮説といえる。

配当政策は，配当に対する基本的な方針である。基本的な方針が，株式市場のうつろいやすいセンチメントに応じて頻繁に変わるのは好ましくないかもしれない。

>>9　外部投資家と企業内部者のリスクの相違

従業員などの企業内部者と機関投資家に代表される外部投資家が負担するリスクは異なる。複数の株式に分散投資できる外部投資家は，収益源を分けることで，リスクを分散することができる。ある企業にネガティブなショックが生じても，十分に分散されたポートフォリオはさほど影響を受けない。

一方，収入源のほとんどが企業からの給与である従業員は，リスク分散をすることが困難である。企業にネガティブなショックが生じたり，万が一倒産するような事態になったりすると，大切な収入源を失ってしまう。企業内部者は，配当を少なめにして，現金ポジションを高めることで，いざというときに備えたいと考える。リスク分散が可能な外部投資家は，より多くのリスクを受け入れることができる。資本効率を高めるために，現金を減らし配当することを希望する[12]。

フリー・キャッシュフローを巡るエージェンシー問題がなければ，従業員が安心して働ける環境を目指す方が，競争優位をもたらすのではないかと思える。長期間継続して現金保有が多い企業は，同業他社に比べて業績が良いという実証研究がある。優良企業は，相対的に現金保有が多いという研究結果も報告さ

11　配当ケータリング仮説については，Baker and Wurgler（2004a, 2004b）やLi and Lie（2005）を参照。
12　企業のリスクと配当政策の関係については，Hoberg and Nagpurnanand（2005）も参照。

れている（Opler et al.〈1999〉，Mikkelson and Partch〈2003〉）。第5章の松下電器のダム式経営でも述べたように，貯めておいてもマイナスにならないものは，ある程度貯めておいてもよいのではないだろうか。貯めておける企業は，エージェンシー問題が小さい企業でもある。企業に現金の配分を迫るのもよいが，従業員のことを考え，10年，20年先のことを考え，貯めておける企業にしていくことも投資家の役割の一つであろう。

>>10　税制，取引コスト，機関投資家

　配当と税金の関係は，古くから議論されてきたテーマである。税金を考慮すると，株主が受け取れるのは，税引き後の金額である。配当課税が株式譲渡益課税より重い投資家は，配当より，株式の値上がりを好む。配当原資は法人税が課せられた後の利益であるから，配当課税は二重課税になるという問題もよく指摘される。程度の差はあれ，税金は企業の配当政策に影響すると考えられる。

　実際には，投資家も企業も税金をそれほど意識していないようだ。「税金のことを考えると企業は配当に慎重になるべきですよね」といっても，賛同する投資家は少ないであろう。あるアンケート調査によると，アメリカ大企業のCFOの多くは，税金の影響を考慮せずに配当政策を決定していると回答している（Brav et al.〈2005〉）。統計的な検証によると，配当課税率が高い個人株主が多くの配当を受け取り，多額の配当税を支払っている（Allen and Michaely〈2003〉）。

　配当無関連命題では考慮されていない取引コストも配当政策に影響を与える要因である。毎年，同じ時期に，ほぼ同じ金額がもらえる配当を定期的な消費計画に組み込んでいる株主を考えよう。原理的には，どのような株式ポートフォリオを保有していても，それを組み替えることで，必要な時期に必要な資金を捻出できる。しかし，ポートフォリオの組み替え作業には手間と取引コストがかかる。手間とコストを嫌う株主は，定期的に安定的な配当を支払う株式を長期間保有するだろう。

　企業側の事情として大きいのは，外部資金調達のコストである。株式や社債を発行して資金調達すると，証券会社に支払う手数料がかかり，時間もかかる。配当を控えて内部資金として留保しておくと，これらのコストは削減できる。

　外部資金調達のコストが配当政策に大きく影響するのは，成長企業である。

ライフサイクル仮説によると，投資機会が豊富で資金需要が大きい成長企業は，配当を行わずに，将来の成長戦略に備えて資金を内部留保する。必要なときに必要なだけの資金が外部からコストなく調達できるのであれば，内部資金をもつインセンティブは強くない。実際には，外部資金の調達にコストがかかる。公募増資の場合，資金調達額の４％を超えるコストが必要になることは，第11章のANAやJALの事例で紹介した通りである。また，資金調達の準備をしている間に有望な投資機会が失われることもある。

　年金基金に代表される機関投資家は，優れた企業分析能力をもつと考えられる。機関投資家が保有する株式は，市場の評価も高くなるであろう。長期にわたり，同一企業の株式を保有する機関投資家も少なくない。機関投資家には運用規制があるため，無配企業の株式保有を敬遠する。機関投資家に株式を保有してもらいたい企業は，資金需要が強くても無配政策をとれない。

　企業の配当政策と機関投資家の持ち株比率の関係を調べたGrinstein and Michaely〈2005〉は，次のような現象を報告している。第一に，機関投資家は無配企業の株式保有を敬遠する。第二に，機関投資家は高配当銘柄を好まない。有配企業の中では，配当が低い企業の株式を保有する傾向がある。配当は，機関投資家にとって魅力あるリターンではないのかもしれない。第三に，自社株買い（とくに定期的な自社株買い）を行う企業の株式は，機関投資家の保有比率が高くなる。理論的には明らかでないが，安定的に高い配当をする銘柄や増配銘柄を好むのは個人株主であるといわれている。

　次の記事は，アメリカ企業の配当政策について書かれたものである。企業の成長性や税制が実際の配当政策に与える影響について解説されている。

　成長企業は配当よりも事業投資に資金を向けた方が株主に有利である。配当には法人税と所得税の２段階で課税される"二重課税"の問題があり，利益還元の手段としては自社株買いの方が得である。高収益でも配当しない企業が多い米ハイテク業界について，株式市場や企業経営の現場で信じられてきた通説だ。1990年代を通じ，新興ハイテク企業の大量上場で米国の上場企業に占める無配企業の割合は一挙に高まった。現在，主要500社で無配なのは３割，ネットバブル期には「無配＝高成長＝高株価」というイメージまで生じた。

　しかし，株価低迷で状況は変わった．値上がり益を期待できなくなった株主が企業に配当を強く求めはじめ，主要500社が2002年に払った配当総額は，前年比2.1％増と３年ぶりに増加した。ブッシュ政権が打ち出した配当課税撤廃は，無配経営に傾斜し

てきた流れを完全に逆転させる可能性がある。

　財務省はブッシュ大統領が減税案を発表した7日，経済学者のコメントを掲載した説明資料を配布した。「低収益の資産である現預金（短期保有証券を含む）を400億ドルもためておくようなことを，マイクロソフトはしなくなるだろう」。実際，マイクロソフトは投資家らに配当政策について意見を聞いている。

　ソフトウエア大手，オラクルのジェフ・ヘンリー最高財務責任者（CFO）も「配当課税撤廃は我々の思考回路を変えるインパクトを持つ」と見る。インスティテューショナル・インベスター誌の昨年末のアンケートでは，上場企業のCFO1,600人の79％が今後は安定配当が株価を割高にする要因になると答えた。

　そもそも「無配＝高成長」「配当実施＝成熟・安定」との図式は正確ではない。例えば巨大企業に成長したマイクロソフトなどは一本調子の株価上昇が期待できる成長段階をとうに過ぎている。まして配当しないことでため込んだ巨額の現金は事業投資に使い切れず，眠っている時間が長い。

　対照的に半導体最大手インテルの場合，92年以来，配当を続けている。きっかけは「無配株は保有しない」という規則を持つ年金基金や投資信託が多かったことだった。90年代に同社は年率平均25％の売上高成長を記録した。一方で，自社株買いも恒常的に実施している。株価は10年間でほぼ40倍に上がった。

（出所：日本経済新聞2003年1月7日付〈朝刊〉）

>>11　配当か投資か

　最近，企業の方からペイアウト政策の考え方について質問を受けることが少なくない。質問の内容は，配当政策（配当基準）とその運用や配当水準の妥当性などである。例えば，業績連動型の配当政策を掲げる企業は，どこまで厳格に業績連動を適用するかに悩んでいる。これについては，後に紹介する資生堂とマブチモーターの事例が参考になるであろう。

　配当水準の妥当性については，それを単独で議論してもそれほど意味があるとは思えない。投資戦略や経営戦略と合わせて議論する必要がある。繰り返すが，価値を生むのは実物投資である。日本の医薬品大手メーカーは，手元資金を積み上げるという従来の方針を変更した結果，総還元性向が軒並み100％を超えている。将来の成長投資に必要な資金はある程度目処が立ったという判断であろう。現場では，投資戦略とペイアウトを合わせて考えることになる。

直近の株主総会（2007年6月）では，Jパワー（電源開発）に対する株主提案が目を引いた。同社の大株主であるヘッジファンドが，1株当たり配当金を60円から130円に引き上げる大幅な増配を要求したのである。同社は，多額の余剰資金を保有しているわけではない。原子力発電所の建設も開始しており，投資案件がないわけでもない。

　大株主が増配を要求した理由は，Jパワーのビジネス・リスクにある。同社と同社の販売先である電力会社との契約は，費用に報酬分を上乗せする総括原価方式である。赤字になることは考えにくい。ビジネス・リスクは小さいといえる。大株主は，ビジネス・リスクの割には配当が少ないと主張した。

　大株主の要求に対して，会社側は，原子力発電所の建設や海外の投資案件に資金が必要なことを説明した。投資案件はIRR基準を厳格に守っていることも主張した。電力業界の平均的な水準の範囲内にある現状の自己資本比率（23%）を維持したいとも訴えた。株主総会で大株主による増配要求が否決されたことは，会社側の説明がその他の株主に受け入れられたものと考えられる。

　投資と配当の関係を論じる際には，次のことに注意する必要がある。配当によって企業価値が高まるのは，エージェンシー問題などの解消によって，価値が失われる可能性が小さくなるからである。新しく価値が生み出されるわけではない。一方，正しい投資決定基準による事業投資は，新たに価値を生み出すことで企業価値に貢献する。Jパワーは，正しい投資決定規準を用いて事業投資の採否を決定している。このような企業では，エージェンシー問題の懸念も小さいであろう。

第13章

自社株買い

>>1 自社株買いの動向

　企業が自社の株式を買い戻すことを自社株買い（stock repurchase）という。自社株の対価として企業から株主に現金が支払われるため，自社株買いはペイアウト（株主配分）の一つとみなせる。

　わが国では，1994年と1995年の法制度の改正によって，自社株買いが実質的に解禁された。その後，自社株買いに関する規制緩和が進み，企業の自社株買いは順調に増加している。2005年度に上場企業が自社株買いによってペイアウトした金額は，約5兆円と試算されている。同年度の上場企業の配当総額は5兆7,000億円程度と試算されている。上場企業全体で見ると，自社株買いは配当と肩を並べるペイアウト手段に育ったといえよう。

　2006年度のわが国企業の自社株買いは，驚異的に増加した。日本経済新聞（2007年4月10日付）によると，2006年度の自社株買い総額は，前年比1.5倍の約7兆5,000億円に達したようである。自社株買いを実施した企業数は，654社という集計もある。集計期間などの問題もあるが，2006年度に上場企業が行った自社株買いによるペイアウト総額は，配当総額を上回ったようである。

　自社株買いが盛んなのは世界的な傾向でもある。アメリカ，ヨーロッパ，アジアの主要企業群が2006年度に行った自社株買いは，46兆円（前年比33％増）にのぼるという。好調な業績によって手元資金が積み上がり，成長投資などでは使い切れない資金を株主に還元しているようだ。後に示すように，自社株買いを行うと，一株当たり利益やROE（自己資本利益率）が上昇するという期待もある。コーポレート・ファイナンスの現場では，自社株買いの実施と効果について，企業と投資家の間で合意が形成されているようである。

本章では，主として自社株買いについて議論する。自社株買いを巡る諸仮説について解説し，企業が自社株買いを行う動機について議論する[1]。企業は，買い入れた自社株を消却してもよいし，金庫株として保有してもよい。新聞などによると，金庫株保有ではなく消却を望む投資家が多いようである。本章では，金庫株保有についても議論する。

>>2 自社株買い無関連命題

配当の無関連命題が成り立つ世界では，自社株買いも株主価値に影響しない。数値例で考えよう。[図表13-1]パネル (a) の資産・資本内容をもつ企業を考える。企業の資産内容は，現金100億円と毎期30億円のFCF（利益に等しいとする）を生み出す営業資産である。ゼロ金利を仮定して無リスク利子率はゼロとする。営業資産が生み出すFCFに対応する割引率は6％である。営業資産の価値は500億円，現金を合わせた企業価値評価は600億円になる。企業は負債

[図表 13-1] ペイアウト前後

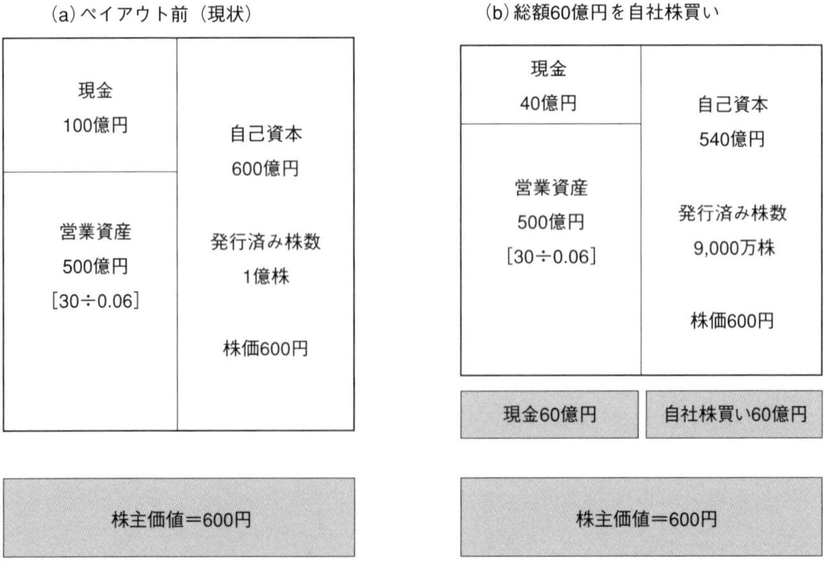

(a) ペイアウト前（現状）

現金 100億円	自己資本 600億円
営業資産 500億円 [30÷0.06]	発行済み株数 1億株 株価600円

株主価値＝600円

(b) 総額60億円を自社株買い

現金 40億円	自己資本 540億円
営業資産 500億円 [30÷0.06]	発行済み株数 9,000万株 株価600円
現金60億円	自社株買い60億円

株主価値＝600円

---

[1] Allen and Michaely (2003) は，自社株買いを巡る学説と実証研究について，包括的なサーベイを提供している。

をもたないから，企業価値は株式時価総額に一致する。発行済み株式数が1億株だから株価は600円になる。

ペイアウトをしない（現状維持），総額60億円を現金配当する，総額60億円で自社株買いを行う，という三種類のペイアウトを考えよう。自社株買いをする場合，買い入れた株式は消却すると仮定する。［図表13－1］パネル（b）は，総額60億円をペイアウトした後の企業の資産・資本内容である。

それぞれのペイアウトが，企業の株式を1株保有する株主の資産価値（株主価値）に与える影響を分析する。ペイアウトをしない場合，株主価値は600円である。一株当たり60円，総額60億円を現金配当する場合，前章と同様に，株主価値はやはり600円になる。株主価値の内訳は，配当落ち株価540円と配当60円である。

自社株買いが株主価値に与える影響を調べるため，企業が自社株を一株X円で買うとしよう。自社株買いに用いる総額は60億円であるから，企業が買い入れる株式数は（60÷X）億株になる。自社株買いを行った後の発行済み株式数は，[1－(60÷X)]億株となる。自社株買いの後に残る企業の資産は，現金40億円と営業資産500億円の合計540億円である。自社株買い後の株価は，540÷[1－(60÷X)]円になる。自社株買いをしても，営業資産が生み出す期待FCFとリスク（割引率）は変わらないことに注意しよう。

企業の買い入れ価格が，自社株買い後の株価より高ければ，すべての株主が自社株買いに応じたいと考え，売りが殺到することになる。逆に，買い入れ価格が安ければ，自社株買いに応じる株主はいない。自社株買いが成立するのは，買い入れ価格と自社株買い後の株価が等しいときである。この条件は次のように表すことができる。

$$X = 540 \div [1 - (60 \div X)]$$

これを解くと，X＝600円となる。企業は，60億円の資金で1,000万株の株式を買い戻すことになる。自社株買いに応じても，応じなくても，株主価値は600円になる。

ペイアウトをしなくても，現金配当や自社株買いをしても，株主価値は同じである。ペイアウトは株主価値に影響しないことが分かる。［図表13－2］には，ペイアウトと株主価値の関係がまとめられている。

>>3 自社株買いとリスク・リターン関係

［図表13－2］には，ペイアウト後の予想EPS（一株当たり利益）と期待ROE（自己資本利益率）などの情報が示されている。企業がペイアウトしなければ（現状維持），ROEは5％である。総額60億円をペイアウトする場合，配当であれ，自社株買いであれ，ROEは5.6％に上昇する。

［図表 13－2］ペイアウトと株主価値

	現状維持	60円配当	自社株買い
自己資本	600億円	540億円	540億円
発行済み株数	1億株	1億株	9,000万株
期待利益	30億円	30億円	30億円
期待EPS（利益÷株数）	30円	30円	33円
期待ROE（利益÷自己資本）	5％	5.6％	5.6％
リスク	低	高	高
株価	600円	540円	600円
株主価値	600円	600円	600円

期待ROEの上昇は，配当の場合と同様に，企業のリスク・リターン関係によって説明できる。無リスク資産である現金が多ければ，企業全体のリスクは小さくなり，投資家の期待リターン（期待ROE）も低下する。現金をペイアウトすれば，企業全体のリスクが大きくなり，投資家が期待するリターン（期待ROE）も高くなる。ハイリスク・ハイリターンの原則である。

ペイアウトとEPSの関係に注目しよう。現状維持の場合，発行済み株式数は1億株である。来期以降の利益（FCF）は営業資産が生み出す30億円だから，EPSは30円になる。現金配当する場合も同様である。現金配当によって発行済み株式数は変わらないため，EPSは30円になる。自社株買いの場合は事情が異なる。自社株買いによって，1,000万株の株式を買い入れた結果，発行済み株式

数が9,000万株に減少する。予想利益総額は30億円であるから，予想EPSは33.3円（＝30億円÷0.9億株）になる。

自社株買いによって予想EPSが高まるのは，ペイアウト後の株価水準が異なるためである。[図表13－2]における配当と自社株買いの予想EPSを株価で割ると，どちらも5.6％となり，期待ROEに一致する。配当落ち後に株式を買った投資家は，540円を投資して30円のリターンを期待する。自社株買い後に株式を買った投資家は，600円を投資して33円（正確には33.33…円）のリターンを期待する。期待収益率は，どちらも同じである。見た目は異なるが，実質的なリスク・リターン関係は等しい。

自社買いを行うと期待ROEや予想EPSが改善するといわれる。実際，上の数値例でもその通りであった。しかし，期待ROEの上昇や予想EPSの増加が，株主価値の上昇につながるわけではない。数値例で確認したように，株主価値は不変でも，期待ROEや予想EPSは高くなることがある。リスクとリターンの関係を無視して，ROEやEPSだけに注目するのは，理論的には正しくない。

>>4 機動的で柔軟な自社株買い

無関連命題が成り立つ世界では，自社株買いも配当も株主価値に影響しない。企業の株式を1株保有する株主の資産価値は同じである。ただし，[図表13－2]で見たように，名目的な値は変わってくる。自社株買いを行うことで，企業は予想EPSと期待ROEを同時に高めることができる。その背景には，リスク・リターン関係があることを忘れてはならない。

財務数値に与える影響以外にも，自社株買いと現金配当には相違がある。配当は，企業がすべての株主に（持ち株数に応じて）現金を配分する行為である。企業活動に異変がない限り，配当は毎年決まった時期に支払われると考えられる。減配の回避を前提にするならば，配当は長期にわたり安定的に継続されるペイアウトの方法である。

自社株買いによるペイアウトの場合，それに応じた株主にのみ現金が支払われる。また，企業にとって自社株買いは，実施のタイミングや金額に関する選択の余地が大きい。自社株買いは，配当に比べて，機動的で柔軟性があるペイアウトの方法だといえる[2]。

---

[2] Ikenberry and Vermaelen（1996）やJagannathan, Stephens, and Weisbach（2000）を参照。

NTTドコモのペイアウト政策は，この点を明確にしている。同社の配当政策は，安定配当の継続を基本としている。自社株買いは，財務状況や株価水準と資本市場動向を勘案して機動的に行っている。前の章で紹介したアネスト岩田も，機動的に自社株式の取得をするという方針を明らかにしている。
「減配回避」と「安定的な配当」を方針とする限り，恒常的で安定的に生み出されるキャッシュの裏づけがなければ，配当によるペイアウトを継続することは困難である。実際，配当の原資は恒常的なキャッシュフロー（営業利益など）であると考えられている[3]。一方，自社株買いの原資は，特別利益など一時的なキャッシュフローであることが多い。本業からの恒常的な利益ではなく，特別な利益がある企業は自社株買いを行う傾向が強いといえる。自社株買いを行う企業は，現金配当を行う企業に比べて，営業利益が低く営業外収益が高いという傾向もある。
　アメリカでは，1980年代から2000年にかけて，配当を行う企業の比率が低下しているという現象を紹介した（［図表12-12］参照）。この期間に新規公開したベンチャー企業は，現金配当をせず，自社株買いという形でペイアウトを行った。豊富な成長機会をもつ企業が配当をしないことは，ライフサイクル仮説で説明できる。高成長期から安定的な成長期へと移行していく過程で，企業には少しずつキャッシュが蓄積される。しかし，配当するほど収益やキャッシュフローが安定しているわけではない。新規公開当時に人気化した株価は，次第に注目されなくなり，割安に放置されることもある。投資家がフリー・キャッシュフローの使途に疑問を抱くこともある。これだけの条件が揃うと，企業は自社株買いによるペイアウトに踏み切ることになろう。

>>5 自社株買いのフリー・キャッシュフロー仮説

　自社株買いにもフリー・キャッシュフロー仮説がある。遊休資産の売却や訴訟の勝訴で多額の資金を得たり，内部留保してきた資金が積み上がったりした場合を考えよう。設備投資やM＆A，研究開発など有益な投資機会があれば，資金を留保しても問題はない。有益な投資機会がなければ，配当のフリー・キャッシュフロー仮説で指摘したように，株主は資金使途が気になる。株主と経営者の利害対立問題に発展することもある。

3　Jagannathan, Stephens, and Weisbach（2000）を参照。

フリー・キャッシュフロー仮説では，多額の資金使途の裁量をもつ経営陣が，株主の意向に反して負のNPVをもつ投資を実施すると考える。この仮定が現実的かどうかについて，事業会社の方から次のような興味深い話を聞いたことがある。
「経営陣が株主の意に反して利己的な行動をしたり，多額のキャッシュを保有することで気が緩んだりするという仮定は，少なくとも弊社では非現実的です。豊富なキャッシュがある場合，経営陣に投資をしなければならないというプレッシャーがかかると考える方が現実的でしょう。最近は，投資家からのプレッシャーが強くなっています。その結果として，無理な投資をすることがあるかもしれません」。経営者が利己的に行動するのではなく，経営者が利己的だと思い込んでいる株式市場が，経営者に無理な意思決定をさせている可能性があるというのだ。
　いずれにせよ，株主の懸念を払拭するため，企業はペイアウトを考える。ペイアウトの手段には，配当（増配）と自社株買いがある。積み上がったフリー・キャッシュフロー（FCF）を一時的にペイアウトする方法としては，配当より自社株買いが適している。配当は恒常的・硬直的なペイアウトであり，その原資は営業活動から得られる毎期の収益だと考えておく方が無難である。自社株買いは，機動的で柔軟性をもつため，一時的や不定期的なペイアウトに適している。
　一株当たり利益（EPS）を重視する場合や株式市場が需給の悪化を懸念している場合も，自社株買いを用いる方が現実的な選択といえる（［図表13-2］を参照）。FCFを巡る株主と経営者の利害対立を回避する方法として自社株買いを解釈しようとする説を，自社株買いのフリー・キャッシュフロー仮説という。余剰資金が積み上がり，同時に自社株が割安である場合，自社株買いは株主の懸念を払拭すると同時に株価のシグナルにもなる。二つの説がタイミングよく重なれば，自社株買いのアナウンスメント効果は大きくなるであろう。
　眼鏡レンズ最大手で半導体や通信機器関連の部材も製造しているHOYAは，2005年に設備投資を上回る640億円のキャッシュを自社株買いによりペイアウトした。買い入れた株式数は発行済み株式の3.5％，うち3.2％相当を消却した。水面下で進めていた海外企業のM＆A交渉が頓挫したため，留保していた資金を自社株買いでペイアウトしたという（日経金融新聞2006年4月21日付）。
　有益な投資案件であるM＆Aの機会がなくなったため，投資に回す予定だった資金が，投資家に配分できるFCFとなった。HOYAは，いち早くEVAを導

入するなど，株主重視の企業経営に徹していることで知られている。同社の経営をよく観察している投資家は，少々FCFが積み上がったからといって，経営に不信を感じることはないであろう。それにもかかわらず，同社は自社株買いによるペイアウトを実施した。株主重視の経営方針の一つとして，余剰資金はペイアウトするという方針が徹底されているようである。

HOYAほどの企業でさえ，株主が経営に懸念を抱くことを心配するほど，日本企業と投資家の溝は深いのだろうか。HOYAほどの企業だからこそ，株主が少しでも懸念を抱くことがないよう，細心の注意を払っているのだろうか。資本市場の関係者からは，投資家が日本企業の財務政策を十分に信用していないという指摘がある。

>>6 自社株買いシグナル仮説

配当と同様に，自社株買いにもシグナル仮説がある。配当シグナル仮説の場合，配当の変更は将来の業績や割引率（リスク）に関する追加的な情報であった。増配が公表されると株価は上昇する。企業は，増配によって，自社の株式が割安であるというメッセージを伝えている。

自社株買いも現在の株価が安いというシグナルになる。企業は自社の株価が安いと判断したから，自社株を買うのである。自社の株式が魅力的な投資対象であるといってもよい。この意味で，自社株シグナル仮説は自社株投資仮説といわれることもある。

［図表13－3］は，わが国の株式市場における自社株買い発表前後の株価動向（収益率ベース）を示している。株価の下落を経験した企業が自社株買いを発表し，発表直後に株価は上昇する。キヤノンは，2006年2月15日に同社としては初めての自社株買いを発表した。翌日の株価は実に3.8％も上昇した。自社株買いの発表による株価上昇は，自社株買いのアナウンスメント効果ともいわれる。自社株買いのアナウンスメント効果は，各国で確認されている現象である。

何らかの理由で株価が1,000円から800円に下落した企業があるとしよう。企業は株価下落の原因を株式市場のミス・プライシングだと疑う。将来の業績見通しやリスクを調べた結果，企業は自社株の価値が900円から1,100円のレンジにあると評価した。株価は過小評価されている。企業は自社株買いを発表する。株式市場は，企業の方が正確で緻密な情報を保有していることを知っている。自社株買いの発表は，企業の株価が割安な証だと判断する。株価は上昇するで

[図表 13-3] 自社株買いの発表と株価の反応

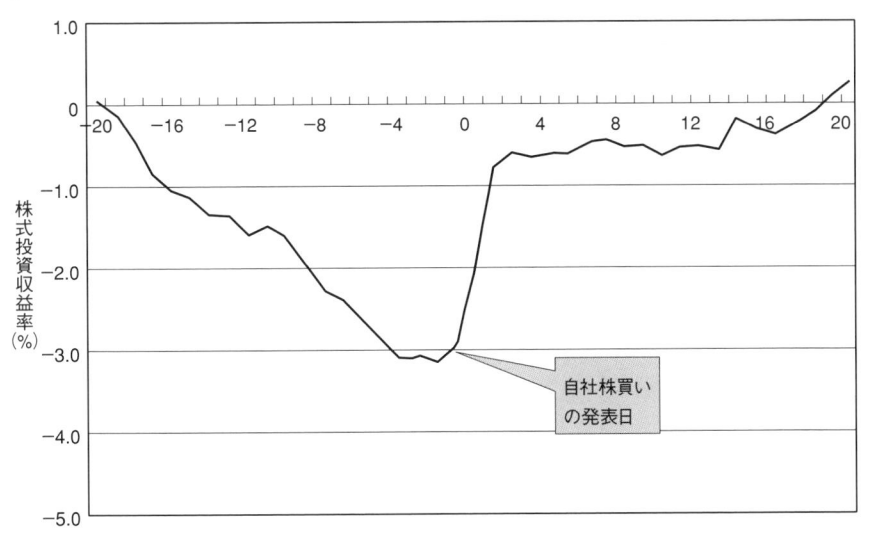

（出所）Hatakeda and Isagawa（2004, Figure 1）。1995年から1998年にかけて、自社株買いを発表したわが国企業452社の平均的な株価動向。縦軸は株式投資収益率、横軸は日時。横軸のゼロ（0）は自社株買いの発表日、−1（−2）は発表日の前日（2日前）、＋1（＋2）は発表日の翌日（2日後）。

あろう。

　前節で紹介したHOYAが、2003年7月22日に発表した自社株買いは、シグナル仮説と整合的である。翌日の新聞に掲載されたCFO（最高財務責任者）のコメントは、「DCF法を用いて独自に計算した価値評価と比較すると、現在の株価はかなり割安だと判断した」というものであった。同社は、その時々の環境に応じて、明確な目的をもった自社株買いを行っている。

　配当と自社株のシグナル仮説を比較してみよう。株価が割安であるというシグナルの信頼性はどちらが強いだろうか。増配を発表した企業は自社株を買わない。自社株買いを発表した企業は自社株を買う。投資家からすると、企業が実際にポジションをとる自社株買いの方が、割安というシグナルを信頼できるであろう。

　企業からのメッセージを評価に活かしやすいのはどちらであろうか。配当は毎年繰り返される定期的な意思決定であり、企業は基本的な方針をもっている。基本的な方針の中で配当の変更を分析すると、将来のFCFやリスクに対する追加的な情報が明確になる。自社株買いの場合、株式が割安であることは分かっても、それ以上のヒントは少ないように思える。そのため、株価のミス・プラ

イシングが完全に是正されないことがある[4]。

上の数値例でいうと，自社株買いを発表し，実施した後，株価がレンジの下限である900円まで上昇しないことがある。例えば850円だとしよう。ミス・プライシングは一部しか是正されない。株価はいまだ割安である。企業は，割安な価格で自社株を買うことができる。企業が自社株買いの計画を発表してから，実際に自社株を買うまでには，時間がある。その期間に株価のミス・プライシングが完全に是正されてしまうと，割安な価格で自社株を買うことはできない。

>>7 自社株買いと株価の長期パフォーマンス

結果的に割高な価格で自社株を買った場合，自社株買いそのものが疑問視されることがある。ある製薬会社が，株価が高値圏にあるとき，多額の自社株買いを実施した。同業他社は「高値掴み，経済合理性では説明できない」とコメントしたそうである。

2002年の8月にファナックが公開買い付けによって実施した自社株買いも，「割高な自社株」を買ったのではないかといわれた。株価はその後軟調に推移したが，株式相場の好調さも手伝って，保有株に含み益が出るまでに回復したという経緯がある。

資生堂は，わが国で最初に配当と自社株買いを合わせた総還元性向を導入した企業である。同社は，1999年から2003年にかけて，平均取得価格約1,600円で自社株買いを行った。この時期は，株式市場全体が下落傾向にあり，同社の株価も低迷していた。短期的なアナウンスメント効果はほとんど得られず，割高な自社株を買ったのではないかという見方もあった。その後，株価は大きく上昇した。株価が上昇した時点で振り返ると，同社は割安な自社株を買ったことになる。

株価は刻々と変動する。そのときは割安であると判断しても，振り返ると高値だったということが少なくない。逆に，割高なようでも，一定期間が経過すれば安かったということもある。このような声に備えるため，自社株買いを行う企業は，自社の企業価値や株式価値を評価する必要がある。

平均的に見ると，企業は割安な価格で自社株を買っているようである。実証

---

[4] 増配と同様に，自社株買いを行った企業のリスクが低下しているという説（Grullon and Michaly〈2004〉）もある。

研究によると，自社株買いを発表した企業の株価は，長期的な上昇トレンドをもつことが知られている。[図表13-4] は，自社株買いを発表したアメリカ企業の長期的な株価動向（収益率ベース）である。どのベンチマークと比較しても，株価は長期的に上昇したことが分かる。

[図表 13-4] 自社株買い発表後の長期的な株価の動向

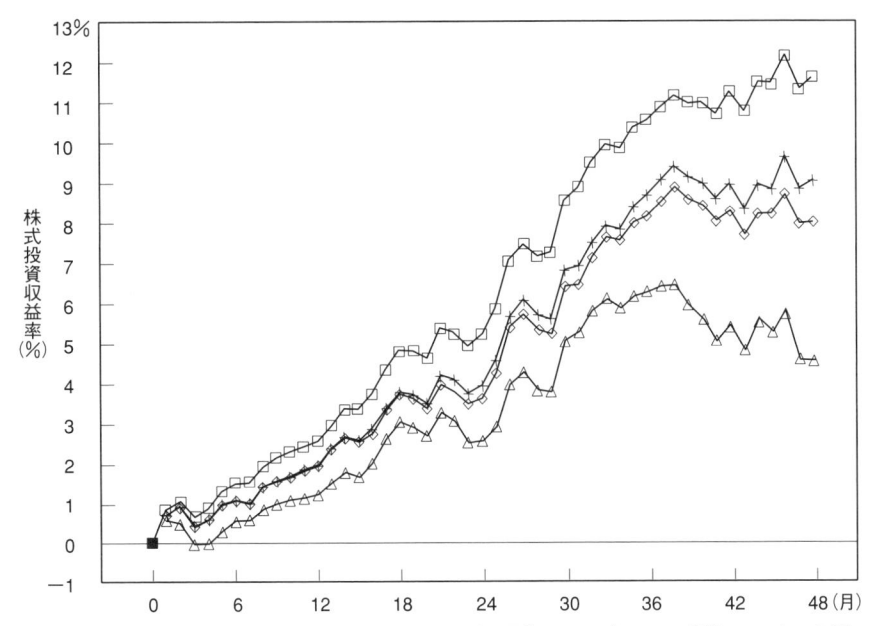

(注) Ikenberry, Lakonishok, and Vermaelen (1995, Figure 1)。図中の四つのグラフは，4種類のベンチマーク（株価指数の単純平均や加重平均など）を考慮した自社株買い発表企業の長期的な株価の推移（収益率ベース）。縦軸は株式投資収益率，横軸は自社株買い発表後の経過月を表す。

自社株買いを行った企業の株価が長期的に上昇するという実証結果は，株式市場の効率性に一石を投じる。株式市場が効率的であれば，それほどの長期にわたり，株価が割安に放置され続けているのはおかしいというのである。一方，株価の長期パフォーマンスの測定方法に問題があると主張する研究もある。諸問題を調整すると，自社株買い後の長期的なトレンドは消滅するかもしれないという。学術的には未解決の領域である。

自社株買いを繰り返し実施する企業もある。自社株シグナル仮説を用いると，最初の自社株買いでは，株価のミス・プライシングが是正されなかったという解釈になる。機関投資家は，定期的に自社株買いを行う企業の保有比率を高め

るという傾向があるという事実と合わせて，次のようなシナリオが考えられる。

　機関投資家は，情報収集力と分析力において一般投資家より優れているはずである。最初の自社株買いが発表されると，機関投資家を含むすべての投資家は，企業の株式が割安であることを知る。しかし，先に述べたように，どれだけ割安なのかを知るヒントは少ない。何らかのヒントを得ても，企業価値を正しく評価することは，一般投資家には難しい。情報収集力と分析力に長けている機関投資家は，いち早く，より正確に，企業と同じ価値評価に行きつくであろう。自社株買いの発表後，株価がまだ割安に放置されていれば，機関投資家は積極的に株式を購入する。その後，企業は自社株買いを繰り返す。そのときには，機関投資家の株式保有比率が高まっている[5]。

>>8　長期保有株主と自社株買い

　株式を長期保有する株主にとって，タイミングよく割安な価格で自社株を買う企業は魅力的である。割安な自社株買いは，短期保有の株主から長期保有の株主への価値の移転をもたらすからである。数値例を用いて，このことを確認

[図表 13−5]　割安な自社株買い：消却のケース

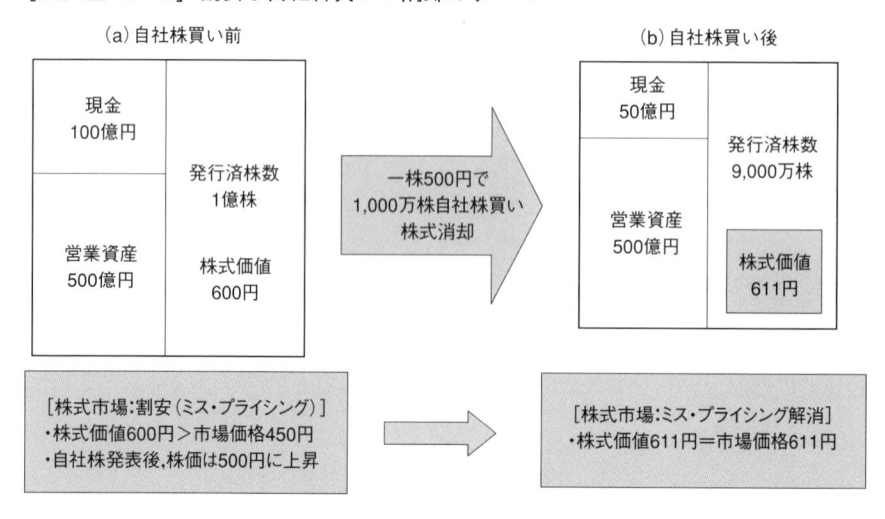

(a) 自社株買い前
- 現金 100億円
- 営業資産 500億円
- 発行済株数 1億株
- 株式価値 600円

一株500円で1,000万株自社株買い　株式消却

(b) 自社株買い後
- 現金 50億円
- 営業資産 500億円
- 発行済株数 9,000万株
- 株式価値 611円

[株式市場：割安（ミス・プライシング）]
・株式価値600円＞市場価格450円
・自社株発表後，株価は500円に上昇

[株式市場：ミス・プライシング解消]
・株式価値611円＝市場価格611円

---

[5]　Grinstein and Michaely（2005）は，定期的に自社株買いを行う企業の機関投資家保有比率が高まることを報告している。

しておこう。

［図表13－5］パネル（a）は，自社株買いを行う前の企業の財務内容を表している。企業価値は600億円，株式価値（一株当たり価値）は600円である。企業価値と株式価値は，正しい価値を意味する。何らかの理由で，株価は割安な価格450円に放置されているとしよう。市場価格が株式価値を下回っている。企業の株式はミス・プライシングの状態にある。短期保有目的の投資家と長期保有目的の投資家は，いずれも一株450円で企業の株式を購入する。

自社株の正しい価値を知っている企業は，自社株買いを発表する。発表を受けた株式市場は，株価が割安なことに気付くが，どの程度割安かを迅速かつ正確に把握することはできない。ここでは，株価が500円までしか上昇しないとしよう。企業は一株500円で1,000万株の自社株を買い，50億円の現金をペイアウトする。買い入れた自社株は消却する。

短期保有の株主は，自社株買いの発表直後に一株500円で株式を売却する。長期保有の株主は，株式を売却せず保有し続ける。自社株買いに注目したアナリストや機関投資家が企業分析を行い，株式価値が徐々に明らかになっていく。

割安な自社株を買った企業の株式価値は，もはや600円ではない。［図表13－5］パネル（b）が示すように，株式価値は611円である。株式のミス・プライシングが是正されると，株式の価格は611円まで上昇する。

［図表 13－6］ 割安な自社株買い：金庫株保有のケース

株価が611円まで高まる理由は，短期保有の株主が割安な価格で株式を売るためである。本来600円する株式を500円で売る株主がいる。本来600円の自社株を500円で1,000万株買った企業は，10億円の得をしたことになる。この10億円は自社株買い後に残る9,000万株に割り当てられる。結果，一株当たりの価値が11円高まる。長期保有の株主は，11円の価値を手にすることができる。短期保有の株主から，長期保有の株主に価値が移転したといえる。

　買い入れた自社株を金庫株で保有しても，同じ結論が得られる。［図表13－6］は，企業が自社株を金庫株保有する場合である。ミス・プライシングが是正された場合の株式価値をP円としよう。企業の資産価値は，現金50億円，営業資産500億円，金庫株P×1,000万株を合わせた（550＋0.1×P）億円である。金庫株を合わせた株式時価総額はP億円である。資産価値と株式時価総額が等しくなるPは611円になる。

$$550 + 0.1 \times P = P \quad \Rightarrow \quad P = 611円$$

>>9　金庫株保有を巡る議論

　企業は，買い入れた自社株を消却することもできるし，消却せずに金庫株として保有することもできる[6]。松下電器産業の2006年3月期の株主構成を見ると，筆頭株主は自社（自己株口）で2億4,352万株を保有している。松下電器の発行済み株式数は24億5,000万株だから，約10％の株式を金庫株保有していることが分かる。トヨタ自動車も筆頭株主が自社で，やはり発行済み株式の10％を金庫株として保有している。松下電器やトヨタ自動車のように，自社が筆頭株主になっている企業は，2005年度9月末には100社を超えていた。

　［図表13－7］は，2006年9月におけるトヨタ自動車の金庫株情報である。株主構成のデータから，同社が発行済み株式数の10％を超える金庫株を保有（自社〈自己株口〉）していることが分かる。連結貸借対照表の資本の部には，自社株（自己株式）がマイナスで表示（▲）される。同社の自社株は，資本の1割を超えていることが確認できる。

　買い入れた自社株を消却するか，金庫株で保有するかは，企業の意思決定問

6　2001年の商法改正によって金庫株保有が認められた。

[図表 13-7] トヨタ自動車の金庫株

[A]株主構成（2006年9月） 単位：株数は万株	
株主名	株数
自社（自己株口）	39,379
日本トラスティ信託	27,567
日本マスター信託	20,961
トヨタ自動織機	20,019
ヒーロー&カンパニー	13,345
日本生命保険	13,160

[B]連結貸借対照表（資本の部） 2006年9月：単位百万円	
資 本 金	397,050
資本剰余金	496,808
利益剰余金	11,058,708
その他包括利益累計額	431,973
自己株式	▲1,390,004
資本合計	10,994,535

（注）株主構成は『日経会社情報』より作成。
連結貸借対照表（資本の部）はトヨタ自動車の財務諸表より抜粋。
2006年9月の同社の発行済株式数は3,216,207,250株。

題である。上の数値例で見たように，自社株を消却しても，金庫株で保有し続けても，株式価値は変わらない。これが基本的な考え方である。

実際には，企業は金庫株を保有し続けるわけではない。金庫株を利用して株式交換によるM&Aを行ったり，金庫株を売り出して成長投資に必要な資金を調達したりする。下記は，日本経済新聞2006年4月12日付「成長戦略へ金庫株活用」からの抜粋である。

> 業績の改善で，企業の事業拡大に向けた投資意欲は強く，金庫株として保有してきた自社株をM&Aや資金調達に活用する事例が増えている。オカモトは，2004年10月に，金庫株を使った株式交換によりイチジク製薬を完全子会社にした。品揃えを充実させ収益の拡大を目指す。シチズン時計は，金庫株を用いた株式交換などで，グループ内の上場子会社と非上場子会社を完全子会社化した。グループの再編に金庫株を活用した事例である。三井住友ファイナンシャルや積水ハウスは，金庫株保有していた自社株を市場で売却して資金を調達した。

金庫株がなければ，株式交換によるM&Aや資金調達ができないかというとそうではない。新しく株式を発行すればよい。金庫株の利用と新株発行は代替

的である。企業価値に与える影響はほとんど変わらない。株式の需給や株価指標に与える影響も等しい。登録免許税など発行費用を考えると，金庫株を利用する方が経済的である。自社株買いが機動的なペイアウト手段であるならば，金庫株が機動的な資金調達手段であってもよい。企業のCEOやCFO，財務スタッフの中には，そのように考えている方が少なくない。

　一方，投資家は，金庫株保有に懸念を抱いているようである。下記は，日経産業新聞2007年2月2日付「増える金庫株，投資家に警戒感」からの抜粋である。

> 　上場企業の金庫株が10兆円を突破した。投資家は企業の活発な自社株買いを歓迎する半面，金庫株の急増に警戒感を抱き始めている。将来株式市場に再放出されるのでは，という不安があるからだ。
>
> 　自社株買いは株の需給を引き締める。株価を意識した経営をしている，というメッセージになる。一株当たり利益（EPS）や自己資本利益率（ROE）などの指標の改善が期待できる。取得した株は，消却するか金庫株として持つかである。武田薬品工業は2006年度から自社株買いを始めた。長谷川社長は，「自社株をずっと持っているわけにはいかないが，しばらくは金庫株で置いておく」と話す。金庫株は株式交換を使ったM＆Aやストックオプション，売り出しなど幅広い用途に使える。「経営の選択肢を確保するため，自社株はとりあえず金庫株で持っておく」（トヨタ自動車の木下光男副社長）という企業は多い。
>
> 　投資家は，積み上がった金庫株に一抹の不安を感じ始めている。その最大の理由は，金庫株が株式持ち合いに使われ始めたからだ。2006年には，日本郵船とヤマトホールディングスが資本・業務提携に伴い，両社が保有する金庫株の一部を持ち合った。新日本石油と国際石油開発帝石ホールディングスも同様である。［中略］ 持ち合いでも売り出しでも，金庫株を再放出すれば自社株買いの効果は消える。需給も悪化する。野村証券のストラテジストは，「アメリカの全上場企業が保有する金庫株は，株式時価総額の6～7％あり，日本企業の2％より多い」という。ただし，アメリカでは自社株買いの歴史が長く，株式交換によるM＆Aも多いため，金庫株が問題視されることはあまりない。機関投資家が日本企業の金庫株の行方に不安を感じるのは「日本企業の資本政策がまだ十分信用されていないから」でもある。そのような株式市場の空気を企業も察しつつある。
>
> 　アステラス製薬は2006年10月に発表した中期経営計画で，「発行済み株式総数の1～2％を残して金庫株を消却する」という方針を表明した。金庫株の原則消却を明示

する大企業は異例であった。株式市場はこれを好感した。発表後，同社の株価は上昇した。ＮＴＴドコモと松下電器産業も自社株消却の方針を打ち出している。ＮＴＴドコモは，「原則として発行済み株式総数の５％程度を目安とし，それを超える金庫株は消却する」という。松下電器は，「発行済み株式総数の10％を超える金庫株は毎年度末に消却する」と明示した。

配当ケータリング仮説は，投資家が配当に"熱"を上げているとき，増配企業が増えるという説であった。最近の金庫株消却も，同じように説明できるかもしれない。

投資家は金庫株の消却に"熱"をあげている。金庫株の消却は，株式市場の旬のテーマである。アステラス製薬やＮＴＴドコモ，松下電器は，投資家のニーズに応えて，金庫株の消却を決定した。金庫株の消却を発表した企業の株価が上昇すると，消却に対するニーズがさらに高まる。証券会社の担当者が，企業に金庫株の消却を提案してまわる。株式市場の動向に敏感な企業は，金庫株を消却するだろう。

ただし，金庫株を消却するだけで企業価値が高まるわけではない。企業価値を高めることは，それほど簡単ではない。時が経てば，（アメリカのように）株式市場の見方が変わるかもしれない。

上の記事によると，投資家は，金庫株が株式持ち合いに利用されることを懸念しているという。この見方については，筆者たちの間で意見が分かれる。筆者の一人は，「金庫株を利用して株式持ち合いをする代わりに，新株を発行して株式持ち合いをすることもできる。株式持ち合いと金庫株を結びつけるのはおかしい」と主張する。これに対して，「企業は，新株を発行してまで株式持ち合いをすることには抵抗がある。金庫株の利用であれば，気楽にできる」という現場感覚を反映した反論がある。

意見が一致しているのは，金庫株の保有は，実践的な旬のテーマだという見方である。理論的には，自社株を消却しても金庫株で保有しても，企業価値に与える影響はほとんど変わらない。だからといって，発行済み株式の２割や３割を超える株式を金庫株保有するのは，実践的ではない。金庫株の使途に対して投資家から質問攻めにあうだろう。

企業の現場でも，理論的というより実践的な解決をしている。ＮＴＴドコモや松下電器でさえ，確固たる理論に基づいて，金庫株の消却に関する方針を打ち出したわけではない。自社の状況や株式市場の動向に加え，キリのよい数字

ということで，5％や10％を打ち出したのであろう。自社（自己株口）が筆頭株主になることは避けるという方針をもっている企業もある。

>>10 NTTドコモのペイアウトと金庫株保有[7]

❶ 経営指標とペイアウトの方針

ここでは，携帯電話事業の国内最大手NTTドコモのペイアウトと金庫株保有を取り上げる。ビジネス・リスクの低下にともない，多額のキャッシュを株主に配分しているのが，ここ数年の同社のペイアウトの特徴である。

NTTドコモは，EBITDAマージン（EBITDA÷売上高）とROCE（Return on Capital Employed，使用総資本営業利益率＝営業利益÷〈自己資本＋有利子負債〉）を経営指標として用いている。EBITDAは，フリー・キャッシュフローの源泉であり，企業価値評価における代表的なマルチプル法に用いられる。近年では，欧米企業の多くがEBITDAマージンを主要な経営指標に掲げている。ROCEはROA（総資本事業利益率）に近い指標であり，レバレッジ戦略の影響を受けない。財務的にコントロールしにくい指標である。ROE（自己資本利益率）は，レバレッジ戦略によってコントロールができる。企業の真の力を示すという意味では，ROAやROCEの方が好ましい。NTTドコモは，教科書的に好ましい経営指標を用いているといえる。

配当に関する同社の基本方針は［図表13-8］の通りである。配当に関して，同社は数値目標を示していない。ROCEには目標を掲げている。ROCEがペイアウトに優先するという考え方である。企業価値を決めるのは事業でありペイアウトではない。同社の考え方は正しいといえる。配当に数値目標を掲げ，ROAやROCEに目標を設定しないのは，企業価値の本質を見誤っている。

第3章［図表3-4］で示したように，同社の株式は，ハイリスクからミドルリスク，そしてローリスクへと移行してきた。ビジネスでいうと，高成長ステージから安定成長ステージを得て，近年は成熟ステージに入っているように見える。［図表13-9］は同社の業績とペイアウトの推移である。［図表13-10］は，同社の配当性向と総還元性向の動向を表している。

配当のライフサイクル仮説によると，成長ステージから成熟ステージに移行

---

7 NTTドコモの事例をまとめるにあたり，同社財務部ファイナンス担当部長稲川久雄氏（所属・役職は2007年3月当時）から有益なコメントをいただきました。記して感謝いたします。

[図表 13-8] NTTドコモのペイアウト政策

・配当政策
「当社は，株主の皆様への利益還元を経営の最重要課題の一つと位置づけており，財務体質の強化や内部留保の確保に努めつつ，連結業績及び連結配当性向に配慮し，安定的な配当の継続に努めてまいります」

・自社株買い
「資本の効率的利用促進の観点から，財務状況や市場動向，株価水準等を勘案して，機動的に実施します」

（出所）神戸大学大学院経営学研究科・現代経営学研究所共催第57回ワークショップ『配当政策―理論とプラクティス―』の報告資料をもとに作成。

（再掲）[図表 3-4] NTTドコモ株のリスクとリターン

	1998－2003	2001－2006	2003－2006
株式ベータ	1.76	0.97	0.72
株価動向	ハイリスク・ハイリターン	ミドルリスク・ミドルリターン	ローリスク・ローリターン

（注）株式ベータの出所は東京証券取引所『TOPIX β VALUE』

(C) QUICK Corp.

[図表 13-9] NTTドコモの業績とペイアウト

	2003年3月期	2004年3月期	2005年3月期	2006年3月期
営業収益(売上高)	48,091	50,481	48,446	47,659
営業利益	10,567	11,029	7,842	8,326
EBITDA	16,806	18,363	18,589	16,257
当期純利益	2,125	6,500	7,476	6,105
ROCE(%)	22.1%	22.9%	16.2%	17.2%
FCF	7,132	8,629	6,033	6,599
配当総額	251	733	930	1782
自社株買い	2,345	3,949	4,252	3,001
配当性向(%)	11.8%	11.3%	12.4%	29.2%
総還元性向(%)	122%	72%	69%	78%
1株当たり配当金(円)	500円	1,500円	2,000円	4,000円

(注) 同社の公開財務情報などから作成。配当性向、総還元性向、一株当たり配当金以外の単位は億円。
EBITDA＝営業利益＋減価償却費＋有形固定資産売却・除去損＋減損損失
ROCE(使用総資本営業利益率)＝営業利益÷(自己資本＋有利子負債)
FCF＝営業キャッシュフロー＋投資キャッシュフロー

するにつれ、企業の配当は増加する。近年のNTTドコモも配当の増加傾向が鮮明である。[図表13-9] [図表13-10] から分かるように、毎年大幅な増配を実施している。同社の一株当たり配当金は、2003年3月期の500円から、2006年3月期の4,000円まで大幅に増加した。2006年3月期の配当性向は30％に達している。自社株買いを含めた総還元性向は、70％以上を維持している。配当性向や総還元性向は、アメリカ大企業の平均値に匹敵する。国内企業の中では非常に高い水準だといえる。同社のDOE（株主資本配当率）を計算してみると4.3％（2006年3月末）になり、やはり国内では群を抜いている。

本業が最も重要であるとはいえ、投資家も様々な事情からペイアウトを求める。機関投資家やグローバルな投資ファンドは、国内外の同業他社との比較でものをいうことが多い。同社は、そのあたりの事情を理解しており、[図表13-11] のような配当指標（配当性向と配当利回）のポジショニング・マップを作成している。海外の通信関連企業の配当性向は、NTTドコモを上回っている。同社では、配当のポジショニング・マップを眺めながら、様々な議論がなされるという。

NTTドコモの大幅な増配は、ライフサイクル仮説で説明できる。加えて、

[図表 13-10] NTTドコモの配当性向と総還元性向

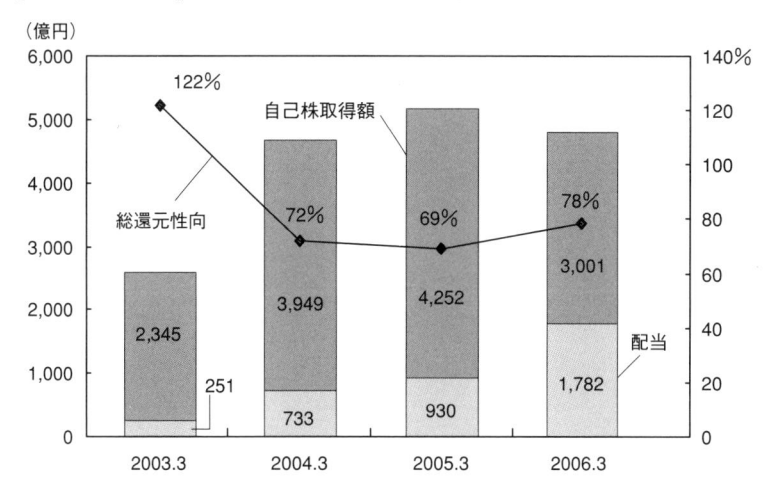

（出所）神戸大学大学院経営学研究科・現代経営学研究所共催第57回ワークショップ『配当政策―理論とプラクティス―』の報告資料をもとに作成。

[図表 13-11] 配当指標のポジショニング・マップ（仮想）

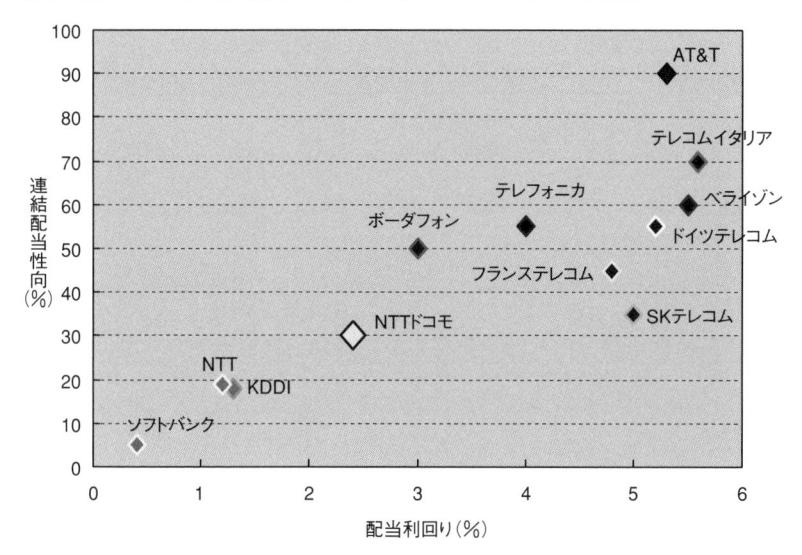

株主の意向やFCFに対する株式市場の見方も増配の要因だという。[図表13－9]から分かるように，同社は毎年6,000億円を超えるFCFを生み出している。増配や自社株買いをしなければ，2年間で現預金が1兆円ずつ積み上がることになる。同社は，月商の2ヵ月分に相当する8,000億円程度を不測の事態（システムのダウンなど）に備えた流動性としている。この水準を超える金額は，当面必要がない余剰現金である。

近年の株式市場は，余剰現金の保有に対して厳しい見方をする。同社は，ビジネス・リスクが低く収益が安定している間は，投資家の意見を取り入れ，不要な現金を極力もたない方針だという。優れている点は，ペイアウトとビジネス・リスクの関係を正しく認識していることである。何でもかんでもペイアウトするのではない。リスクの高い事業に進出したり，株式ベータが高まってきたりすると，ペイアウトや現金保有の方針を改めることもあるという。

NTTドコモにも，よほどのことがない限り減配はしないという暗黙の合意がある。減配の回避を前提にすると，増配には慎重にならざるを得ない。安易に増配を重ねると，思わぬアクシデントや業績悪化に見舞われたとき，高い配当を維持するために無理をすることになりかねない。

❷ NTTドコモの自社株買い

NTTドコモの近年のペイアウトは，自社株買いが中心であった（[図表13－9][図表13－10]参照）。同社は，2002年度（2003年3月期）から，毎年多額の自社株買いを行っている。自社株買いによりペイアウトした総額は1兆5,000億円にのぼる。同社の自社株買いによるペイアウトは，わが企業の中でも高水準にある（[図表13－12]参照）。

NTTドコモが自社株買いを始めた2002年度は，同社の株価がおおよそ底値圏に達した時期である（[図表13－4]参照）。株価はその後も低迷したため，割安な価格で自社株を買ったとはいえないが，割高な自社株を買っていないことも事実である。同社の財務部では，DCF法とマルチプル法を用いて，自社株の価値評価を行っている。

NTTドコモが自社株買いに傾斜したペイアウトを行ってきた最大の理由は，自社株買いの柔軟性である。同社が，2006年3月期のペイアウト総額5,000億円をすべて配当したと仮定しよう。システムのダウンなど大規模なアクシデントが起こり，来期と再来期のFCFがゼロまで落ち込むとどうなるだろうか。減配を回避するためには，毎期5,000億円の現預金を取り崩さなければならない。同

[図表 13-12] 自社株買いの金額（2005-2007年）

2005年度（2005-2006）		2006年度（2006-2007）	
企業名	金額（億円）	企業名	金額（億円）
NTT	5,394	三菱ケミHD	3,247
NTTドコモ	3,011	JR東海	3,090
スズキ	2,358	トヨタ自動車	2,995
トヨタ自動車	1,336	アステラス製薬	2,199
セブン&アイHD	1,267	武田	2,135
セガサミーHD	1,159	キヤノン	2,000
松下電器	873	ミレアHD	1,574
ホンダ	770	NTTドコモ	1,572
富士重工	393	松下電器	1,500

（出所）フジサンケイビジネスアイ（2006年4月4日付），日本経済新聞（2007年4月10日付）

社が目処としている手元流動性8,000億円は，2年間で失われてしまう[8]。

　自社株買いは配当ほど硬直的ではない。柔軟に対応することができる。もう一度，[図表13-9]を見てみよう。NTTドコモの配当総額は増え続けている。自社株買いは増えたり減ったりしている。2007年3月期，NTTドコモの自社株買いは1,570億円であった。前年の2分の1まで落ち込んでいる。自社株買いではこれが許される。配当だと大きな問題になる。

　資金使途としては，自社株買いより投資（設備投資，成長投資）が優先する。同社では，自社株買いの金額を見積もり，株主総会で枠を設定する。年度途中で有望な投資案件が出てくれば，自社株買いを減らして投資に回す。配当だとこうはいかない。自社株買いをペイアウトの主力に据えることで，意思決定の柔軟性を確保している。

　[図表13-13]は，2005年から2007年にかけて，NTTドコモが行った自社株買いと株価の推移である。流通市場から自社株を買う場合は信託方式，大株主

---

[8] NTTドコモの自社株買いは，同社の親会社であるNTTが財務省保有の株式を買い戻す動きと一部連動しているという指摘もある。例えば，2005年8月にNTTドコモは2,592億円の自社株買いを行っている。翌9月には，NTTが5,394億円の自社株買いを行っている。

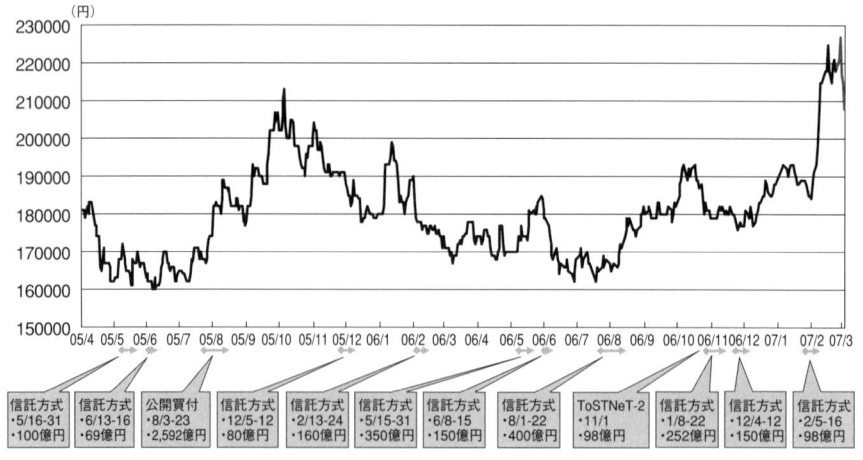

[図表 13-13] NTTドコモの自社株買いと株価の推移

時期	方式	期間	金額
05/4-05/5	信託方式	5/16-31	100億円
05/5-05/6	信託方式	6/13-16	69億円
05/7	公開買付	8/3-23	2,592億円
05/8	信託方式	12/5-12	80億円
05/10	信託方式	2/13-24	160億円
05/11	信託方式	5/15-31	350億円
06/1	信託方式	6/8-15	150億円
06/2	信託方式	8/1-22	400億円
06/8	ToSTNeT-2	11/1	98億円
06/10	信託方式	1/8-22	252億円
06/11	信託方式	12/4-12	150億円
07/1	信託方式	2/5-16	98億円

（出所）神戸大学大学院経営学研究科・現代経営学研究所共催第57回ワークショップ『配当政策―理論とプラクティス―』の報告資料をもとに作成。

から大量の株式を一度に買う場合はToSTNeT-2を利用する。事業法人の株主が，税法上のメリットがある公開買い付けを希望すると，公開買い付けを行う[9]。同社には，決算発表や投資案件，新サービスの開始など，株価に影響する重要事実が多数ある。インサイダー取引の規制があるため，自社株買いができるのは重要事実のない期間に限られる。自社株が割安だと判断しても，重要事実があれば自社株を買うことができない。

このような制約があるため，短期的な株価を意識して自社株買いを行っているわけではないという。近年は，毎年大量の自社株買いを消化するため，重要事実のない期間は常に自社株を買っている感じがするらしい。もちろん，中長期的に見て割高ではないというレンジを意識していることは，［図表13-13］からも見てとれる。

　［図表13-14］は，自社株買いの影響を示している。各行の上段は実際の値，下段は自社株買いを行わなかった場合の推定値である。両者の差額は，自社株

9　いずれの方式も，金融商品取引法（前証券取引法）上の「内部者取引防止規制」と内閣府令による「相場操縦規制」に抵触しないことに細心の注意が払われる。信託方式においては，信託銀行を利用することでインサイダー情報を遮断し，専任のディーラーが内閣府令の買付要件を遵守する。ToSTNet-2を利用する場合，前日に一定の株数を買い付けることを公表し，当日の午前8時45分に前日の終値で自社株式を買う。公開買い付け（TOB）方式は，通常のTOB規制が適用される。

[図表 13-14] 自社買いの影響

		2004年3月期	2005年3月期	2006年3月期
EPS（円）	実現値（自社株買い実施）	13,099	15,771	13,491
	自社株買いなし	12,954	14,898	12,166
ROCE（％）	実現値（自社株買い実施）	22.9	16.2	17.2
	自社株買いなし	22.0	14.4	14.3
ROE（％）	実現値（自社株買い実施）	18.1	19.6	15.3
	自社株買いなし	17.2	16.9	12.3

（出所）神戸大学大学院経営学研究科・現代経営学研究所共催第57回ワークショップ『配当政策―理論とプラクティス―』の報告資料をもとに作成。

買いが財務指標に与えた影響である。自社株買いが，EPSや資本利益率（ROCE，ROE）の改善に役立ったことが分かる。

厳密にいうと，上段と下段の数値を比較する際には，リスクの相違を調整する必要がある。無リスク資産である現金をペイアウトすると，企業のリスクが高くなる。財務指標の改善は，ハイリスク・ハイリターンの結果かもしれない。

❸ NTTドコモの金庫株と自社株消却

NTTドコモでは，発行済み株式数の5％を金庫株で保有し，それを上回る部分は年度末に消却を検討するという方針を開示している。［図表13-15］は，同社の金庫株と自社株消却を表している。開示方針にしたがい，2005年3月期と2006年3月期に自社株を消却している。

NTTドコモの財務部ファイナンス担当部長である稲川久雄氏（所属・役職は2007年3月当時）は，自社株消却の方針を打ち出した理由について，次のように話してくれた。

「金庫株を大量に保有していると，投資家の方が，いつか市場に売り出されるのではないかという懸念を強くもちます。投資家の方の懸念を払拭するために，自社株の消却方針を打ち出しました。ただし，金庫株を売り出すか，（消却後に）新株を発行す

[図表 13-15] NTTドコモの金庫株と自社株消却

	2004年3月期	2005年3月期	2006年3月期
発行済み株数(万株)	5,018	4,870	4,681
自社株買い(万株)	158	232	180
消却株数(万株)	0	148	189
金庫株(万株) 金庫株比率(％)	158 3.2％	243 5％	234 5％

(出所) 神戸大学大学院経営学研究科・現代経営学研究所共催第57回ワークショップ
　　　『配当政策―理論とプラクティス―』の報告資料をもとに作成。

るかは，ほとんど違いがありません。むしろ，資金調達をするのであれば，金庫株を売り出したほうがコスト面で有利です。金庫株を活用すると，登録免許税などのコストがかかりません。弊社の場合，金庫株として発行済株式数の5％を保有しています。現在の時価に換算すると約5,000億円です。金庫株をすべて消却して，新株発行で5,000億円を調達し，調達額の半額を資本金とした場合，登録免許税が資本金の0.7％，金額にすると17.5億円かかります。この分だけ株主価値が失われるわけです。バカにならない金額です。この費用を考えると一定量の金庫株を保有しているメリットはあるはずです。

　正直なところ，消却の方針を決めたとき，社内でかなりの議論をしました。金庫株を利用するのは，株主にメリットがあるときです。金庫株がなければ，新株を発行することになるでしょう。先ほど申しましたように，金庫株の売り出しと新株の発行とでは，手続き上の違いはありません。投資家の方が金庫株保有について懸念する理由が，納得できないという声もありました。経済合理性で考えると，金庫株を処分する必要はないという意見も出ました。

　証券会社の方にも重ねがさね確認しましたが，どの方も投資家の懸念は強いとおっしゃいます。一般的に言われているEPSの希薄化や資本利益率の低下を嫌っているようですが，金庫株消却の有無はEPSや資本利益率に直接的な影響を与えませんので，理由はそれほど明らかではありません。金庫株の歴史が浅い日本の投資家だけが懸念を持っているのかと思いましたが，海外の投資家の中にも金庫株保有を懸念している方が少なくありません。それほど懸念が強いのであれば，それを解消しなければいけないということで，消却方針を決めました」

金庫株の消却については，投資家からの要望に応えたということである。ケータリングという解釈が適していると思える。発行済み株式数の5％という数値目標については，理論的な基準はないということであった。

第14章

資生堂の
総還元性向[1]

本章と次章では，ペイアウトに関する先駆的な事例として，資生堂とマブチモーターのペイアウト政策を紹介する。本章では，「総還元性向」をいち早く導入した事例として資生堂を取り上げる。総還元性向とは，（連結）当期純利益に占める配当支払い総額と自社株買い総額の合計であり，ペイアウト性向とよばれることもある。総還元性向が100%であれば，当期純利益の全てが配当と自社株買いによって株主に配分される。総還元性向は，投資家が企業に具体的な目標値の公表を求めている指標である（生命保険協会〈平成18年〉「株式価値向上に向けた取り組みについて」）。

>>1 連結純利益の6割をペイアウト

1872年（明治5年），銀座で「資生堂薬局」が創業した。以来，資生堂の歴史は130年を超える。現在では，グループ子会社101社と関連会社5社をもち，化粧品，トイレタリー製品，美容製品，理容製品，食品，医薬品の製造販売を主な事業としている。売上高の約8割を占める化粧品事業は，日本国内で首位，世界でも第4位に位置している。

1999年3月，資生堂は株主へのペイアウト政策として「総還元性向」を導入した。資生堂は，わが国で総還元性向の目標値を導入した最初の企業である。2006年度の有価証券報告書には，次のような【配当政策】が記載されている。

---

1 本章の作成にあたり，資生堂財務部長西村義典氏と総務部株式グループ次長斉藤幸博氏（所属・役職は2005年当時）には，大変お世話になりました。感謝いたします。

「当社は，株主への直接的な利益還元に，中長期的な株価上昇をプラスした「株式トータルリターン」の実現を目指しております。この考え方に基づき，事業から得られたキャッシュフローは，「新たな成長につながる戦略投資」，「安定的な配当と機動的な自己株式取得」などへ優先的に充当することを基本方針としております。利益還元の目安として，当社は配当と自己株式取得の合計額の連結純利益に対する比率を「総還元性向」と捉え，中長期的におよそ60％を目処としておりますが，今後は総還元性向に占める配当の割合をさらに高めていく方針です」

　配当政策において，実物投資とのバランスを強調しているのは理にかなっている。実物投資なくして価値が高まることはないからである。MMの無関連命題が成り立つ場合と異なり，現実の世界では投資とペイアウトのバランスが大切になる。安定的な配当と機動的な自社株買い（自己株取得）の組み合わせは，それぞれの特徴を活かした方策である。総還元性向を中長期的な目標としたのは，短期的な目標だと制約が強くなり，事業活動に影響が出ることを回避するためであろう。例えば，毎期6割の総還元性向とすると，実物投資の資金が必要なときに，ペイアウトが足かせになりかねない。過大評価と思いつつ自社株を買わなければならないこともあろう。資生堂のペイアウト政策は，実践的であり理にもかなっている。
　総還元性向を導入するに際し，資生堂はアメリカ大企業のコーポレートファイナンスの実態を徹底的に調査した。アメリカのS&P500指数採用企業の総還元性向は，平均的に6割から7割の水準にある。1990年代後半は，日本の株式市場を取り巻く環境が変化し，欧米流のコーポレート・ガバナンスが叫ばれだした時期である。資生堂は，時代の変化にいち早く対応し，新しいペイアウト政策を導入した。ペイアウト政策によって，「他社とは違う資生堂らしさ」もアピールした。
　ペイアウト政策の理論は条件付き理論である。企業を取り巻く環境が変化すると，最適なペイアウト政策も変わる。資生堂は，状況の変化をどのように認識し，どのような考え方でペイアウト政策を導入したのであろうか。実践と理論は整合性がとれているのだろうか。新しいペイアウト政策はどのように評価されたのだろうか。公開資料やインタビュー調査をもとに考察する。

>>2 総還元性向導入の経緯

ペイアウト政策導入の経緯については，『ジャパニーズ・インベスター』（2003年秋号）の記事で，当時の責任者であった大堀毅志取締役執行役員常務（役職は2003年当時）が詳細に語っている。インタビュー調査の結果を加えて，導入の経緯をまとめると次のようになる。

日本企業は，1980年代にワラント債や転換社債を大量発行し，1990年代には発行済み株式数と株主資本が大きく膨れ上がっていた。資生堂も同様である。時を同じくして，グローバル・スタンダードという言葉が浸透し始め，資本利益であるROA（総資本事業利益率）やROE（自己資本利益率）の改善を求める声が強くなってきた。国内化粧品市場の成熟化により，資生堂は成長を求めて国際的な事業展開を行う必要性を感じていた。事業のグローバルな展開は，ROAやROEという業績指標を意識して行う必要がある。当時，同社のROEの水準は，欧米企業に遠く及ばない状態であった。

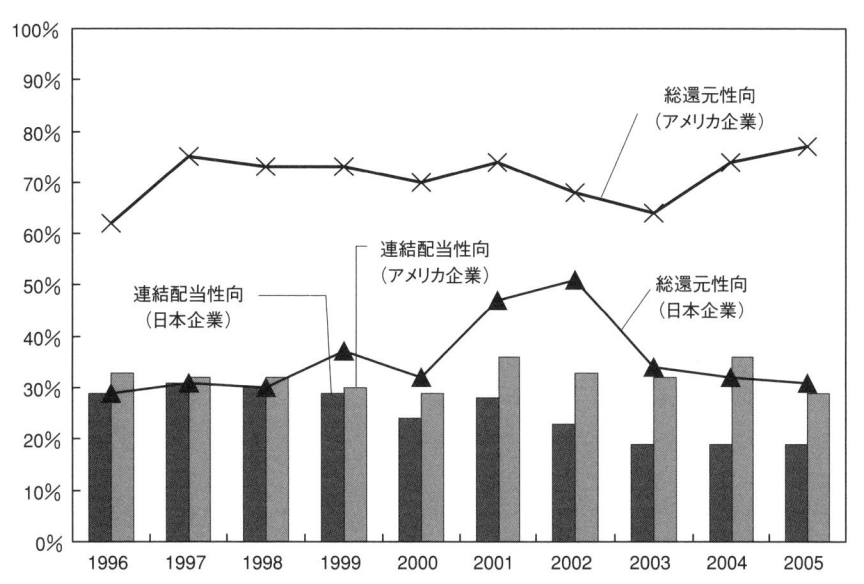

[図表 14-1] 日米企業の配当性向と総還元性向

(注) 日本企業はTOPIX構成企業が対象（赤字企業を除く），アメリカ企業はS&P500構成企業対象（赤字企業除く）
(出所) 『株式価値向上に向けた取り組みについて』（平成18年度生命保険協会アンケート調査）

[図表 14-2] 日米企業のROE比較

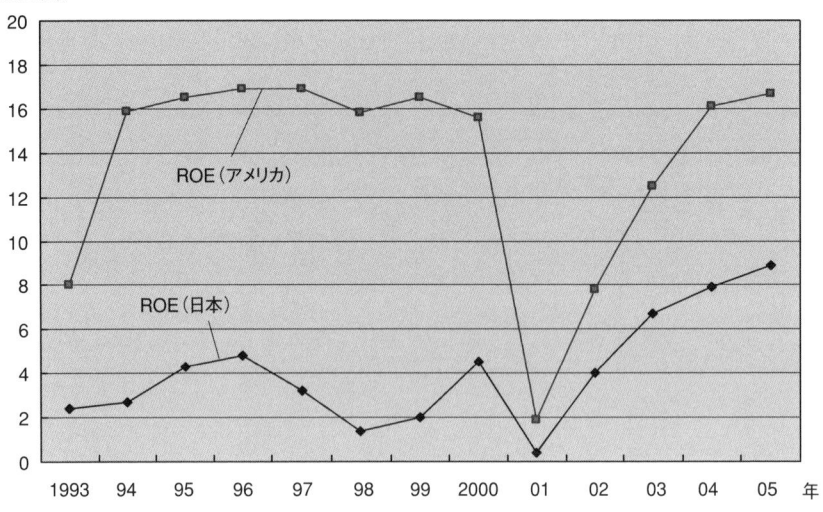

ROE(%)

(出所)『株式価値向上に向けた取り組みについて』(平成18年度生命保険協会アンケート調査)

　理論的には，ROAやROEを追求するとリスクも高くなる傾向がある。しかし，以下で見るように，資生堂の国内販売網と資金回収システムは強固である。売上高も安定している。同社の経営陣は，リスクをある程度許容することができる，あるいはリスクをそれほど気にしなくてよいと考えたのであろう。ペイアウトによって，ROEの分母である株主資本を圧縮することは，ROEを高める一つの手段である。

　資生堂のスタッフは，アメリカ大企業のペイアウトに対する工夫に注目した。ペイアウトの手段として配当と自社株買いがあるのは日本と同じだが，企業によって両者の割合が大きく異なる。配当だけでペイアウトしている企業もあれば，ペイアウトのほとんどを自社株買いで行っている企業もある。それぞれの企業属性に応じて，最適なペイアウトを探求していることを学んだ。当時，アメリカ企業（S&P500採用銘柄）の総還元性向は6～7割，連結配当性向は35％前後，ROEは15％であった。日本企業の連結配当性向は30％程度（TOPIX構成銘柄），ROEは2％程度であった。

　資生堂は，過去にエクイティファイナンスを実施した際，配当性向3割を公約していた。当時，自社株買いがブームになっていたことや，株式持ち合い解

消の受け皿が必要という理由もあって，自社株買いを積極的に利用しようということになった。配当と自社株買いを合わせたペイアウト総額の割合については，業績や投資規模から判断して，連結純利益の半分より多くしようという方針にまとまった。社内ではほとんど異論が出なかったらしい。むしろ，「他社とは違う資生堂らしさ」を追求する企業文化が，当時の日本企業では突出して高い総還元性向の目標を導入するフォローの風になった。

≫3 実際のペイアウトと減配の回避

［図表14－3］は資生堂の要約財務データである。連結純利益が黒字の年度の総還元性向はコンスタントに50％を超えている。ペイアウト政策を導入した1999年のペイアウト総額は150億円（配当58億円と自社株買い92億円），総還元性向は145％である。導入期には，当期純利益の1.5倍もの金額をペイアウトしている。

［図表 14－3］ 資生堂の要約財務データとペイアウト

	1999.3	2000.3	2001.3	2002.3	2003.3	2004.3	2005.3	2006.3
売上高	6,043	5,966	5,951	5,900	6,213	6,242	6,398	6,710
営業利益	342	380	300	240	482	391	282	389
当期純利益	103	153	▲451	▲228	245	275	▲89	144
設備投資	280	307	240	212	167	232	207	190
減価償却	245	256	286	279	271	272	274	270
研究開発	—	155	168	170	173	176	168	165
一株当たり配当金（円）	14円	16円	16円	16円	20円	22円	24円	30円
現金配当総額	58	66	67	68	85	92	99	124
自社株買い	92	50	75	0	47	50	0	28
ペイアウト総額	150	116	167	68	132	142	99	152
総還元性向（％）	145％	76％	—	—	54％	52％	—	83％

（注） 一株当たり配当金，総還元性向以外の単位は億円。
同社の財務諸表などにより作成。

業績に連動した総還元性向を言葉通りに解釈すれば，赤字に落ち込んだ2001年や2002年は減配してもよい。極端にいうと無配でもよい。実際には，前年度と変わらない一株当たり配当を実施している。資生堂は減配しないことを強く意識しているようだ。次のような話を聞いた。

「経営陣も含めてわれわれが重点的に考えているのは，やはり安定的な配当です。赤字でも減配したことはありません。過去5年間で資生堂は赤字決算を3回行っています。例えば，2001年度は，退職給付会計導入に伴う年金債務の一括処理を主因とする750億円の特別損失計上，2002年には流通在庫の整理と評価の見直し，保有株式の評価損を主因とする特別損失を572億円計上しました。赤字でもきちんと配当を払っています。ここ数年間でみると，利益がほとんどでていないのに配当ばかりしてきたことになります。この意味で，総還元性向6割は必ずしも明快な基準とは言えないかもしれません。中期的に6割を目安にするというのは，社外へのメッセージと同時に，『株主の皆様に6割は還元したい』という社内マインドの表れです。単年度ごとの基準にすると『今期は配当がない』という時期がでてくる。配当するために何か手を打たねばということにもなりかねない。それは本意ではありません」

「配当につきましては，先ほど申しましたように，安定的な配当をする，減配は避けるということから，一株当たり30円配当をベースに考えます（資生堂は2006年3月期に一株当たり配当を30円に増額した）。利益動向によっては，30円以上の数字を議論します。今後10年くらい赤字が続きそうで『会社が危うい』となれば別ですが，これまで減配したことはないですし，長期的に株式を保有してくださる株主の皆様の期待も同様だと思っています。世の中の流れとして，配当も業績連動でよい，つまり業績が良い時期は配当を増やし，業績が悪化すると配当を減らすという考え方が台頭していることは承知しています。しかし，わが社の売上高や経常利益の安定的な推移を考慮しますと，いまのところ減配は選択肢にありません。配当については，安定性を重視し，利益の増加とともに増配するというのが良い方向だと考えています」

　減配の回避は，日本企業だけでなく，アメリカの企業も強く意識しているが，その理由は理論的には明らかではない。資生堂の場合，当期純利益が赤字の時期に減配しなかった理由はいくつか考えられる。第一に，赤字の原因は特別損失だったことである。配当の原資には恒常的な収益が好ましいという考え方がある。恒常的な収益を表す営業利益や経常利益は黒字が続いており，配当総額はその範囲内に収まっている。第二に，これまで減配したことがないという事実である。一見ネガティブに思える減配を決定するには，それこそ「会社が危うい」という状況でないと難しいであろう。第三に，「赤字でもきちんと配当を払っています」という言葉から分かるように，減配しないことに誇りをもっていることである。

>>4 配当重視への転換

　連結純利益の6割を目安にペイアウトするという政策が，配当，自社株買い，実物投資をバランスよく行うという社内の同意でもある。ただし，ペイアウトの中でも配当と自社株買いに対する考え方は異なっている。配当については，安定配当を基本にしており，中長期的には業績に応じて安定的な増配を実施する方針だという。自社株買いについては，その時々の経営環境や株式市場の動向を見ながら，機動的かつ柔軟に実施していくという。

　［図表14－3］によると，同社のペイアウトに占める配当の割合が高まっている。この理由については，次のような話があった。

> 「総還元性向の目標導入当時は，配当と同時に自社株買いも継続していこうと考えていました。ここ数年は，配当を重視しています。それは，当社が変わったというより，株式市場の環境が変わってきたためです。当社については，自社株買いより増配の方が好まれると考えています。最近は自社株買いをしても株価にそれほど影響がないようです。証券会社の方にお話を聞いたり，データを見せていただいたりした結果，"いま"株式市場は現金配当を求めているという結論に達しました。株式市場で好感される方を選択しようというわけで，いまは現金配当を重視しているわけです」

　資生堂の総還元性向は，安定的な配当に加えて，機動的かつ弾力的な自社株買いの組み合わせである。配当部分について，資生堂は2003年以降，毎年増配を繰り返している。2006年3月期には，一株当たりの配当を24円から30円に引き上げた。一株当たり配当は2000年の約2倍である。

　減配しないという方針の下，増配を続けることができるのは，恒常的な収益の安定性に対する自信の表れでもある。また，配当の割合を高めているのは，"いま"株式市場に好まれる配当を選択しているという意味で，ケータリング仮説と整合的な行動といえる。

>>5 資生堂の自社株買いと金庫株保有

　NTTドコモの事例でも見たように，自社株買いをすることで，企業はROEを高めることができる。また，自社の株価が割安であるというメッセージを送

ることができる。しかしながら，［図表14-3］や前頁のインタビュー内容からも分かる通り，資生堂のペイアウトに占める自社株買いの割合は低下傾向にある。理由の一つは，自社株買いによるアナウンスメント効果が見られなかったことである。

　資生堂は，2002年5月，2003年5月，2005年6月に自社株買いの実施を発表している。自社株発表日前後の株価の推移は，［図表14-4］［図表14-5］に表されている。2002年5月の自社株買いの発表後，株価は下落した。2003年5

[図表 14-4] 資生堂の自社株買いと株価の反応

2002年5月8日			2003年5月7日			2005年6月30日		
月日	資生堂	TOPIX	月日	資生堂	TOPIX	月日	資生堂	TOPIX
5月7日	1,597	1,074	5月6日	1,205	821	6月29日	1,405	1,176
5月8日	1,575	1,082	5月7日	1,204	823	6月30日	1,400	1,177
5月9日	1,560	1,094	5月8日	1,242	815	7月1日	1,402	1,182
5月10日	1,535	1,086	5月9日	1,224	824	7月4日	1,402	1,186
5月13日	1,520	1,075	5月12日	1,231	829	7月5日	1,400	1,183

[図表 14-5] 資生堂の株価動向

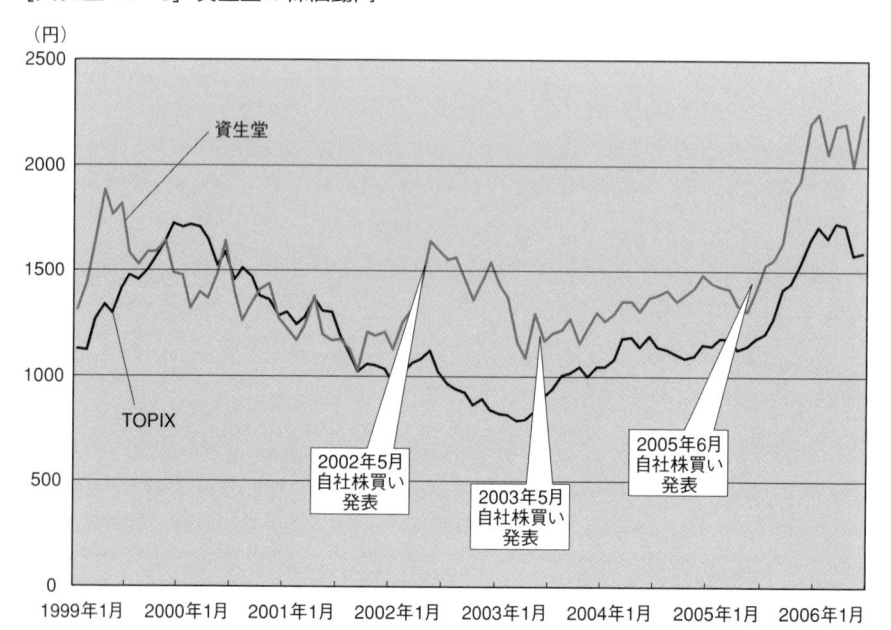

月の発表後，株価は上昇したが，それほど目立つものではなかった。2005年6月の自社株買いは，株価にほとんど影響しなかった。

　自社株買いのアナウンスメント効果があるのは，自社の株式が割安な投資対象だとアピールできる場合である。そのためには，自社の株式価値を測定し，株式市場における評価（株価）が割安であることを確認する必要がある。資生堂の企業価値にブランド価値が含まれることは誰も否定しないであろう。ブランド価値は測定することが難しい。そのため，資生堂では常に緻密な株式評価を行っているわけではない。東証一部上場企業の平均的なPER（株価収益率）やPBR（株価純資産倍率）を基準にして，自社の株価を相対的に評価している。このような評価だけでは，自社株が本当に割安かどうかを把握することは難しい。投資家もそのように見ているのかもしれない。

　短期的な効果はなくても，結果的に資生堂は安い自社株を買ったことになる。1999年から2003年の5年間，資生堂は263億円で1,840万株の自社株を買い入れた。単純平均すると，一株当たり1,430円で自社株を買ったことになる。当時は「底値に近いと見たので買ったが株価の下落が止まらなかった」（2003年7月24日付日本経済新聞）というように，株価が底値圏の下落トレンドにあった。株価が2,000円を上回っている現状（2007年6月）からすると，安い買い物をしたことになる。

　ただし，最近の株価上昇によって，自社株買いが困難になったことも事実である。［図表14－5］のTOPIXの動向から分かるように，2000年から2002年にかけて，わが国株式市場は下落基調にあった。TOPIXとの連動性がそれほど小さくない資生堂の株価（当時の株式ベータは0.7程度）も下降トレンドをたどった。この下降トレンドの中で資生堂は自社株を買い入れ消却した[2]。2003年以降は，TOPIXの上昇トレンドに合わせるように，同社の株価も上昇した。直近の株価は安値の2倍以上の水準にある。株価が高くなると，自社株が安いから買うという理由は説明しにくい。

　株式の需給が短期的な株価に影響することを否定する市場関係者は少ない。需給関係を考えると，株式持ち合い解消の売りが峠を越したことも，自社株買いが減少している理由の一つであろう。多かれ少なかれ，株式持ち合い解消の受け皿として，自社株買いが利用されたはずである。株式持ち合いの比率が低下した近年では，需給関係のバランスを保つために自社株を買う必要がなくな

2　当時は金庫株の保有が認められていない。

ったといえよう。

　上場企業全体でいうと，目的を特定しない金庫株保有が可能となった2001年以降，自社株買いは年々増加する傾向にある。金庫株は消却してもよいし，株式交換によるM&Aやストックオプションの権利行使に利用してもよい。株価が高くなれば，金庫株を売り出すのも財務戦略である。金庫株保有の水準について，資生堂では次のように考えている。同社は，2005年12月時点で発行済株式数の2.8%に相当する金庫株を保有していた。

> 「2001年の商法改正前は買い入れた自社株はすべて消却していました。いまは，金庫株保有が認められているので保有しています。証券会社の方からは，金庫株を消却すると株式の需給悪化懸念がなくなり，株価に好影響を与えますよという提案をいただきます。しかし，金庫株を消却しても，新株の発行はできますから，株式市場の需給悪化懸念は，本質的なものではないと思っています。当社の場合，早急に金庫株を売り出して，資金調達しなければならない状況ではありません。投資家の方も当社が金庫株を売る懸念は少ないとみているのではないでしょうか。いま，発行済み株式数が4億2,450万株強ですから，2,450万株くらいは金庫株で保有してもよいのではないかと考えています。とくに明確な理由はありませんが，自己株口が筆頭株主になることは避けようという意識はあります（2006年3月における同社の筆頭株主は，6.0%に相当する2,574万株を保有している）」

　資生堂は，理論的な考え方だけでなく，株式市場の動向という現実を意識して金庫株の保有を決定している。株価の上昇や金庫株保有に対する考え方から判断すると，ペイアウトに占める自社株買いの比率が低下していることもうなずける。

>>6　居心地のよい社債格付け

　第7章で述べたように，負債比率を高めるとROEが改善する可能性がある。リスクはあるが，ROEを高める一つの極端な手段は，負債調達による自社株買いである。理論的には，ハイリスク・ハイリターンの原則より，負債調達による自社株買いが株式価値に与える影響はほとんどない。

　実際には，株式市場がリスクに鈍感で，ROEに敏感な時期がある。投資家はROEに注目し，リスクを注視しない。グローバルな視点で資金運用を行う海外

の機関投資家が，相対的に低い日本企業のROEを問題視することもある。このような時期に，財務戦略を通じてROEを高めると，市場のウケがよく，株価はあがるだろう。もちろん，財務戦略によるお化粧はいつまでも続かない。

　資生堂も海外の機関投資家から，負債調達による自社株買いの提案を受けたことがあるという。同社には，格付けAを維持するという方針があるため，提案には応じなかったという。同社は，個人投資家向け社債を発行しているため，格付けがBBBに下がることは避ける必要がある。

　資生堂は，2000年に「ART de VIVRE（美しい生き方）」という愛称の個人向け中期社債300億円を発行した。利率は年0.9％，格付けはAであった。社債応募者には，抽選で同社が経営するレストランなどの利用券がプレゼントされ，「社債を買ってフレンチを食べよう」と話題になった。その後も，継続的に個人投資家向け社債を発行している。

　資生堂にとって，居心地のよい格付けは現状のA近辺である。格下げは回避するが，格付けが高まるのも好ましくない。主な理由は，個人向け社債にはある程度の利率が必要なことである。格付けが高くなると利率が下がり，個人投資家にとって魅力がなくなる。リスクとリターンの原則では説明できないが，個人投資家をとくに意識している現場の考え方であろう。

　資生堂の自己資本比率は，50〜60％のレンジで推移している。レバレッジの変動は，社債の発行と償還のローテーションに影響される。2004年3月には，期中の社債償還により60％近くまで自己資本比率が上昇した。翌期には社債発行があり，株主資本比率は低下した。

≫7 個人株主に対する考え方

　前章において，同じ金額をペイアウトする場合，自社株買いと配当は株主の資産価値には影響しないが，株価水準は異なることを見た（［図表13-2］を参照）。配当の場合，権利落ちの分だけ株価は下落する。自社株買いの場合，権利落ちによる株価の下落がない。

　［図表14-3］から分かるように，2003年から2006年までの期間，資生堂の一株当たり配当金の累計額は76円であった。配当に代えて自社株買いを行ったとすると，理論上は株価が76円程度高くなっていることになる。インタビュー当時（2005年11月），資生堂の株価は上昇トレンドにあり，1,800円前後で推移していた。一般的に，資金制約が強い個人投資家は，高い値段がついている株

式を買いにくいものである。

　資生堂は，最終消費者に接する販売事業を展開している。そのため，個人株主の増加は顧客基盤の強化につながると考えている。消費者であると同時に株主になってもらい，資生堂ファンを増やすことでブランド強化を図ることができる。個人株主を増やすため，同社は個人株主を対象としたIR説明会を開催し，ネット上のIR情報を充実させ，株主優待を行っている。IR情報を希望する個人株主にはメール配信をしている。申し込み者は着実に増えているという。インタビューでは次のような話があった。

> 「株主構成はバランスがとれていると考えています。自社買いによって流通株式数が減少したにもかかわらず，株主数は増加しました（1999年は24,018人，2004年は32,749人，2006年は28,603人）。個人株主の方は，当社のペイアウト，最近では高い配当を評価してくださいます。ただし，うれしい誤算なのですが，株価が高くなると個人株主数が減少する傾向があります。最近は，株価が上昇したため株主数が減りました。経験的に，株主が減少する株価水準の目処は2,000円，購入金額でいうと200万円です。
> 　当社は個人株主数を増やすのではなく，長期保有してくださる株主を増やすことを考えています。販売活動やブランド強化に結び付けるため，"真の資生堂ファン"になっていただき，長期にわたりお付き合いくださる個人株主を増やしていくことが大切です」

　株価が高くなると個人投資家が購入しにくいという現実からすると，"配当落ち"がある方がよいのかもしれない。同社がペイアウトを配当重視に転換したのは，個人株主に対する接客ともいえる。

≫8　成長投資と現金ポジション

　実際のペイアウトは，現金ポジションや投資とのバランスを考慮して決定される。ここでは，資生堂のバランスのとり方を見ておこう。
　国内の化粧品市場は成熟化の様相を呈している。資生堂は，日本国内において，専門店ネットワークと顧客ネットワーク「花椿CLUB」により強固な販売網を構築している。同時に，資金回収の仕組みも出来上がっている。［図表14-3］から分かるように，売上高は非常に安定している。ここ数年は上昇ト

レンドを示している。

　安定的な収入と資金回収が，資生堂の現金ポジションとペイアウトに影響している。ペイアウトと表裏の関係にある現金ポジションについて，インタビューでは次のような話があった。

> 「現金や流動性が高い有価証券等は，連結売上高の1.5～2ヵ月あれば十分だと考えています。この水準は，業界の平均とかライバル社との比較ではなく，これまでの経験と資金管理のノウハウから言えることです。国内化粧品事業では，先輩方の努力のおかげで資金回収の仕組みがうまく出来あがっています。ただし，今後海外展開をしていく上では，いざというときへの備えや成長投資の必要性から，流動性を手厚くしていかなければならないと考えています。投資家の理解も得られるでしょう。
> （中略）
> 　企業買収の脅威は感じています。有利子負債を考えると，ネットのキャッシュ（流動性が高い現金預金や有価証券と有利子負債の差額）はそれほど多くないので，投資ファンドによる買収のターゲットにはならないと考えています。遊休資産もそれほど多くありませんし，PBRも低くはありません。ただし，戦略的なM&Aのターゲットになる可能性は十分あると思っています。当社はブランドを活かしきれていないという指摘もあります。ブランド価値を評価することは非常に難しいと思っているのですが，第三者が1兆5,000億の価値があるという試算を出したりします。それが正しいとすれば，当社はブランド価値を利用できていないということになります。資生堂というブランド価値をうまく利用できれば，まだまだ業績や株価が上がるかもしれません。戦略的M&Aへの備えという意味では，株式市場で人気が出るような施策があれば打っていきたいと思っています。もちろん，業績が最重要なことはいうまでもありません」

　資生堂が1990年代後半から本格的に事業展開を始めた中国市場では，すでに高級デパートのシェアをおさえている。今後は，日本と同様に専門店のネットワークを構築する時期である。バランスシートの整理を終え，過去最高益を更新した2003年3月期における海外売上高の割合は25％に達していた。営業利益率が高く成長性も期待できるアジアを中心に，国際的なブランド戦略を展開するのが同社の狙いである。将来的には，海外売上高比率40％が目標という。グローバルな成長戦略を実現するためには，投資資金を確保する必要がある。

　成長戦略に備えた投資資金の確保は，企業戦略を策定し実行していく上で重

要である。価値を付加する有益な投資に備えた現金保有は、ペイアウトより好ましい。上で述べたように、2000－2006年の期間において、資生堂は利益がほとんどゼロ（赤字を含めて）であるのに、多額のペイアウトを行った。2001年以降の設備投資は、減価償却費の範囲内に抑えられている。

資生堂は、成長戦略への投資をどのように考えているのだろうか。インタビューでは、この点を確認すべく「成長のための設備投資を抑え、多額のペイアウトを行っていると、成熟企業だとみなされるのではないですか」という質問をした。これに対して、次のような答えがあった。

「化粧品事業の特徴の一つは、製造業としての設備投資に加え、販売ネットワーク強化のために必要なマーケティング投資が大きいことです。どちらかといえば、製造関連の設備投資はそれほど必要ではありません。国内では、経営合理化の一環として工場の統合を進めている段階です。製品の供給体制を整える段階にある海外では、設備投資の資金が必要なのですが、国内と比べるとかなり安価に生産設備が建設できます。ある程度まとまった資金が必要な案件は、M&Aくらいでしょうか。この業界で成長のために必要な投資は、販売・マーケティング投資です。具体的には、販売員の教育費や広告宣伝費という項目になります。これは損益計算書の売上原価や販売費及び一般管理費に含まれます。売上目標を立てる中で、どこまでマーケティング投資をしていくかという順序で議論されます。その期の売上に必要な費用なのですが、単年度だけで効果が消えてしまうわけではないので投資という解釈もできます」

資生堂の場合、製造業として生産設備に投資する資金はそれほど多額でなくてもよい。むしろ、販売サービス業として販売網やブランドを強化するための資金が多額にのぼる。マキアージュ、ウーノ、ツバキなどメガブランドが躍進した背景には、消費者の声を取り込むための基盤整備である「店頭基点改革の加速」に必要なマーケティング投資があった。これは、売上原価や販売費及び一般管理費に含まれる。販売費及び一般管理費に含まれる広告費は約500億円にのぼり（2005年3月期は488億円、2006年3月期は503億円）、売出費は1,000億円を超える（2005年3月期は1,155億円、2006年3月期は1,183億円）。売上原価と販売費及び一般管理費に含まれる研究開発費は約160億円である（2005年3月期は167億円、2006年3月期は165億円）。設備投資額が約200億円であることを考えると（2005年3月期は207億円、2006年3月期は190億円）、マーケティング投資の大きさを知ることができる。

販売サービス業に必要な多額の投資は，当期純利益を算出する段階で費用計上されている[3]。当期純利益から必要な投資額を捻出する必要がないといってもよい。このような属性をもつ企業は，当期純利益を基準とするペイアウトを行う際，投資資金のことをそれほど気にしなくてよい。資生堂が，当時の日本企業の中で突出して高い総還元性向を掲げることができた大きな理由の一つはここにある。

>>9 総還元性向の導入に対する評価

わが国に総還元性向の目標値を持ち込んだことに対する評価は高い。機関投資家と接している資生堂のIR担当者の話によると，「6割という明確な目標を打ち出したことは評価されている。配当重視への転換については中立的な評価をいただいている」ということである。

［図表14－5］を見ると，TOPIXと資生堂の株価はほぼパラレルに動いている。期間中，資生堂の株価がTOPIXから大きく乖離した時期が何度かある。1999年1月から4月にかけての上昇は，総還元性向の目標値の導入により，当期純利益を上回る金額をペイアウトした時期と重なる。

2001年9月から2002年5月にかけての上昇期は，2期連続赤字だったにもかかわらず，減配をしなかった時期である。実際のペイアウトやインタビューの内容から判断すると，資生堂の総還元性向導入の背景には，恒常的な収益（営業利益，経常利益）が安定しているという自信がある。赤字決算にもかかわらず減配をしなかったことで，株式市場は資生堂からのメッセージを理解したのかもしれない[4]。

1999年以降，資生堂の株価（終値）は，1,000円を下回ることがなかった。株価が1,000円近辺まで下落すると，1.5～2.0％という配当利回りが下値不安を払拭したと考えられる。総還元性向の導入後も減配しなかったことで，投資家は配当利回りを信頼することができたのだろう[5]。機動的な自社株買いも株価の下支えになったと考えられる。

---

3 このことは売上高利益率の圧迫要因になっていると考えられる。
4 2003年度の業績予想も株価の上昇に貢献したと考えられる。
5 日本経済新聞（2006年2月4日付）は，「日経平均が昨年来高値から3.89％下落したのに対し，配当に関する数値目標を公表している35社の平均下落率は2.85％にとどまる」という記事を掲載している。配当政策で数値目標を掲げる企業の株価は，株式市場が軟調な時期に下値抵抗をもつ傾向があるかもしれな

総還元性向導入時の大きな目的は，海外の投資家が重視し，日本国内にも浸透してきた資本利益率を高めることであった。直近の2006年3月期と5期前の2002年3月期を比較すると，総資産回転率（売上高÷総資産：総資産1円当たりの売上高）と売上高利益率（営業利益÷売上高，経常利益÷売上高）がともに改善されている。2002年は当期純利益が赤字であったためROEを比較することはできない。そこで，自己資本経常利益率（経常利益÷株主資本）を比較してみると，2002年度7.9％に対し，2006年度11.2％と改善している。成長性や収益性を高めるために必要な投資を削減することなく，資本効率を高めてきた結果といえよう。ただし，上で述べたように，株式リスクの指標であるベータ値は若干上昇している。資産効率の改善は，リスクの増加をもたらした可能性がある。株主は資生堂により高いリターンを期待している。

　資生堂のペイアウト政策は，欧米企業を意識した高い総還元性向に加えて，安定配当という日本的な特徴（赤字であっても減配をしないという意味での）を併せもつ。外人投資家やグローバルな事業展開を意識した総還元性向の導入とROEの改善目標，個人投資家を意識した配当重視とそれを支える強固な国内事業基盤。資生堂は，残すべきものを残しつつ，新たに取り入れるものを積極的に取り入れてきた。

　総還元性向の導入から7年が経過した2006年，堅調な日本の株式市場と歩調を合わせるように，資生堂の株価は上昇し，1989年につけた上場来高値2,560円に迫っている。株式時価総額も1兆円前後で推移している。株式市場の評価をいち早く取り戻し，同社の株式を長期保有している株主に報いることができた形になっている[6]。

6　花王がカネボウ化粧品を傘下に収めたことで，国内化粧品事業における花王・カネボウ連合と資生堂の競争は激化することが予想される。同時に，P&Gやロレアルなどの大規模な外資系企業との競争も激化することが予想される。2006年12月の時点で，P&Gの時価総額は約23.8兆円，ロレアルの時価総額は約5.7兆円である。資生堂は，2006年の株主総会で事前警告型の買収防衛策を導入した。

第15章

マブチモーターの「フロア+業績連動型」配当[1]

　本章ではマブチモーターの配当政策を取り上げる。同社の配当政策の特徴は二つある。一つは，同社が1999年12月に導入した配当政策は，安定配当（1株当たり50円）と業績連動配当（連結純利益の5％，後に20％に変更）を組み合わせたハイブリッド型ということである。第12章でも述べたように，フロア（安定配当）と業績連動を組み合わせた配当は，直近（2006年）の生命保険協会のアンケート調査「株式価値向上に向けた取り組みについて」で，投資家の人気が最も高いものであった。筆者たちが知る限り，マブチモーターは，このタイプの配当政策を公表した最初の日本企業である。

　もう一つは，同社が配当政策にしたがい，減益時には業績連動部分の特別配当を減配していることである。業績連動型といいながら減配を回避する傾向が強い中で，同社は減配をためらわない純粋な業績連動型配当を実施している。本章では，理論的な観点と現場の視点から，マブチモーターのハイブリッド型配当政策について検討する。

>>1　業績連動型配当の導入

　マブチモーターは，1999年12月期に業績連動型配当を導入した。この件について，同年10月13日にリリースされた内容は次の通りである。

【利益の配分ならびに株主配当に関する当社の基本姿勢について】
　当社の利益配分につきましては，従来から会社の成長・発展に必要な研究開発なら

---

[1] 本章を作成するにあたり，マブチモーター取締役管理本部長西村俊六氏，広報宣伝室長高橋努氏，経理部主計管理グループマネージャー萩田敬一氏（所属・役職は2005年当時）には大変お世話になりました。感謝いたします。

びに設備投資用資金を社内留保によって賄い，財務の健全性を維持しつつ，一方で資本参加をお願いしている株主各位には，業績向上に努めた結果の成果を積極的に還元していくという姿勢で臨んでまいりました。

　今回は，この基本的な考え方をベースに持ちながらも，今後の業績と株主配当がどのような関係になるかを株主側の立場から見て，より明確になるような基準を設けたいとの考え方から検討を重ねてまいりましたが，ここに当面実施する具体的な算出基準が決まりましたので発表させていただきます。

【新しい配当額算出基準とその背景】
1. 株主は，事業を行う会社にその投資家（所有者）として参加をし，事業リスクを負担することになります。その代償としてあがった成果のうち再投資分を除き，投資家（所有者）に配当として還元されているのが経済社会の慣行であります。
2. 投資家が期待する3つの側面：利息の確約がない株式への投資でありますから，株主は成果が生じた場合には拠出した資金の利息に見合う配当をまず望み，次いでそれを上回る成果があれば，事業成功の見合いとして業績配当として特別の割増し配当を望みます。その他，業務拡大を通じて企業価値が高められ，それによって投資回収時には投資元本以上の金額が得られることを望んでいます。これらは，株主側から経営者側に期待されていることであります。
3. 今回の配当算出基準は，前記3つの期待利益のうち，最初の2つについてこれを基準化するものであります。
   ① 出資に対する利息見合分については，過去株主が会社に対して拠出した払い込み額の平均額に対し配当することとし，その額を1株当たり50円とします。これを普通配当金と命名し，よほどの経営苦境下でない限り継続して実施いたします。
   ② この他に，事業成功の証である連結純利益に対しては，その総額の5％に相当する額を1株当たりに換算し，特別配当（業績配当（円単位））として普通配当に加算する。したがって，配当金は連結純利益がある限り普通配当（50円定額）に加えて，特別配当（業績見合分）が株主各位に配当されるというルールであります。

　1990年代後半は，わが国の株式市場や企業経営を取り巻く環境に変化が見られた時期である。一方，わが国企業のペイアウトは安定配当という慣行から脱しきれていなかった。この時期に，マブチモーターは，斬新な配当政策を導入

した。

>>2 安定部分（フロア）と業績連動部分のハイブリッド型配当政策

　マブチモーターは，リスク資金の提供者である株主が，金利（利息）とリスク・プレミアムを期待するという原則に立ち返った。理論的には，リスク負担に対する報酬は，株式の値上がり益（投資元本以上の金額）で得てもよいし，配当で受け取ってもよい。同社は，そのことを認識しつつ，事業成果のうち再投資に必要な金額を除いたもの（フリー・キャッシュフロー）を積極的に配当する方針を選択した。

　マブチモーターの配当政策は，金利に相当する安定配当の部分（一株当たり50円）と業績連動部分（連結純利益の5％）からなるハイブリッド型である。ハイブリッド型の配当は，能力主義の給与体系と似ている。安定配当であるフロアは固定給に相当する。フロアを上回る業績連動の部分は，業務実績に応じて支払われる金額と考えればよい。能力主義や業績主義の給与体系が当たり前になってきている今日，「フロア＋業績連動」という配当は，株主だけでなく，従業員の理解も得られやすいといえよう。

　マブチモーターのハイブリッド型配当政策は，同社の大株主でもある馬渕隆一社長（役職は当時）の発案で実現された。当時の経理部長西村氏にとって，「安定配当と連結純利益に連動する特別配当の組み合わせ」というアイディアは斬新だった。検討を重ねるうちに，「今後の配当政策はこのような形になっていくかもしれない」と感じるようになったという。その予感は的中したといえる。

　斬新な配当政策を導入できた一因は，オーナー経営者という強力なリーダーシップにあった。加えて，財務の現場の責任者を納得させるだけの理由もあった。

>>3 配当政策の変更

　2003年8月，マブチモーターは配当政策を見直した。普通配当金は1株当たり50円で据え置くが，連結純利益に連動する特別配当の割合を20％に引き上げたのである。新しい配当政策は，次のように記載されていた。

当社は，従来から会社の成長・発展に必要な研究開発ならびに設備投資用資金を内部留保によってまかない，財務の健全性を維持しつつ，株主に対しては，業績に応じた増配・株式分割などの利益還元を積極的に行うことを基本的な方針として臨んでまいりました。この方針のもと，配当につきましては，安定的な配当として普通配当1株当たり年50円を継続的に実施し，これに事業成果としての連結純利益の一定率を特別配当として加算することにしております。
（出所：マブチモーター2003年度有価証券報告書）

　［図表15－1］は，マブチモーターの要約財務データと株式関係の情報である。［図表15－2］は同社のペイアウト情報，［図表15－3］はハイブリッド型の配当と配当性向の推移である。2003年の配当政策の変更により，業績連動の特別配当部分が大きくなった。

　2003年度の一株当たり特別配当の算出は次の通りである。連結当期純利益16,731百万円の20％にあたる3,346百万円が特別配当の原資となる。発行済株式

［図表 15－1］マブチモーターの要約財務データ

	2001.12	2002.12	2003.12	2004.12	2005.12	2006.12
損益						
売上高（億円）	1,051	1,164	1,057	993	939	1,005
営業利益（億円）	221	291	245	173	81	107
売上高営業利益率（％）	21％	25％	23％	17％	9％	11％
経常利益（億円）	300	303	256	198	133	153
資産・資本						
総資産（億円）	2,603	2,450	2,297	2,149	2,274	2,370
現預金（億円）	666	787	772	564	614	674
自己資本（億円）	2,419	2,243	2,128	2,015	2,119	2,113
金庫株（万株）	—	200	396	650	750	752
株式関係						
株主数（人）	6,097	5,554	10,213	13,913	16,749	12,875
期末株価（円）	10,800	10,920	8,250	7,390	6,550	7,080
株式ベータ		1.18（2001.9－2003.8）		0.68（2003.9－2005.8）		
発行済み株式数		4,707万株（金庫株752万株を含む，2006年12月現在）				

（注）マブチモーターの有価証券報告書などから作成。同社は12月決算。株式ベータはBloombergより。

第15章 マブチモーターの「フロア+業績連動型」配当　323

[図表 15−2] マブチモーターのペイアウト

	2001.12	2002.12	2003.12	2004.12	2005.12	2006.12
当期純利益（億円）	163億円	180億円	167億円	133億円	74億円	106億円
配当総額（億円）	32億円	32億円	57億円	48億円	38億円	45億円
一株当たり利益（円）	346円	392円	375円	316円	180円	268円
一株当たり配当金（円）	67円	70円	128円	115円	92円	114円
普通配当（円）	50円	50円	50円	50円	55円	60円
特別配当（円）	17円	20円	78円	65円	37円	54円
配当性向（％）	19.4％	17.8％	34.1％	36.1％	51.4％	42.5％
自社株買い（億円）	−	239億円	162億円	180億円	66億円	0.15億円
ペイアウト総額（億円）	32億円	271億円	219億円	228億円	104億円	45億円
総還元性向（％）	19.6％	150.6％	131.1％	171.4％	140.5％	42.5％

(注) マブチモーターの有価証券報告書などから作成。
　　 同社の発行済み株式数（金庫株を含む）は4,707万株（2006年12月現在）。

[図表 15−3] マブチモーターの配当の推移

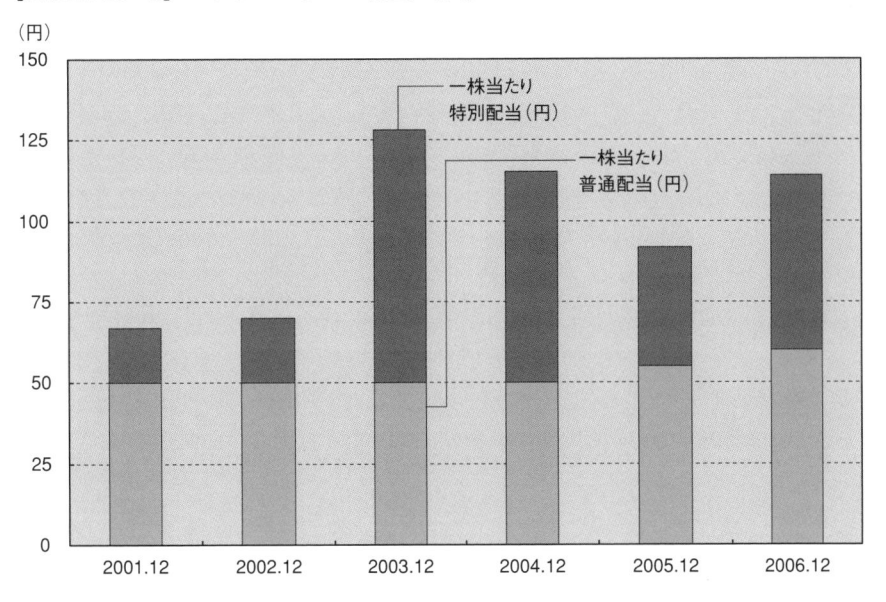

数4,708万株から金庫株398万株を差し引いた4,310万株に対して配当が支払われる。一株当たりの特別配当は78円（＝3,346百万円÷4,310万株）である。普通配当50円と合わせ，一株当たり配当金は128円となる。

2003年度の配当性向は約34%，配当利回りは1.55%（2003年12月末の株価は8,250円）となる。2003年度以降マブチモーターの配当性向は，毎年30%を超えている。

生命保険協会のアンケート調査では，毎回のように配当性向を欧米企業並みに引き上げることが要望される。マブチモーターの配当性向は，欧米企業並みである。配当性向は，配当と利益で決まる。大幅な増配によって配当性向が高まることもあれば，減益によって配当性向が高まることもある。2003年以降の同社の高い配当性向は，減益要因によるところもある。

>>4 2003年当時の事業環境

マブチモーターは，1954年に設立された小型モーターの製造企業である。同社は「国際社会への貢献とその継続的拡大」という経営理念の下，「小型モーターの専門メーカーとして社会的ニーズを的確に把握し，それに即した製品をより早く，より安く，安定的に供給する」ことを経営指針としている。

マブチモーターは，高収益優良企業として研究対象に取り上げられることも多い。その経営戦略は，製品の標準化によるコストリーダーシップ戦略である。同社は，多品種少量生産が行われていた小型モーター業界に，徹底した標準化生産を導入し，高品質で安価な製品を顧客メーカーに提供するビジネスモデルを確立した。標準化戦略による少品種多用途展開は，大量生産によるコスト削減を可能にし，同社の持続的な競争優位の源泉となった。同社の売上高営業利益率は，汎用品メーカーの中では非常に高い水準を維持してきた。

配当政策を見直した翌年の2004年度には，二つの要因で業績が落ち込んだ。第一に，中国において同社の標準化製品に対するコピーメーカーが増加していた。第二に，成長分野と位置づけている自動車電装用モーターにおいて，初期投資コストが上昇してきた。

マブチモーターの経営幹部は，成長戦略を見直す必要があることを意識していた。ブラシレス・モーターへの進出や，車載用高出力モーターの生産力増強のための設備投資など，具体的な課題にも直面していた。現実の世界では，投資計画と配当政策は無関連ではない。事業環境や経営戦略の変化に合わせて，

企業が財務方針を変えていくことは実践的でもある。

>>5 転換期における配当政策の変更

　業績の悪化が予想された2003年度，従来の配当政策を適用すると若干の減配は避けられなかった。一見すると，減配を避けるために特別配当の割合を高めたように見えるがそうではない。同社が必ずしも減配を回避しようとしていないことは，2004年と2005年に2年続けて減配を実施していることからも理解できる。なぜ，この時期に配当政策を変更したのであろうか。インタビューでは，次の話を聞くことができた。

> 「業績が伸び，企業が成長している時期は，配当がそれほど重要だとは思いません。キャピタルゲインという形で利益還元できますし，それを望んでいる株主の方が多いと思います。一方，業績の低迷期には，株主の視線が厳しくなります。当社の場合，2003年がその時期でした。当社は手元資金が厚く，実質的には無借金経営ですから，配当の原資を心配する必要はありませんでした。
> 　配当政策を変更するに際し，綿密な数値計画を作成しました。その結果，特別配当の連動率を20％に高めても，設備投資や研究開発費などの資金計画には問題がないことを確認しています。当社は製造業ですから，設備投資や研究開発が最も重要です。次に配当，その次に自社株買いという資金使途の優先順序を守っています。配当政策の変更は，投資資金計画に影響ないことが前提です。
> 　2003年に配当政策を変更した狙いは，目で見て手で触れる現金配当による利益還元を増やしていくという決意表明です。当たり前ですが，そのためには安定的に利益をあげなければなりません。かつてのような急成長ではないにしろ，安定的に高収益体質は維持していく。その自信を株主の皆様に示したかったのです。現金配当という確かな利益還元を積極的に行うことで，新たな事業計画に対する株主の皆様のサポートをいただきたいという思いもありました」

　資金使途について，設備投資が配当より優先されるという考え方は理論通りである。設備投資や研究開発なくして価値は生まれない。
　上記のインタビューとその後の業績などから，マブチモーターの配当政策の変更は，配当シグナル仮説，ライフサイクル仮説，及び配当顧客仮説がそれぞれ妥当すると考えられる。順次検討しよう。

>>6 配当シグナル仮説とライフサイクル仮説

　配当シグナル仮説では，将来の高収益や安定収益に対する経営陣のメッセージが配当政策に込められていると考える。マブチモーターの場合，安定的な高収益体質が持続することを伝える意図があった。ただし，増配は将来の高収益に結びつかないという指摘がある。経営陣が自社の業績を過信することもあるのだろう。

　高成長から安定成長，あるいは成熟段階に差し掛かった企業は，有益な投資機会が減少する。収益が安定するため，リスクに対する備えが少なくてよい。ライフサイクル仮説によると，このような企業は，現金を保有する理由が乏しくなるため配当を増やす。増配は，リスクと資本コスト（割引率）の低下を意味する。この考え方は成熟仮説ともいわれる。

　配当政策を変更した直後，機関投資家やアナリストから次のような質問があったという。「マブチさんは積極的な配当政策を打ち出されましたが，業績が伸び悩み，成長投資の機会が限られてきたということではないですか」。その後の業績を見ると，短期的には機関投資家やアナリストの見方は正しかったといえる。

　配当政策の変更に対して，株式市場はどう反応したのであろうか。インタビューでは，次のような意見を聞くことができた。

> 「配当そのものが株主価値に影響するかどうかは分かりません。教科書通り中立的かもしれません。現実的には"増配"によって株主のセンチメントが悪化することはないと思います。増配して文句を言う株主はいないでしょう。少なくとも，一時的に株価を下支えする効果はあると考えています。しかし，やはり一時的なのです。2003年に配当政策を変更したとき，新聞に利益連動部分を手厚くするという記事が出ました。その直後に株価は若干上昇し，出来高も増えたのですが，後が続きませんでした。中期的な下落傾向が続いています。株式市場は，長期的には配当政策の背後にある事業を見ているのだと実感しました」

　配当政策変更後の株価の推移は，［図表15-4］に表されている。［図表15-1］から分かるように，マブチモーターの業績と株価，そして株式ベータの推移を事後的に判断すると，配当政策の変更は成熟仮説の事例といえるかもしれ

[図表 15−4] マブチモーターの株価動向

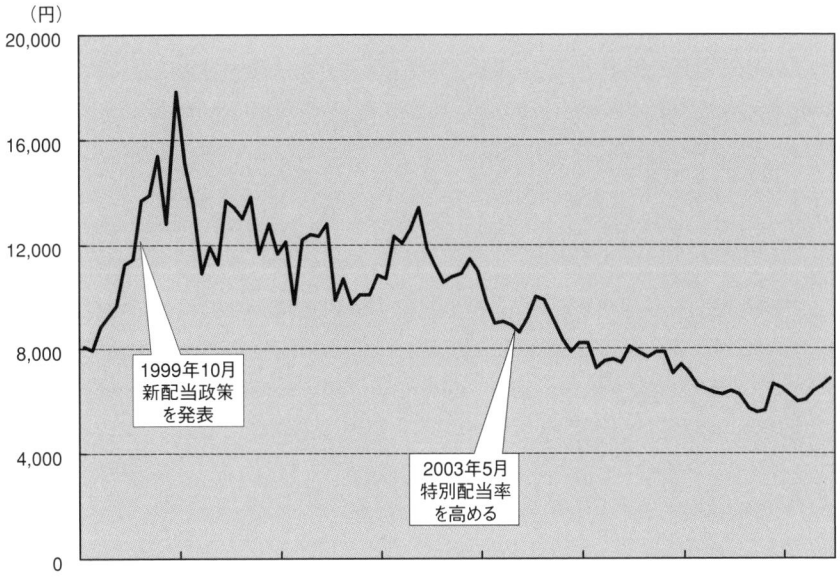

(円)

1999年10月
新配当政策
を発表

2003年5月
特別配当率
を高める

1999年1月　2000年1月　2001年1月　2002年1月　2003年1月　2004年1月　2005年1月　2006年1月

ない。

　無借金経営を続けているマブチモーターのビジネス・リスクは，株式ベータに表れる。同社の株式ベータは，2003年の前後で値が大きく異なる。負債がない同社のビジネス・リスクの指標は株式ベータである。株式市場は，2003年以降に同社のビジネス・リスクが低下したとみなしている。ビジネス・リスクが低下した背景は，事業の成熟化であろう。

　大雑把な議論になるが，2005年12月期の一株当たり利益は，2003年12月期の2分の1以下である。定額CFモデルを仮定すると，割引率が不変であれば，2005年度末の株価は，2003年度末の株価の半値以下であっても不思議ではない。[図表15−1][図表15−3]から分かるように，同社の株価はそこまで下落していない。株式ベータが小さくなり割引率が下がった結果，株価の下落率が減益率より小さかったという解釈ができる。

>>7 配当顧客仮説

　マブチモーターの配当政策の変更は，配当顧客仮説で説明できるかもしれない。配当顧客仮説では，投資家が配当とキャピタルゲインに対して無差別ではないと考える。特徴的な配当政策やペイアウト政策を打ち出すことで，企業は特定のターゲットの投資家に自社の株式を売り込む。同社の配当政策の変更は，現金配当を好む投資家層のニーズを満たした。市場関係者の間では，現金配当を好むのは個人投資家だという見方がある。

　マブチモーターが個人株主の増加を目指した背景には，株主数と株主構成の要因がある。同社の2002年度の株主数は少なく，上場廃止基準に抵触する可能性もあった。株主構成に占める個人投資家の割合が，同社が考えている水準より低かったという。配当政策の変更によって個人株主が増えたため，株主構成の問題は回避された。［図表15－5］は，同社の株主数と株主構成の推移である。

　個人投資家の中でも，マブチモーターは，業績連動を受け入れてくれる投資

[図表 15－5] マブチモーターの株主構成の推移

	2002.12	2003.12	2004.12	2005.12	2006.12
株主数	5,554名	10,213名	13,913名	16,749名	12,875名
金融機関・証券	153名(30%)	173名(28%)	158名(29%)	128名(17%)	125名(19%)
その他法人	134名(10%)	179名(7%)	232名(7%)	253名(6%)	201名(7%)
外国法人等	347名(25%)	331名(23%)	331名(21%)	307名(30%)	303名(31%)
個人その他	4,920名(35%)	9,530名(42%)	13,192名(43%)	16,061名(47%)	12,246名(43%)
大株主上位					
	馬渕健一(12.1%)	馬渕健一(12.1%)	自己口(13.8%)	自己口(16.0%)	自己口(16.0%)
	馬渕隆一(8.9%)	馬渕隆一(8.9%)	馬渕健一(8.5%)	ノーザン・トラスト(6.0%)	馬渕隆一(5.3%)
	日本マスター(5.6%)	自己口(8.5%)	馬渕隆一(7.6%)	メロン・バンク(5.7%)	メロン・バンク(5.0%)
	(有)ケンマブチ(5.3%)	日本トラスティ(5.3%)	日本トラスティ(7.3%)	馬渕隆一(5.3%)	馬渕保(4.6%)
	日本トラスティ(4.5%)	日本マスター(4.5%)	日本マスター(5.6%)	馬渕保(4.6%)	馬渕喬(4.6%)

(注) マブチモーターの公開資料より作成。株主数の（　）内は株式保有比率。株主の（　）内も株式保有比率。
日本マスターは日本マスタートラスト信託口，日本トラスティは日本トラスティ・サービス信託口。

家を歓迎した。経営陣と従業員の報酬も一部は業績連動型である。業績が伸びたときは，社内の人間にも社外の株主にも追加的な現金報酬が支払われる。業績が落ち込んだ時期には，経営陣も従業員も株主も現金報酬が減少する。現金報酬を通じて，経営陣と株主，従業員と株主との間に一体感をもたせたいという思いがあった。連動率を5％から20％に引き上げることで，一体感は強くなる。次の話は印象的であった。

> 「業績が落ち込んで減配が当たり前な状態でも，配当を据え置いたほうがよいという方がいらっしゃいます。しかし，業績が落ち込んで苦しい時期には，資金を留保して将来に備える方が賢明だと思います。幸いなことに，当社は資金繰りに困ることはありませんでしたし，いまでも十分な手元流動性はあります。現状だけを分析すれば，余剰資金を保有しているように見えるかもしれませんが，将来の投資や不測の事態に備える必要もあります。現金の保有は，財務の健全性につながりますし，事業のリスク耐性を強めることにもなります。海外のアナリストの中には，現金は不要だという本当に極端なことを言う方もいらっしゃいますが，投資家の方からはそのような声は聞こえてきません。
> （中略）
> 　2004年度は減収減益になり，その結果減配となりました。中期経営計画『チャレンジ550』を作成し，先行投資も行いました。現預金は減少しましたが，それでも手元流動性は豊富ですから，減配しないことも可能だったわけです。ただし，減配しないだけの説得的な理由がない。我々としては，もちろん一生懸命経営しますが，結果として業績が悪かった時期には，株主の皆様にも現金配当は我慢していただく。そういう姿勢で臨んでいます。業績連動の比率を高めたため，株主の方の当社収益に対する関心は非常に強くなっています。直接的，間接的に株主の視線を感じるのでしょう，従業員も収益に対する意識が高まっているように感じます」

　業績連動型の配当政策の下では，営業活動の成果が，経営陣，従業員，そして株主の現金報酬に同じ影響を与える。利益があがったときには共に喜び，業績が低迷している時期は我慢し合う。業績連動の割合を高めることで，企業内部の人間と株主の一体感がより強くなるのではないだろうか。
　マブチモーターの配当政策に共感し，新たな株主となる投資家は多かった。株主数の推移から分かるように，2003年度の配当政策の変更によって株主数は約2倍に増えている。同社の目的は達せられたといえる。

［図表15－5］の株主構成を見ると，個人株主の比率が増加している一方で，金融機関や証券会社などの持ち株比率が低下している。機関投資家は増配をそれほど好まないという実証研究があるが，マブチモーターの場合も同様であった。機関投資家は，配当より利益率や成長性を重視する。同社の業績連動型配当と高い配当性向は，機関投資家を含む法人には魅力的ではなかったのかもしれない。

>>8 業績連動型配当と減配

業績連動型配当を規則的に運用すると，業績の悪化が減配に直結する。マブチモーターは，2004年度と2005年度に減配をした。経営陣の危機感は相当なものだという。

> 「当社の経営方針をよく理解し株式を保有してくださる株主の方に報いるためにも，何とかしなければならないという危機感があります。業績連動配当ですから，一時的な減配は仕方がないにしても，減配が何期も続く場合は問題です。一生懸命やっているのだけれども，手をこまねいているように見られます。株主の方からのプレッシャーもきつくなります。当社の場合，業績連動型にせず安定配当のままであれば，これほどの危機感は生まれなかったかもしれません」

学術的にいうと，業績連動型の配当政策には確固たる理論的根拠はない。間接的に業績連動型配当をサポートする実証研究はある。例えば，利益や流動性の指標が悪化したときに減配しなかった企業は，その後の業績が芳しくない。減配すべき時期に減配せず無理して配当を維持した企業は，将来にツケがまわってくるというのだ。一方，業績が悪化した時期に減配に踏み切った企業は，数年で業績が回復するという結果が報告されている。減配すべきときに減配した企業は，業績の回復も早いようである。

いま，わが国の投資家は，業績連動型配当の導入を強く要望している。投資家からの要望が強い時期に，業績連動型配当を導入しておくことは，減配の意思決定が容易になるというメリットがあるかもしれない。

業績が好調な時期は問題がない。業績が悪化した時期が問題なのである。業績が悪化している時期に何も手を打たなければ，ジリ貧になってしまう。手を打つためには資金が必要である。無理して配当を維持すれば，投資資金や流動

性が不足する可能性がある。業績が悪化している時期に資本市場から資金調達するのは難しい。減配によって資金の流出を小さくし，将来に備えるのが実践的であろう。

経営陣や従業員が強い危機意識をもつことも，早期の業績回復を牽引するであろう。減配することで，現金配当を期待している株主の視線が厳しくなり，経営陣や従業員の危機感も強まる。近い将来の増配や復配を誓うことで，企業全体が引き締まる。減配した企業の業績が早期に回復する要因は，このようなところにあるのかもしれない。

業績連動型の配当を要望する以上，投資家にも業績悪化による減配を受け入れる覚悟がいる。企業活動にはリスクがあるから，業績が悪化する時期があるのは仕方がない。業績連動型の配当政策を好む投資家は，業績が好調な時期には増配を要求すると同時に，業績が悪い時期には減配に理解を示さなければならない。増配の要求だけをするようでは片手落ちである。

マブチモーターの業績連動型配当の導入と規則的な運用による減配の事例は，業績連動型配当の実践的な有効性について考えるヒントを与えてくれた。同社の経営は厳しい状態が続いているが，2006年12月期は前期比で増収増益となり，3期連続の減配は避けることができた。この間，減配に耐えてくれた株主への感謝の気持ちであろうか，同社は安定配当部分である普通配当を1株60円に増額した。

>>9　マブチモーターの自社株買い

［図表15－2］から分かるように，2002年以降マブチモーターは毎年のように自社株買いを行っている。自社株買いを通じて配分される金額は，配当総額を大きく上回っている。2002年から2004年にかけては，発行済み株式数の14％に相当する株式を買い入れ，すべて金庫株で保有している（インタビュー当時，年月日）。自社株買いを含めた総還元性向は，毎年100％を超えている。

マブチモーターが2002年と2003年に行った自社株買いの概要は次の通りである。

・2002年6月，238億円で200万株（発行済み株式数の4.25％に相当）の自社株買い：同年5月16日の取締役会で決議。公開買い付けによる自社株買い。買付け価格11,900円は決議日前日の終値から7％ディスカウントした値段。応

募株主は創業者関係の有限会社ケンマブチなど5名。

・2003年6月，125億円で151万株（発行済み株式数の3.2％に相当）の自社株買い：同年5月15日の取締役会で決議。公開買い付け。買い付け価格8,250円は決議日前日の終値から7％ディスカウントした値段。応募株主は創業者関係の有限会社ケンマブチなど8名。

・2003年12月，37億円で46万株（発行済み株式数の1％に相当）の自社株買い：12月4日〜22日の間に市場買い付けとして実施。

・2004年6月，180億円で253万株（発行済み株式数の5.4％に相当）の自社株買い：同年5月26日の取締役会で決議。公開買い付け。買い付け価格7,120円は決議日前日の終値から3％ディスカウントした値段。

上記のうち，最初の2回は創業者関係の大株主の売りに対する自社株買いである。創業者が株式を売却する意図を推し量ることはできないが，株式市場の需給関係を崩さないという現実的な理由で，公開買い付けによる自社株買いを行ったと考えられる。4回目の公開買い付けも同様である。

3回目は市場買い付けである。2003年12月は，配当政策を変更した時期に相当する。この時期の自社株買いは，シグナル仮説と成熟仮説が妥当しそうである。

>>10 金庫株保有に対する考え方

マブチモーターはその後も自社株買いを続けている。2006年12月の時点で，マブチは発行済み株式の16％に相当する751万株を自社株として保有している。インタビュー当時は発行済み株式の14％に相当する650万株を保有していた。非常に高い金庫株の保有比率である。自社株買いと金庫株保有について，次のような話があった。

「何らかの理由で創業者関係の株主が売却する場合は，株式市場に配慮して時価より安い価格で公開買い付けに応募していただくという形をとっています。株主への利益配分の総額として，現金配当と自社株買いを同じに扱いますが，両者に代替関係がある

とは考えていません。先ほど述べましたように，資金使途の優先順位は，まず設備投資と研究開発，次いで配当です。自社株買いはその次です。株式市場の状況，大株主の事情，当社の財務内容などをみてタイミングよく自社株買いをするという方針です。いまのところ，自社株はすべて金庫株で保有しています。金庫株保有には制約がありません。投資家の中には消却してくださいという方もいらっしゃいます。いずれ売り出す（自社株を売却する）かもしれないという懸念があるのでしょう。しかし，金庫株で保有しておく方が，様々な選択肢があります。いまは，選択肢を重視しています」

企業が保有している現預金，遊休土地，金庫株などは，様々な使途があるという意味で，柔軟性をもっている。オプション理論の教えによると，長期的な視点で考えるほど，企業がもつ選択肢や柔軟性は価値が高いと考えられる。

>>11 マブチモーターと資生堂の業績連動型配当の比較

マブチモーターと資生堂の配当政策は，業績連動型という類似点はあるが，コミットメントの程度においてかなり異なっている。マブチモーターの場合，配当金額を厳格に業績連動させているため，減配も生じている。資生堂は，中長期的なペイアウト性向を設定しており，安定的に配当を増やすことを志向している。ここでは，長年，機関投資家として資本市場に関わってきた者の視線から，両企業の配当政策を比較検討しよう。

マブチモーターが2003年にペイアウト政策を変更し，現金配当を増やした合理的な理由は，いくつか考えられる。第一に，事業の成熟化である。成長のための投資機会が限定されてきたとすれば，積極的なペイアウトは正しい選択である。豊富な現金同等物を保有し，事業の収益性も高い場合はなおさらである。

第二に，経営陣の強い意識の表れである。無借金経営で収益性が高い企業の場合，意識していても経営陣の緊張感が薄らぐ可能性がある。減配による株価の下落に直面したり，減配の説明責任を株主総会で果たさなければならない事態を常に意識したりすることで，企業経営の緊張感が保てる。業績連動型配当へのコミットメントは，インタビューにもあったように，危機感を醸成する狙いがあったと考えられる。

現在，上場企業は企業価値や株主価値の指標として，株式時価総額を強く意識する必要に迫られている。株式時価総額の増減（マーケット・ポートフォリオを調整した）は，株主に対する経営陣の通信簿といえる。しかしながら，現

在の日本の制度では，株式時価総額そのものや，株式時価総額に対する経営陣の考え方を開示する必要がない。投資家が一番注目している決算短信にも，それらの記載は要請されていない。法律に基づく情報開示だけでは，企業価値や株主価値に対する経営陣の考え方が伝わりにくい。経営に対する緊張感の程度も分かりにくい。このような環境では，経営陣の緊張感も薄らぐであろう。マブチモーターは，業績連動型の配当にコミットすることで，緊張感を高めようとしたと考えられる。株主との関係構築において，同業他社との差別化を図る狙いもあっただろう。

　資生堂が安定的な配当を志向しているのは，同社製品の最終需要者が個人であることに深く関係している。これは，マブチモーターと大きく異なる点である。経験的に，個人投資家は著しく減配を嫌う。理由はそれほど明らかでないし，非合理的な行動かもしれないが，減配に対する個人投資家の反応が，企業の配当政策に影響を与えていることは否めない。機関投資家でさえ，企業の減配には非常に敏感である。

　資生堂が減配すれば，どのような事態が生じるだろうか。個人投資家は，業績が悪いと思って資生堂の経営を疑う。経営が疑われると，製品にまで悪い噂が飛び火する可能性がある。事実ではないにしても，ブランドイメージが傷つく恐れがある。インターネットが普及し，様々な噂が早く広く伝わる現代において，経営陣がこのようなリスクを極力回避したいと考えるのは当然である。

　消費財を製造・販売する企業の財務戦略は，製品戦略やブランド戦略と関連している。資生堂の配当政策や個人投資家向け社債の発行には，両者の関連性を強く意識している様子が感じられる。個人投資家に好まれる配当政策は，個人消費者の評判を高める。資生堂のペイアウト政策には，そのように計算された経営的センスが感じられる。

>>12　ペイアウトを巡る企業と投資家

　ペイアウトの事例として，NTTドコモ，資生堂，そしてマブチモーターなどの事例を考察した。企業は自社の経営環境や資本市場の状況を熟慮して，ペイアウトを工夫している。

　歴史を紐解けば，額面発行増資が盛んだった時期，日本企業は高額の配当を支払っていた。額面発行とは，株式市場での時価を基準にするのではなく，額面価格で新株を発行し，資金調達する方法である。通常，株式市場の時価より

も額面価格の方が安いため，有利発行に相当する。そのため，新株発行に応じるか否かの権利は，既存株主に割り当てられた。配当金は，額面に対する割合によって決められていた。額面に対する割合は安定的であった。額面発行によって，株主は時価よりも安い価格で株式を購入でき，高い配当利回りを得ることができた。当時は，額面に対して10％の配当が上場企業の合格ラインと考えられていたから，額面発行に応じた株主の配当利回りは10％であった。

1970年代以降，額面発行増資は時価発行増資に変わっていった。一方，「配当は額面に対して支払う」という考え方は変わらなかった。増資形態と配当決定に関するこのねじれ現象は，生命保険業界などから批判された。その結果，時価発行増資における「利益還元ルール」が制定された。時価発行増資によって生じる株式時価と額面の差額をプレミアムと称し，そのプレミアムを企業は積極的に還元すべきだという内容であった。理論的な根拠は強くないが，とにかく時価発行増資に対して一種の規制を設けたのである。現場では，この利益還元ルールが，安易なエクイティ・ファイナンスを牽制するという役割を果たした。利益還元ルールは，エクイティ・ファイナンスは低コストであるという企業の意識に釘をさす役割も果たした。

現在，企業は投資家の声に応える形で配当を増やしている。投資業界においては，個人投資家向けの投資信託を中心に，高配当銘柄をはやし立てている印象がある。高い配当を支払う企業が良く，配当が低い企業は悪い。このような一律的な見方は，投資家として正しくない。

海外に目を転じると，かつて高成長企業の代名詞であったマイクロソフトやインテルは，多額の利益をあげながらも無配の時期があった。高成長のステージにある現時点（2007年）のグーグルは，かつてのマイクロソフトやインテルと同じく無配を維持している。投資家は，成長企業に配当を期待していない。成長による株価の上昇を期待している。一方，成長が鈍った企業はペイアウトを増やすべきであると要求する。

ペイアウトに関する条件付き理論の精神からすると，企業は自社の状況を正しく理解し，それに応じたペイアウト政策を行うことが大切である。同様に，投資家も企業の経営状態を理解し，柔軟かつ多様な見方をするべきである。それが健全な投資家の姿であろう。

第16章

企業の現金保有と株式持ち合い

　コーポレートファイナンスにおける最近のテーマに，現金保有と株式持ち合いがある。テーマになるということは，現時点において，企業と投資家の間で見解が一致していないということである。筆者たちの間でも意見が分かれる。例えば，現金保有はそれほど大きな問題ではないという意見がある一方で，投資家に説明しにくい余剰現金の保有は避けた方が賢明だという主張もある。株式持ち合いについても，ポジティブな見方とネガティブな見方がある。本書のしめくくりに，企業の現金保有と新しい株式持ち合いについて考察しよう。

>>1 現金保有を巡る諸仮説

　第12章から第15章まで，企業のペイアウト政策について議論してきた。ペイアウトは企業が投資家に現金を配分することである。企業がペイアウトをしなければ，現金保有が増える。ペイアウトを鏡に映すと現金保有になる。現金保有の問題は，これまでの章でも断片的に論じてきたが，ここで整理しておこう[1]。

　[図表16-1]は，東証1部と2部に上場している企業をサンプルとして，わが国企業の現金保有比率の平均値の推移を示したものである。現金保有比率は，総資産と売上高を基準として算出した。わが国企業の現金保有比率は，1989年度以降は低下傾向にあったが，2000年度以降はやや回復している。資本市場のグローバル化により，日本企業の現金保有比率が欧米企業の比率と比較されることが多くなった。日米企業の現金保有比率（現金同等物÷総資産）を

---

[1] 企業の現金保有は，比較的新しい研究テーマである。筆者たちの知る限り，大規模なデータを用いて企業の現金保有を実証した研究は，1999年に発表されたOpler et al.（1999）とHerford（1999）が嚆矢である。企業の現金保有に関する研究の動向は，砂川・畠田・山口（2006）を参照。

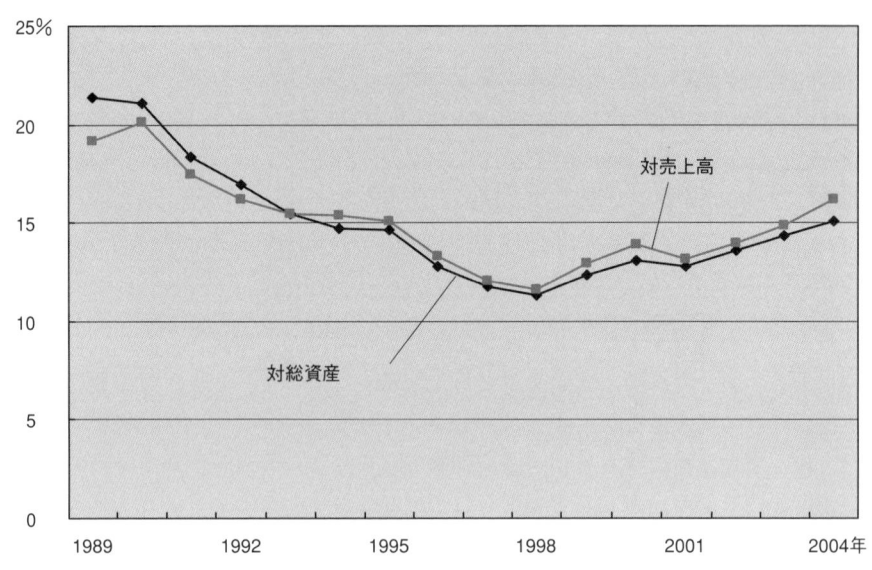

[図表 16-1] わが国企業の現金保有比率の推移

（注）サンプルは東証1部と東証2部の上場企業。
対総資産＝（現預金）÷（総資産－現預金）
対売上高＝（現預金＋短期有価証券）÷（売上高）

比較すると，日本企業の比率はアメリカ企業より高いようである[2]。

最近では，投資家が日本企業にペイアウトの増加（現金の配分）を求めることが多い。背景には，日本企業の現金保有比率が相対的に高いという調査結果がある。企業活動の成果は投資家に帰属するという考え方や，株主は利益配分の請求権をもっているという事実も，投資家側の拠り所になっている。

コーポレートファイナンス論におけるエージェンシー問題は，企業の余剰な現金保有をネガティブとみなす。所有と経営が分離した企業の経営者は，企業内に留保されたキャッシュを過大投資したり，浪費したりする可能性があるというのだ。エージェンシー問題の存在は，企業が不要なキャッシュを保有せず，投資家に配分すべきであるという主張の強い論拠になっている。

---

[2] Pinkowitz and Williamson（2005）を参照。興味深いことに，彼らのサンプルでは，現預金を含めない運転資本（流動資産－流動負債）の比率は，アメリカ企業13％，ドイツ企業20％に対して，日本企業は0％である。流動資産に現預金を含めると，日本企業の運転資本比率はアメリカ企業やドイツ企業とほぼ等しくなる。わが国企業の現金保有を分析する際には，現預金を営業活動に必要な流動資産とみなすことも必要であろう。

この論拠をサポートする実証研究もある。企業の現金保有に関する比較分析を行った研究は，エージェンシー問題が大きいと思える国や企業では，現金保有が価値を毀損するという結果を示している。企業が保有する1円が1円に評価されないというのである。現金保有の問題は，エージェンシー問題やコーポレート・ガバナンスと密接に関係している[3]。

「キャッシュが豊富な企業は（敵対的）買収のターゲットになりやすい」といわれることがある。実証結果はこの仮説に否定的である[4]。わが国でも，スティールパートナーズに敵対的買収を仕掛けられたブルドックソースが，豊富な手元資金を買収防衛に利用した。現金を保有していれば，敵対的買収に対する防衛策を打てるのである。余剰資金が豊富な企業にエージェンシー問題の懸念がある場合，コーポレート・ガバナンスの手段として有効なのは，敵対的買収ではなく，株主提案と議決権行使であるといえるかもしれない。

企業の現金保有に対するポジティブな見方もある。現金保有を過去の事業成果の蓄積だとみなせば，豊富な現金は優良企業の証である。優良企業にはエージェンシー問題が存在するとは思えない。長期間継続して現金保有比率が高い企業は，事業のパフォーマンスが優れているという実証研究もある[5]。優良企業は現金が多い。

集中投資をする投資家にとって，現金保有が多い優良企業は投資をしやすい対象である。後に述べるように，現金同等物が豊富な企業を主たる投資対象としている投資ファンドもある。彼らは，ファイナンス理論が教える分散投資のリスク低減効果を享受できない。投資ファンドは，分散投資によるリスク回避の代替を企業の現金保有に見出しているのかもしれない。

現金保有は，万が一に対する備えでもある。現金保有が十分な企業は倒産リスクも小さい。良い技術やブランドなど競争優位の源泉を有していても，短期的な資金繰りが悪化しては何もならない。現金が豊富であれば，長期的な視点で企業経営に取り組むことができる。従業員にとっても同様である。安心して働くことができる。取引先も支払いが滞ることを懸念せずにすむ。人的資源や取引先の長期的なコミットメントが競争優位の源泉であると考えるならば，現

---

3 Dittmar and Mahrt-Smith（2005），Pinkowitz et al.（2005）を参照。
4 Harford（1999）とFaleye（2004）は，現金が豊富な企業ほど買収のターゲットになりにくいという実証結果を示している。
5 Mikkelson and Parch（2003）を参照。

金保有は好ましいといえる[6]。

　現金は，いざ出陣というときにも役に立つ。価値を創造する投資機会をものにするためには，資金が必要である。資本市場からタイミングよく資金が調達できるとは限らない。資金調達に手間取ると投資機会を失うことになる。いつ目の前に現れるか分からない事業投資やM&Aの案件を逃さないためにも，ある程度の現金は保有しておく必要がある。現金保有は，ファイナンシャル・フレキシビリティを高めている。

　現在，ペイアウトや現金保有に悩んでいる企業が少なくない。全ての時代の全ての企業に共通する理論がないから，企業の担当者は悩むのである。投資決定を除き，コーポレートファイナンスの理論は条件付き理論である。外部環境や業界内の競争ポジション，自社のライフステージなどの条件によって，ペイアウトや現金保有に対する考え方も異なる。

>>2　アクティブ・ファンドの投資先の分析事例

　わが国で，企業の現金保有が注目されたきっかけの一つは，アクティブな投資ファンドが企業に現金の配分（ペイアウト）を要求し始めたことである。代表的なイベントに，M&Aコンサルタント（通称，村上ファンド）が東京スタイルなどの企業に行った株主提案がある。

　筆者の一人が関わった研究プロジェクトによると，村上ファンドが投資対象とした企業には共通の特徴が観察される[7]。同ファンドの投資対象企業の特徴を分析することで，現代の投資ファンドが企業の何を問題視しているかが明らかになる。企業にとっては，資本市場との付き合い方を考えるヒントになるであろう。

　［図表16-2］は，村上ファンドによる株式購入が把握できた企業の中から，同ファンドが最大で発行済株式数の3％以上を保有した46社を抽出し，財務内容等を分析した結果である（銀行の株式保有は独占禁止法によって最大5％に制限されているため，3％以上の株式を保有することで，大株主として銀行と同等もしくはそれ以上の影響力を発揮できると考えた）。パネル(A)は，サンプル企業の平均値を示している。パネル(B)は，サンプル企業と上場企業の

6　第12章9節も参照。
7　川北・宮野（2007）を参照。

[図表 16-2] 村上ファンドの投資先企業の特徴

(A) サンプル企業の平均値

年度(年度末)	1999	2000	2001	2002	2003	2004	2005
現預金・有価証券比率(%)	31.9	32.2	31.8	29.0	30.9	33.0	35.3
有利子負債比率(%)	12.8	10.9	9.4	10.8	9.9	9.3	9.0
土地比率(%)	11.6	12.1	12.0	12.3	12.2	11.2	10.3
純換金性資産比率(%)	30.7	33.4	34.3	30.5	33.2	34.8	36.6
資産回転率(%)	90.2	87.9	88.8	92.0	92.9	94.4	90.4
ROA(営業利益ベース, %)	4.4	5.0	3.7	3.5	4.1	4.3	4.1
ROE(%)	2.6	4.3	1.4	▲1.2	2.3	4.0	2.8
自己資本比率(%)	57.3	56.4	58.3	57.5	58.0	59.2	59.7
PBR(倍)	1.47	0.85	0.75	0.70	0.89	1.05	1.31

(注) 各比率は総資産に対する比率。
現預金・有価証券比率には投資有価証券を含む。
純換金性資産比率＝(現預金・有価証券比率)＋(土地比率)－(有利子負債比率)

(B) サンプル企業平均と上場企業平均の比較

年度(年度末)	1999	2000	2001	2002	2003	2004	2005
現預金・有価証券比率(%)	16.2 (7.60)	16.5 (7.69)	16.9 (7.43)	15 (6.73)	14.8 (7.20)	16.8 (7.36)	17.7 (7.85)
有利子負債比率(%)	▲26.9 (17.07)	▲26.4 (17.87)	▲28.0 (19.62)	▲25.4 (15.39)	▲23.4 (14.91)	▲21.8 (14.54)	▲20.1 (13.34)
土地比率(%)	2.9 (1.96)	3.5 (2.00)	2.7 (1.56)	2.7 (1.59)	2.8 (1.55)	2.2 (1.40)	2.3 (1.78)
純換金性資産比率(%)	46.0 (16.27)	46.3 (16.03)	47.6 (17.06)	43.0 (15.88)	41.0 (16.68)	40.8 (15.14)	40.0 (14.63)
総資産回転率(%)	7.4 (0.95)	5.2 (0.66)	5.7 (0.65)	5.6 (0.61)	5.9 (0.63)	4.5 (0.48)	0.5 (0.05)
株主資本比率(%)	30.4 (12.52)	29.0 (13.04)	30.7 (12.54)	29.2 (11.75)	27.7 (12.05)	27.3 (12.66)	25.4 (11.56)
ROA(営業利益ベース, %)	0.9 (1.61)	1.0 (1.22)	0.5 (0.87)	▲0.6 (0.95)	▲0.6 (1.01)	▲0.9 (1.42)	▲1.3 (2.10)
ROE(%)	0.7 (0.60)	▲0.4 (0.17)	1.7 (1.87)	▲5.5 (2.41)	▲4.4 (4.44)	▲3.5 (4.36)	▲5.9 (5.14)
PBR(倍)	▲0.91 (3.68)	▲0.80 (8.25)	▲0.66 (9.48)	▲0.41 (5.22)	▲0.66 (7.55)	▲0.42 (4.92)	▲0.56 (5.30)

(注) 各セルの上段はサンプル企業(村上ファンドの投資対象企業)の平均値から上場企業の平均値を引いた値。
下段の( )内はt値(マイナスは省略)。t値が2以上であれば、統計的に有意な差があるといえる。
各比率は総資産に対する比率。現預金・有価証券比率には投資有価証券を含む。
純換金性資産比率＝(現預金・有価証券比率)＋(土地比率)－(有利子負債比率)

比較分析の結果を示している。

村上ファンドの投資対象企業は，現預金や有価証券といった流動性の高い資産を豊富に保有していたことが分かる。土地は簿価を用いたので，総資産に占める割合はそれほど高くないように見えるが，時価換算すれば比率は上昇するであろう。一方，有利子負債の割合は小さい。このような財務特性をもつ企業に対して，アクティブな投資ファンドは増配や自社株買いによる現金の配分を要求しやすい。投資ファンドからの要求に対して，企業の経営陣は，保有している土地の有効利用や，現預金と有価証券の保有に関する説明責任を迫られることになった。

資本利益率の指標であるROAやROEにも特徴がある。村上ファンドが活動を始めた2000年前後，上場企業と比較したサンプル企業の資本利益率は決して低くなかった（パネル(B)を参照）。多額の現預金や有価証券などを保有していたにもかかわらず，総資産回転率は上場企業平均と有意な差が観察されなかった。しかし，2002年以降の景気回復局面では，サンプル企業の資産利益率が相対的に悪化している。とくに，ROEの悪化が顕著であった。

上場企業平均に比べてROEが劣化した原因の一つは，サンプル企業の株主資本比率が高かったためである。第7章や第8章で解説したように，ROAが有利子負債利子率を上回ると，財務レバレッジはROEに好影響を与える。景気回復局面では，ROAが上昇するため，有利子負債比率が多い企業のROEは上昇する。有利子負債比率が低かったため，サンプル企業はこの影響を受けなかった。もう一つの原因は，上場企業と比較して，ROAの改善が見られなかったことである。二つの可能性がある。サンプル企業の経営が改善しなかったか，あるいはビジネス・リスクが小さい分野で事業を展開していたかである。

ビジネス・リスクが小さいというのは学術的な解釈である。現場では，次のような解釈の方が受け入れられやすい。サンプル企業は，以前から積極的な事業展開を試みていなかった。新規投資を行わなかったため，既存設備の減価償却が進み，安定した利益率が確保できていた。新規事業の（事後的な）失敗による損失も小さかった。しかしながら，成長投資を行わなかったため，景気回復期に企業業績が向上しなかった。景気回復期だけを観察すると，サンプル企業の収益性の低さだけが目に付く。

サンプル企業のPBRが低かったことも分かる。期間を通じて，サンプル企業の平均PBRは，上場企業の平均値を下回っていた。2000年から2003年にかけて，サンプル企業の平均PBRは1を下回っていた。この指標から判断すると，サン

プル企業の株価は割安に放置されていたといえる。バーゲンセールだったといってもよい。

村上代表の逮捕劇によって，村上ファンドは消滅した。しかし，アクティブな投資ファンドの活動が沈静化したわけではない。最もよく知られているのは，スティールパートナーズであろう。同ファンドが有名になったのは，ユシロ化学とソトーの株式の買占めである。敵対的なTOBを武器に両企業から大幅な増配を引き出した後，同ファンドは，主に食品業界の企業をターゲットとした派手な活動をしている。2006年には，明星食品の株式を買い占め，白馬の騎士として登場した日清食品に保有株式を売却することで，短期間のうちに高い投資リターンを実現した。

投資家と経営陣の対立という構図で見ると，スティールパートナーズが投資対象とした企業には，何らかの隙があったように思える。一つは，村上ファンドが食品業界の何社かを投資対象としていたにもかかわらず，株主の動向を注視していなかった企業が多かったことである。例えば，スティールパートナーズが大量の株式を保有したブルドックソースは，1980年代後半から90年代後半にかけて，筆頭株主の交代を経験している。株式市場に上場している以上，株主の動向を気にするという意識も必要ではないだろうか。

もう一つは，村上ファンドが投資対象とした企業と同様に，食品業界に属する多くの企業が，換金性の高い資産を豊富に保有し続けたことである。食品業界は，景気変動の影響を受けにくく，業績は安定している。少子高齢化が進む中で，国内の食品市場は飽和している。食品業界の国内における成長や新規事業の機会は限定的であろう。小規模企業が多い現状では，海外に新たな成長機会を模索するための経営資源が不足している。投資家にとって，食品関連企業が換金性の高い資産を豊富に保有している現状は，理解しがたいといえるだろう。わざわざ資本利益率を下げているようにさえ見える。理論的には，リスクとリターンの関係を考慮すべきだが，現実的には「現金はリスクがないのでリターンが低いのは当たり前です」という説明に納得する投資家は少ないかもしれない。

>>3 企業の現金保有の必要性

投資家は，ROAやROEなど企業の資本利益率を気にする。企業が資本利益率（資産利益率）を高める近道は，利益率が低い資産を保有しないことである。

利益率の低い資産の最たるものは現預金である。現状の低金利下では，現預金を保有しても，ほとんど利息収入が得られない。

　もちろん，企業の営業活動に一定の現金保有が必要なことは投資家も理解している。例えば，仕入れた原材料の代金を支払ったり，人件費を支払ったりするのに現金がいる。通常，原材料費や人件費を支払う時期と売上が現金化できる時期は一致しない。そのため，手元にある程度の現金（狭義の運転資金）を保有しておかなければならない。狭義の運転資金として必要な現金の水準は，商慣習や取引先との関係などによって異なるが，売上高の1ヵ月分（年間売上高の8－9％程度）が目安になるだろう。アメリカでは，年間売上高の3％程度が目安とされているが（マッキンゼー〈2006〉），日本とは商慣習が異なるので，アメリカ企業の目安を日本企業に適用するのは問題がある。

　現金保有の必要性は，狭義の運転資本に限定されない。売上高の変動が大きく，景気の後退期に赤字に陥る傾向が強い企業の場合，最悪の状況を想定して換金性の高い資産を保有する必要がある。赤字に陥った場合，赤字分だけ現金が減少していくとしよう。現金の保有高が，日常の運転資金に必要な水準を下回る事態になれば，金融機関から資金を調達しなければならない。赤字になった原因が景気の後退だとしても，赤字企業が金融機関からスムーズに資金を調達できる保証はない。景気後退期には，金融機関はさらなる業績悪化を想定し，貸出しに慎重になる傾向がある。資本市場からの資金調達も同様である。平時より高い金利が要求されたり，かなり割安な価格で株式を発行したりするはめになる。業績が悪化した企業は，その原因によらず，資金調達が困難になる。

　業界全体の業績が悪化している時期に，新規の設備投資を敢行できれば競争優位にたてる可能性がある。同業他社が投資を手控える時期に，戦略的な新規投資を敢行するのは勇気がいる。勇気を後押しするのは現金保有である。現金保有は，万が一の備えとして心強い。設備投資に必要な資金調達の困難さも克服する。

　電気炉を用いて製鉄する電炉メーカーの例を考えよう。電気炉の建設資金は，高炉と比べて少額ですむため，新規参入が比較的容易である。中小規模の業者が多く，競争も激しい。高炉業者には特定の大口需要者が多いが，電炉メーカーは主に不特定多数の需要者を相手にしている。電炉メーカーの業績は，鉄鋼製品の市況の影響をすぐさま受けてしまう。このビジネス・リスクの大きさを反映して，電炉メーカーの株価は変動が激しい。

　実際，電炉業界の業績を観察すると，次のことが分かる。1980年代後半から

90年代前半にかけて営業利益の大幅な伸びを経験した後，多くの企業が10年近く赤字に苦しんだ。2003年度以降，業績は急速に回復し，現在は超繁忙状態にある。このような業績の変動に対応するため，電炉業界は好況時に現金ポジションを大きく積み上げている。有利子負債比率も小さく，実質無借金経営の企業が多い。電炉業界を分析する際，業績が好調な時期だけを見ると，高水準の現金保有が資産利益率を低下させているように見える。一方，その後の苦境期を含めると，ある程度の現金を保有したり，有利子負債比率を引き下げたりする財務戦略は合理的だといえる。長期的な視野をもつ投資家は，電炉メーカーの現金保有に理解を示すであろう。

業績の変動が小さく，安定的な利益をあげている企業が豊富な現金を保有している場合，投資家の見方は異なる。投資家にとって，食品企業が多額の現預金を保有する理由は理解しがたい。参入障壁による競争制限がある放送業界に属する企業についても，同様である。

村上ファンドをはじめとするアクティブな投資ファンドの投資対象となった企業は，業績の変動が小さかった（投資ファンドは，分散投資をしない代償を業績の安定に求めることがある）。投資家は，それらの企業が多額の現金を保有する必然性はないと考えたのだろう。投資ファンドが投資先企業に現金配分を要求したとき，年金基金を含む多くの投資家が賛同した。

>>4 現金保有に対する投資家の懸念

投資家が企業の現金保有を問題視する理由として，経営者が現金を安易に使うことを恐れるという根強い説がある。手元資金に余裕があれば，経営者は安易にそれを使ってしまいかねない。不要な箱物を作ると，維持管理費までかさむことになる（このような無駄使いは国や地方公共団体にも散見される）。安易な投資の影響を受けるのは，収益配分が最も劣位の株主である。

資本主義社会に生きる人間にとって，現金が豊富にあり，それを自由に使える状況は心地よい。所有と経営が分離した企業の経営者にとっても同様である。資金が逼迫しているならば，経営者としてできることは限定されている。資金が豊富にあれば，新しいアイディアを実行できる。経営者としての満足度は高まるであろう。問題は，それらのアイディアが資本コストに見合う成果をもたらすか否かである。資本コストを下回る成果しか出せなければ，株主価値は毀損されることになる。資金が豊富であるという状況が，経営者の安易な投資を

誘発し，株主価値を毀損する。典型的なエージェンシー問題である。

　1980年代後半のバブル期には，資本コストに対する認識の不足から，安易な投資が横行した。当時，日本企業の株価は大幅に値上がりした。投資家は値上がり益に満足し，企業の現金保有を気にすることはなかった。企業は利益の多くを内部留保した。現金で保有する限り，現金の資本コストは無リスク利子率である。しかし，投資を実施する際には，投資案件のリスクに見合ったリターンを稼ぐ必要がある。現在では普及した資本コストの概念であるが，当時の日本企業の経営者は，この考え方を理解していなかったようだ。金利も配当も支払う必要がない内部資金は，その用途にかかわらずコストがゼロであると錯覚した。

　内部資金だけではない。当時，日本企業はエクイティ・ファイナンス（公募増資や転換社債など）によって，多額の資金を調達した。株価の上昇で気をよくしていた投資家は，安易に企業の資金調達に応じた。株式市場では，「エクイティ・ファイナンスをする企業の株式は買い」ともてはやされた。企業は容易にエクイティ・ファイナンスを行うことができた。企業も投資家も資金使途を精査せず，ファイナンスに熱中した。価値を生むのは実物投資であるということを忘れている状態が続いた。株式（エクイティ）の資本コストに対する認識も誤っていた。株主には配当を支払っておけばよい，という考え方が横行したのである。

　企業は，容易に調達した資金を安易に使った。本業とは関係のない土地の購入や有価証券投資を行った。計画性のない投資を行った。過大投資であった。その結果，過剰な設備と過剰な人員を抱えることになった。バブルの崩壊によって問題が顕在化し，いくつかの名門企業や金融機関の経営が破綻した。企業業績は長期にわたり低迷した。政府が景気対策や金融システムの安定化対策を打ち出し，ツケを支払った分もある。結局，日本の企業は高いコストを支払ったことになる。

　アメリカの学界で発展してきたエージェンシー理論は，「所有と経営が分離した企業では，経営者が自由になる資金が多いほど規律が失われるため，フリー・キャッシュフローを手元に残すことは問題である」と仮定する。もちろん，この仮定がすべての企業に当てはまるわけではない。それでも，バブル期には，豪華な本社社屋を建設し，役員室を贅沢に飾り，いくつもの保養施設をもち，不動産投資や株式投資に精を出し，流行の新規事業に安易に乗り出した企業の例は少なくない。

バブル期の苦い経験を知っている投資家は，企業の現金保有に敏感である。現金保有そのものが問題なのではない。現金の使途が問題なのである。苦い経験から学ぶべきことは，容易な資金調達と安易な資金使途を防ぐことである。企業は，資本コストを把握し，企業経営に活かさなければならない。大阪ガスや松下電器の事例が参考になる。投資家は，企業の資金使途や利益計画を精査し，資金の流れをモニターする必要がある。度を過ぎた現金保有に対しては，議決権を行使して，ペイアウトを要求することも現実的な解決策である。

>>5　新しい株式持ち合い

　わが国企業の株式持ち合いは，1960年代から普及し始めた。株式持ち合いを通じた長期的・友好的なグループ関係は，日本的経営の顕著な特徴であった。発行済み株式の半数以上が，株式持ち合いと持ち合いに準じる安定保有下にあった時期もある。経験的には，1990年ごろまで，株式持ち合いの下で日本の株式市場の収益率は高かったといえる。俗にいうバブル崩壊とともに，企業は株式持ち合いを解消し始めた。1990年代における日本のコーポレートファイナンスの大きな特徴の一つは，株式持ち合いの解消であった。

　近年，株式持ち合いが再び注目されている。背景には，企業収益の拡大によって企業の現金ポジションに余裕が出てきたことがある。企業買収や買収まがいの行為に対抗するという理由もあるだろう。投資家は，この新しい株式持ち合いを評価しなければならない。新しい株式持ち合いは，取引先や業務提携先と株式を相互に持ち合う資本提携という形をとることが多い。この場合，持ち合い企業同士の事業におけるシナジー効果が期待できる。カルテル的な企業間の結束にならないのであれば，投資家は株主持ち合いに理解を示すであろう。

　問題となるのは，シナジー効果が期待できない株式持ち合いである。現在の投資家は，そのような株式持ち合いをネガティブに評価する傾向が強い。その理由は次の通りである。株式持ち合いは，市場に流通する株式数（浮動株）を減少させるため，敵対的買収や議決権行使などコーポレート・ガバナンスを目的とする株式の買い集めが困難になる。所有と経営が分離した企業の経営者は，気が緩み，放漫な企業経営を行う可能性がある。あるいは，外部投資家や株式市場の声よりも，企業内部やグループ企業の動向ばかり気にするようになるかもしれない。現金保有が株主価値を毀損するのは，このような状態においてである。

株式持ち合いの存在が，コーポレート・ガバナンスの機能を低下させ，企業価値が低下する。コーポレートファイナンス論では，外部投資家からのコーポレート・ガバナンスに対する経営者の抵抗力をエントレンチメントという。エントレンチメントは防壁という意味である。株式持ち合いは，外部投資家からのプレッシャーを遮断するエントレンチメントになりかねない。

　一方，株式持ち合いがコーポレート・ガバナンスの手段となり，企業価値に好影響を与えるというポジティブな見方もある。株式を持ち合う企業同士が，相互モニタリングの役割を担い合い，企業価値の低下を防ぐという考え方である。持ち合い企業は互いに大株主である。持ち合いの相手企業の経営に問題があれば，その株式を保有している自社が損失を被る。このことを懸念する企業は，持ち合い株式という大きな議決権を武器にして，相手企業のコーポレート・ガバナンスに乗り出すだろう。わが国でも，メインバンクを中心とするグループ企業が，経営難にある企業の再建に乗り出した事例は少なくない。

　人情味ある考え方もできる。自社の業績が低迷し，株価が下落することで相手企業に迷惑をかける。一般投資家の顔や名前は知らないが，持ち合い相手企業の経営者のことはよく知っている。よく知っている相手に迷惑をかけるのは辛いことである。この思いが経営にポジティブに働くこともあるだろう。

　ピア・プレッシャーという説もある。持ち合い企業の経営者同士は，会合（社長会など）や商談で頻繁に顔を合わせる。有能な経営者であるほどお互いの能力を認め合う。ヒトは自分が認めるヒトと仲間であり続けたい。仲間（ピア）でありたいという気持ちが，良いプレッシャーとなる。企業経営も同様である。持ち合い企業の有能な経営者同士に（あるいは従業員同士にも）良い意味での緊張感が生まれる。

　コーポレート・ガバナンスの観点から株主持ち合いを評価することは難しい。現在は，ネガティブな意見が大半を占めているようだ。企業は株式持ち合いの理由を説明する必要がある。投資家は，株式持ち合いがコーポレート・ガバナンスや企業経営のモチベーションに与える影響を，目先の財務数値を超えて，評価する姿勢があってもよい。双方が歩み寄ってこそ，本当に良い関係が築ける。いずれか一方が歩み寄りの姿勢を怠れば，投資家と企業経営の間に強固な防壁（エントレンチメント）ができてしまう。

>>6 現代の財務戦略論

　企業と投資家は相互に必要な存在である。投資家からの資金提供がなければ，企業は事業を行えない。企業がなければ，投資家は資金の投資先を失ってしまう。理想的な世界では，企業と投資家は同じ目的をもつ。時間視野やリスクに対する見方も一致しているはずである。現実の世界では，様々な要因が企業と投資家の間に溝を作る。

　負債の利用，ペイアウト，現金保有などは，時間とリスクに対する見方の相違が表れやすいテーマである。企業が，10年先，20年先を見据えた経営を考えるのであれば，ファイナンシャル・フレキシビリティは重要である。一方，比較的短期的な結果を求める投資家にとって，利益を生まない資産は目先の効率が悪いように感じる。外部投資家と企業内部者（経営陣や従業員）には，時間的な視野の相違がある。リスクに対する見方も異なっているようだ。企業は自社の業績変動や株価変動など企業固有のリスクを考える。投資家はポートフォリオのリスクを考える。十分に分散投資している投資家は，個別企業の固有リスクにさほど敏感ではない。

　短期間のうちに投資成果をあげたい株主は，余剰資金などもたず，負債を利用してROEを高めてほしいと考える傾向がある。コスト削減による迅速な業績改善を奨励することも多い。長期的な成長機会や個別企業のリスクを考える経営陣は，様々な選択肢や財務的な余裕をもちたいと思う。コスト削減よりも売上高の増加という成長路線に目が行く。今回の一連のインタビューなどを通じて，時間とリスクに対する認識が，投資家と企業経営者の間に溝を作っているかもしれないと感じることが多かった。

　溝を埋めるためには，お互いを理解することが大切である。コーポレートファイナンス論は，長い年月をかけて，企業と投資家の関係を研究してきた。現時点で分かっていることは，すべての企業に共通する普遍的な理論はないということである。現代のコーポレートファイナンス論は，財務的な意思決定に関して，様々な条件付きの理論を提示している。すべての企業が同じ財務戦略をとる必要はない。上場企業全体の増配傾向を見て増配したり，現金保有を批判されている同業他社を見て現金保有を減らしたりする必要もない。上場企業の平均的なROAやROEを目指す必要もない。自社の経営環境を熟知している企業は，その環境に適した負債利用やペイアウトを選べばよい。投資家は，企業

の選択が条件付き理論にかなっているか否かを検討する。そのときこそ，本書で取り上げてきた理論的な考え方や事例研究が役に立つであろう。

引用・参考文献

Andrade, G., and S. Kaplan, 1998, How costly is financial (not economic) distress? Evidence from highly leveraged transactions that became distressed, *Journal of Finance* 53, 1443-1493.

Allen, F., and R. Michaely, 2003, Payout policy, *HANDBOOK OF THE ECONOMICS OF FINANCE* 1A (Elsevier), 337-429.（砂川伸幸訳（2006）「ペイアウト政策」, 加藤英明監訳『金融経済ハンドブック1 コーポレートファイナンス』丸善, 367－457頁）

Baker, M., and R. Ruback, 1999, Estimating industry multiples, unpublished discussion paper.

Baker, M., and J. Wurgler, 2002, Market timing and capital structure, *Journal of Finance* 57, 1-32.

Baker, M., and J. Wurgler, 2004a, A catering theory of dividends, *Journal of Finance* 59, 1125-1165.

Baker, M., and J. Wurgler, 2004b, Appearing and disappearing dividends: the link to catering incentives, *Journal of Financial Economics* 73, 271-288.

Brav, A., Graham, J., Campbell, H., and R. Michaely, 2005, Payout policy in the 21st century, *Journal of Financial Economics* 77, 485-527.

Chevalier, J., 1995, Capital structure and product-market competition: empirical evidence from the supermarket industry, *American Economic Review* 58, 415-435.

Copeland, T., and V. Antikarov, 2001, *REAL OPTIONS*, Thomas E. Copeland.（栃本克之監訳『決定版 リアル・オプション』東洋経済新報社, 2002年）

DeAngelo, H., DeAngelo, L., and D. Skinner, 2004, Are dividends disappearing? Dividend concentration and the consolidation of earnings, *Journal of Financial Economics* 72, 425-456.

DeAngelo, H., DeAngelo, L., and R. Stulz, 2006, Dividend policy and the earned/contributed capital mix: a test of the life-cycle theory, *Journal of Financial Economics* 81, 227-254.

Denis, D., and I. Osobov, 2006, Disappearing dividends, the earned/contributed capital mix, and catering incentives: international evidence on the determinants of dividend policy, unpublished working paper.

Dittmar, A., and J. Mahrt-Smith, 2007, Corporate governance and the value of cash holdings, *Journal of Financial Economics* 83, 599-634.

Fama, E., and K. French, 2001, Disappearing dividends: changing firm characteristics or lower propensity to pay, *Journal of Financial Economics* 60, 3-43.

Graham, J., Campbell, R., and R. Harvey, 2001, The theory and practice of corporate finance: evidence from the field, *Journal of Financial Economics* 60, 187-243.

Graham, J., 2000, How big are the tax benefits of debt? *Journal of Finance* 55, 1901-1941.

Grinstein, Y., and R. Michaely, 2005, Institutional holdings and payout policy, *Journal of Finance* 60, 1389-1426.

Grullon, G., and R. Michaly, 2002, Dividend, share repurchases, and substitution hypothesis, *Journal of Finance* 57, 1649-1684.

Grullon, G., and R. Michaly, 2004, The information content of share repurchase programs, *Journal of Finance* 59, 651-680.

Grullon, G., Michaly, R., and B. Swaminathan, 2002, Are dividend changes a sign of firm maturity, *Journal of Business* 75, 387-424.

Harford, J., 1999, Corporate cash reserves and acquisitions, *Journal of Finance* 54, 1969-1997.

Harvard Business School Case No. 9-295-069, A Note on Capital Cash Flow Valuation.

Hatakeda, T., and N. Isagawa, 2004, Stock price behavior surrounding stock repurchase announcements: evidence from Japan, *Pacific-Basin Finance Journal* 12, 271-290.

Hoberg, G., and P. Nagpurnanand, 2005, Disappearing dividends: the importance of idiosyncratic risk and irrelevance of catering, unpublished discussion paper.

Ikenberry, D., and T. Vermaelen, 1996, The option to repurchase stock, *Financial Management* 25 (Winter), 9-24.

Ikenberry, D., Lakonishok, J., and T. Vermaelen, 1995, Market underreaction to open market share repurchases, *Journal of Financial Economics* 39, 181-208.

Jagannathan, M., Stephens, C., and M. Weisbach, 2000, Financial flexibility and the choice of between dividends and stock repurchases, *Journal of Financial Economics* 57, 355-384.

Jensen, M., and W. Meckling, 1976, Theory of firm: managerial behavior, agency costs and ownership structure, *Journal of Financial Economics* 3, 305-360.

Jensen, M., 1986, Agency costs of free cash flow, corporate finance, and takeovers, *American Economic Review* 76, 323-329.

Julio, B., and D. Ikenberry, 2004, Reappearing dividends, *Journal of Applied Corporate Finance* 16 (4), 89-100.

Kalay, A., 1982, Stockholder-bondholder conflict and dividend constraints, *Journal of Financial Economics* 10, 211-233.

Kaplan, S., and R. Ruback, 1995, The valuation of cash flow forecasts: An empirical analysis, *Journal of Finance* 50, 1059-1093.

Lintner, J., 1956, Distribution of incomes of corporations among dividends, retaining earnings, and taxes, *American Economic Review* 46, 97-113.

Li, W., and E. Lie, 2005, Dividend changes and catering incentives, *Journal of Financial Economics*, forthcoming.

Myers, S. 2003, Financing of Corporations, Constantinides, G., Harris, M., and R. Stulz (Eds), *Handbook of the Economics of Finance*, Vol. 1A, Elsevier North Holland, 215-253.（砂川伸幸訳（2006）「第4章 企業の資金調達」，加藤英明監訳（2006）『金融経済学ハンドブック1 コーポレートファイナンス』丸善，229-273頁）

Myers, S., 1984, The capital structure puzzle, *Journal of Finance* 39, 575-592.

Myers, S., and N. Majluf, 1984, Corporate financing and investment decisions when firms have information that investors do not have, *Journal of Financial Economics* 13, 187-221.

Mikkelson, W., and M. Partch, 2003, Do persistent large cash reserves hinder performance?, *Journal of Financial and Quantitative Analysis* 38, 275-294.

Miller, M., and F. Modgliani, 1961, Dividend policy, growth, and the valuation of shares, *Journal of Business* 34, 411-433.

Modgliani, F., and M. Miller, 1958, The cost of capital, corporate finance, and the theory of investment, *American Economic Review* 48, 261-297.

Opler, T., Pinkowitz, L., Stulz, R., and R. Williamson, 1999, The determinant and implications of corporate cash holdings, *Journal of Financial Economics* 52, 3-46.

Palepu, K., Healy, P., and V. Bernard, 2000, *Business Analysis & Valuation: Using Financial Statements*, South-Western College Publishing. (斉藤静樹監訳『企業分析入門第2版』東京大学出版会,　2001年)

Phillips, G., 1995, Increased debt and industry product markets, an empirical analysis, *Journal of Financial Economics* 37, 189-238.

Pinkowitz, L., Stulz, R., and R. Williamson, 2005, Does the contribution of corporate cash holdings and dividends to firm value depend on governance? A cross-country analysis, *Journal of Finance* 61, 2725-2751.

Zingales, L., 1998, Survival of the fittest or the fattest? Exit and financing in the truck industry, *Journal of Finance* 53, 905-938.

赤石雅弘・馬場大治・村松郁夫, 1998,「構造変革期におけるわが国企業の財務行動」, 森昭夫, 赤石雅弘編『構造変革期の企業財務』千倉書房。

砂川伸幸・畠田敬・山口聖, 2006,「ペイアウトと現金」, 証券アナリストジャーナル第44巻7号, 6－20頁。

井出正介・高橋文郎, 2006,『経営財務入門 第3版』日本経済新聞社。

川北英隆・宮野玲, 2007,「村上ファンドの投資行動と役割」, ニッセイ基礎研究所所報2007Vol.45, 1－21。

桜井久勝, 2003,『財務諸表分析』中央経済社。

生命保険協会（平成17年, 平成18年）「株式価値向上に向けた取り組みについて」。

日本証券アナリスト協会編, 2004,『証券アナリストのための企業分析 第3版』東洋経済新報社。

野間幹晴・本多俊毅, 2005,『コーポレートファイナンス入門』共立出版。

榊原茂樹・青山護・浅野幸弘, 1998,『証券投資論　第3版』日本経済新聞社。

諏訪部貴嗣, 2006,「株主価値を向上させる配当政策」, 証券アナリストジャーナル第44巻7号, 34－47頁。

マッキンゼー・アンド・カンパニー, 2006,『企業価値評価（上）（下）』ダイヤモンド社。

山口勝業, 2007,『日本経済のリスク・プレミアム』東洋経済新報社。

索　引

＜数字・アルファベット＞

3 ファクターモデル　30
ANA→全日本空輸
APV 法　154, 157
CAPM（資本資産評価モデル）　30, 42, 103
CCF 法　156, 158
DCF 法（割引現在価値法）　23
D/E レシオ　143
EBITDA　118
　── マージン　292
　── マルチプル法　118
EPS→一株当たり利益
EVA（経済付加価値）　23, 50
F&A アクアホールディングス　127
HOYA　140, 281
ＩＲ
　── 活動　15
　経営トップと直結した ──　93
　── 体制　100
IRR→内部収益率
JAL→日本航空
J パワー（電源開発）　274
KKR による RJR ナビスコの LBO　116
M&A（合併・吸収）　111
　── の価値　115
　── における価値の配分　116
M&A コンサルタント（通称，村上ファンド）　264, 340
MBO　176
MM の無関連命題→モジリアーニとミラーの命題
NPV プロファイル　60

NPV 法（正味現在価値法）　58, 60
NTT　248
NTT ドコモ　55, 280, 291, 292
PER→株価収益率
PPM　67
ROE→自己資本利益率，株主資本利益率　305
SWOT 分析　66
ToSTNeT-2　298
WACC 法　29, 78, 155, 157

＜50音順＞

（あ行）

アサヒビール　22
　── の和光堂買収　127
アスティとエフ・ディ・シィ・プロダクツの経営統合　124
アステラス製薬　250, 290
アネスト岩田　250
誤った投資決定基準　69
安定配当政策　81, 247
イオン　21
　── の50年債　217
居心地のよい負債の水準　198
伊勢丹　183
イトーヨーカ堂　21
インタレスト・カバレッジ・レシオ（IC レシオ）　161
運転資金　344
運転資本　20, 44, 58
営業キャッシュフロー（営業 CF）　19, 20, 58
営業利益　3

営業レバレッジ　39
エクイティ・ファイナンス　217, 335, 346
　— の時間稼ぎ戦略　246
エクイティ・リスク・プレミアム　34
エーザイ　250
エージェンシー問題　14, 69, 338, 346
エージェンシー理論　346
エルピーダ　113
エントレンチメント　348
王子製紙　120
大阪ガスのSVA　50, 73, 74
オプテックス　63

（か行）

回収期間法　62
花王　36, 178
格付け　159
格付け機関　161
額面発行増資　334
加重平均　7
　— 期待収益率　75
　— 資本コスト→WACC
過小投資　68
過小評価　56
過大投資　68, 70, 338
過大評価　57
価値創造　2, 16
　— 経営　73
　— の源泉　66
株価収益率（PER）　35, 120
株価純資産倍率（PBR）　120
株価のミス・プライシング　222
株式市場の需給悪化懸念　312
株式の資本コスト　30, 35, 42
株式の需給関係　311
株式ベータ　9, 33
株式持ち合い　337, 347
　— の解消　347
株主価値　81
株主構成　328
株主資本配当率（DOE）　250
株主資本利益率（ROE）　6, 305
株主重視の（企業）経営　4, 103
株主の議決権　4
株主優待　247
企業価値評価　43
　— におけるフリー・キャッシュフロー　44
企業年金連合会　214
企業の資本コスト　27
企業の総資本コスト　29
企業のリスク　11
期待収益率　23, 24, 49
　加重平均 —　75
キッコーマン　36, 113
キャッシュフロー（CF）　16, 19
　営業 —　19, 20, 58
　財務 —　19, 20
　投資 —　19, 20
　フリー・—　20, 43, 49, 346
キヤノン　282
業績連動型配当　248, 330
京セラ　181
京都企業　174
キリンビール　22, 50, 201
金庫株　288, 331
　— の柔軟性　333
　— の消却　312
　— 保有　309, 312
金融収益　4
経営指標　73, 95
継続価値　46
ケータリング仮説　268, 309
　配当 —　270, 291
減価償却費　20, 44, 58

現金配当　247
現金ポジション　314
現金保有　14, 337
現在価値　23
減配　260, 330
　　—の回避　307
公開買い付け　332
公募増資　217
コカ・コーラ　23
顧客価値　81
国際石油開発帝石ホールディングス　290
個人向け社債　313
コーポレート・ガバナンス　264, 348
　　—と資本構成　175
コール条項　233

（さ行）

裁定取引　146
財務キャッシュフロー（財務CF）　19, 20
債務免除　229
財務レバレッジ　39, 143, 342
サッポロホールディングス　113, 229
残余利益　4
時価発行増資　335
事業ポートフォリオ　53
事業利益　4
資金調達のコスト　223
シグナリング仮説　208
自己資本利益率（ROE）　305
　　—のコントロール　151
自社株買い　17, 247, 275, 331
　　—シグナル仮説　282, 332
　　—とリスク・リターン関係　278
　　—のアナウンスメント効果　310
　　—の機動性　279, 309
　　—の柔軟性　279, 296, 309
　　—の成熟仮説　332

　　—のフリー・キャッシュフロー仮説　280
市場買い付け　332
市場株価平均法　125
資生堂　248, 284, 303
シナジー効果　111, 124, 347
資本構成　16, 143
　　—の条件付き理論　144
　　—のトレードオフ理論　165
資本拘束条項　229
資本コスト　2, 6, 10, 16, 49, 345
　　加重平均—　→WACC
　　株式の—　30, 35, 42
　　企業の—　27
　　全社一律の—　105
　　—の推定　27, 103
　　負債の—　39
　　負債の—推定の短期バイアス　40
　　—を意識した経営指標　76
資本市場の効率性　10
社会価値　81
社会的な責任　171
集中と選択　13
証券化　236
条件付き（の）理論　182, 201, 304
　　資本構成の—　144
　　ペイアウトの—　335
上場廃止基準　328
情報の非対称性　16
所有と経営の分離　14, 225
信越化学工業　174
新株予約権付社債（転換社債）　217
新日本製鐵　235
新日本石油　290
信用スプレッド　159
スティールパートナーズ　343
ステークホルダー　1, 3
ストック・オプション　226

成熟企業仮説　265
生命保険協会のアンケート調査　248
税・利息支払い前利益（EBIT）　144
節税効果　171
　　負債の ―　29, 123, 152, 153
　　― のリスク　156
全社一律の資本コスト　105
全社一律のハードル・レート　71
全日本空輸（ANA）　237
　　― の公募増資　241
戦略的関連性　112
総還元性向　248, 303, 331
総資産事業利益率（ROA）　5
総資本コスト　29
増配　259
ソフトバンク　8, 116

（た行）

第一三共　128, 248
ダイエー　21
大和ハウス工業　181
武田薬品工業　290
田辺製薬　250
　　― と三菱ウェルファーマの合併比率
　　117
中間配当　253
中期経営計画　87
長期的なコミットメント　339
定額CFモデル　25
定率成長モデル　25
適切なハードル・レート　71
撤退基準　51, 52, 86
デフォルト・コスト　158, 187
転換社債（転換社債型新株予約権付社債）
　　217, 232
東京ガス　21
東京鋼鐵と大阪製鐵の合併提案　116
東京スタイル　264

東京電力　21
投資家のリスク　11
投資キャッシュフロー（投資CF）　19, 20
投資決定基準　69
投資決定問題　57
東芝　258
東芝セラミックス　218
投資ファンド　339
東燃ゼネラル　213
登録免許税　290, 300
トヨタ自動車　288
トランシェ　236
トレードオフ理論　171

（な行）

内部収益率（IRR）　61
日本航空（JAL）　237
　　― の公募増資　244
日本写真印刷　174
日本製紙　135
日本郵船　290
ネット・キャッシュ　315
野村総合研究所　37
のれん償却　44

（は行）

買収プレミアム　139
配当　17
　　安定 ― 政策　81, 247
　　― 落ち　253
　　― 課税　271
　　期末 ―　253
　　業績連動型 ―　248, 330
　　― ケータリング仮説　270, 291
　　現金 ―　247
　　― 顧客仮説　325, 328
　　― シグナル仮説　257, 259, 325, 326
　　― 性向　324

― 政策　247
　中間 ―　253
　　― の二極化　266
　　― のフリー・キャッシュフロー仮説　263
　　― のポジショニング・マップ　294
　　― のライフサイクル仮説　265
　ハイブリッド型 ― 政策　319, 321
　ハイブリッド型の ―　322
　フロア（安定部分）＋業績連動の ―　250
　マブチモーターのフロア＋業績連動型 ―　319
　　― 無関連命題　253
　連結 ― 性向　306
ハイブリッド　217
ハイリスク・ハイリターンの原則　7, 24, 256
ハウス食品　8
ハードル・レート　61
　全社一律の ―　71
　適切な ―　71
阪急ホールディングスと阪神電鉄との経営統合　44, 116
ピア・プレッシャー　348
非システマティック・リスク　12
ビジネス・リスク　8, 28
　― ・プレミアム　148
日立製作所　52, 258
一株当たり利益
　― の希薄化　219, 220, 245
　ペイアウトと ― の関係　278
ファイナンシャル・フレキシビリティ　172, 187, 340, 349
ファイナンシャル・リスク　147
　― ・プレミアム　148
ファナック　284
フェリシモ　265

負債
　― による経営の規律づけ　123
　― のオーバーハング問題　159
　― の資本拘束条項　229
　― の資本コスト　39
　― の資本コスト推定の短期バイアス　40
　― の節税効果　29, 123, 152, 153
　― 利用による規律づけ　175
不二家　11
ブランド価値　311
フリー・キャッシュフロー（FCF）　20, 43, 49, 346
　自社株買いの ― 仮説　280
　企業価値評価における ―　44
　配当の ― 仮説　263
分散投資　11, 13
　― によって回避できるリスク　12
　― によって除去できないリスク　13
ペイアウト　247
　― 性向　303
　― と一株当たり利益の関係　278
　― の条件付き理論　335
ベータ（β）　31
　株式 ―　9, 33
ペッキングオーダー仮説　224
ペンタックス　140
北越製紙　120

（ま行）

マイクロソフト社　265
マーケット・タイミング戦略　222
マーケット・ポートフォリオ　31
マーケット・リスク・プレミアム　31
松下電器産業　6, 93, 288, 291
　― のCCM　50
　― のダム式経営　107
マブチモーター　181, 249

――のフロア＋業績連動型配当　319
丸紅のPATRAC　50
三井金属　59, 66
三菱商事のMCVA　50
無借金経営　180, 327
村上ファンド→M＆Aコンサルタント
無リスク利子率（国債利回り）　24
メザニン　217
モジリアーニとミラーの命題（MM命題）
　　43, 143, 187, 212, 251
森永製菓　12

（や行・ら行・わ行）

ヤマトホールディングス　290
優先株　217
有利子負債利率　40
ライフサイクル仮説　267, 325, 326
ライブドア　36
楽天　114, 174
リアルオプション　64
利益還元ルール　335
利害対立問題　14

リキャピタリゼーション（資本構成の再構築）　212
リスク　7
　――・インセンティブ　227, 234
　――・インセンティブ問題　159
　企業の――　11
　投資家の――　11
　非システマティック・――　12
　ビジネス・――　8, 28
　ビジネス・――・プレミアム　148
　ファイナンシャル・――　147
　ファイナンシャル・――・プレミアム　148
リターン　7
劣後債　217
レバレッジ（財務レバレッジ）　39, 143, 342
連結配当性向　306
わが国企業の現金保有比率　337
割引率　24, 26, 27, 49
　事業リスクに応じた――　86
ワールド　218, 227

〈著者紹介〉

砂川伸幸（いさがわ・のぶゆき）
1966年生まれ
1995年　神戸大学大学院経営学研究科博士課程前期課程修了。神戸大学助手，ワシントン大学ビジネススクール客員研究員などを経て
現在：神戸大学大学院経営学研究科教授
　　　京都大学経営管理大学院客員教授
著書：『財務政策と企業価値』有斐閣
　　　『コーポレート・ファイナンス入門』日本経済新聞社
　　　『経営戦略とコーポレートファイナンス』（共著）日本経済新聞出版社

川北英隆（かわきた・ひでたか）
1950年生まれ
1974年京都大学経済学部卒業，日本生命保険入社。同社取締役，中央大学，同志社大学教授などを経て
現在：京都大学経営管理大学院教授
著書：『日本型株式市場の構造変化』東洋経済新報社
　　　『「市場」ではなく「企業」を買う株式投資』（編著）金融財政事情研究会
　　　『経営戦略とコーポレートファイナンス』（共著）日本経済新聞出版社

杉浦秀徳（すぎうら・ひでのり）
1961年生まれ
1984年東京大学経済学部卒業，日本長期信用銀行入行。91年カリフォルニア大学バークレー校でMBA取得。UBS信託，興銀証券を経て
現在：みずほ証券経営企画グループ経営調査部上級研究員
　　　京都大学経営管理大学院特別教授
著書：『経営戦略とコーポレートファイナンス』（共著）日本経済新聞出版社

日本企業のコーポレートファイナンス

2008年2月12日　1版1刷
2014年1月30日　　　8刷

著　者　砂川伸幸
　　　　川北英隆
　　　　杉浦秀徳

ⓒNobuyuki Isagawa, Hidetaka Kawakita,
Hidenori Sugiura, 2008

発行者　斎田久夫
発行所　日本経済新聞出版社
　　　　http://www.nikkeibook.com/
　　　　東京都千代田区大手町1-3-7　〒100-8066
　　　　電　話（03）3270-0251（代）

印刷　広研印刷　　製本　積信堂
ISBN978-4-532-13345-0

本書の無断複写複製（コピー）は，特別の場合を除き，著作者・出版社の権利侵害となります。

Printed in Japan